CW00736100

IL ÉTAIT UNE RIVIÈRE

Du même auteur

American Salvage, Les éditions de l'Atelier In8, 2012.

www.editions-jclattes.fr

Bonnie Jo Campbell

IL ÉTAIT UNE RIVIÈRE

Roman

Traduit de l'anglais (États-Unis)
par Elisabeth Peellaert

JC Lattès

Titre de l'édition originale :
Once upon a River
publiée par W. W. Norton & Company

Ouvrage publié sous la direction éditoriale
de Sylvie Audoly

Maquette de couverture : Bleu T
Photo : Vetta/Stock

ISBN : 978-2-7096-3553-0

À tous les enfants élevés par les loups.

Ma maison est sur l'eau, je n'aime pas du tout la terre
Ma maison est sur l'eau, je n'aime pas du tout la terre
Ma maison est sur l'eau, je ne veux pas du tout de terre
Je préfère être mort que rester ici et être votre chien.

See see rider, traditionnel

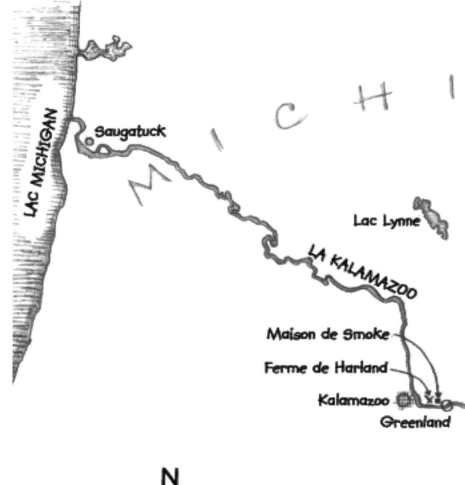

LAC MICHIGAN

Saugatuck

M I C H I

Lac Lynne

LA KALAMAZOO

Maison de Smoke

Ferme de Harland

Kalamazoo

Greenland

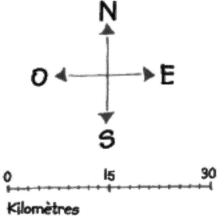

N

O ◄────┼────► E

S

0   15   30

Kilomètres

G A N

Maison de la marijuana

La grande maison des Murray

Village de Murrayville

Maison de Crane

Cimetière de Murrayville ×

Usine métallurgique Murray

...ire de pique-nique ...e Pokagon Mound

LA STARK

Barrage ×

Maison de Michael

Heart of Pines

Confluence

Willow Island

La maison de Brian sur pilotis

LA KALAMAZOO

Première partie

1.

La Stark affluait dans le méandre à Murrayville comme
le sang dans le cœur de Margo Crane. À la rame, Margo
remontait le courant pour voir des canards branchus, des
fuligules à dos blanc, des balbuzards pêcheurs et dénicher les
salamandres tigrées dans les fougères. Elle se laissait dériver
pour trouver des tortues peintes qui se chauffaient au soleil
sur des arbres morts et compter les hérons dans la héronnière non loin du cimetière. Elle attachait sa barque et
remontait les petits bras de rivière pour pêcher les écrevisses, ramasser le cresson d'eau et les minuscules framboises
sauvages. Elle avait les pieds insensibles aux cailloux pointus
et aux éclats de verre. En nageant, Margo avalait des vairons
vivants et sentait la Stark remuer en elle.

Elle pataugeait parmi les racines tortueuses pour
s'emparer des serpents d'eau et laissait la rivière nettoyer
leurs morsures inoffensives. Les tortues serpentines se laissaient parfois piéger en plantant les crocs dans une branche,
et elle pouvait ainsi les rapporter à Grand-Père Murray. Il
cuisait de la viande pour faire de la soupe et disait aux
enfants que manger de la tortue c'était comme manger du
dinosaure. Margo était la seule que le vieil homme acceptait

d'emmener quand il allait pêcher ou inspecter ses collets parce qu'elle était capable de rester assise des heures entières sans parler, à la proue de *La River Rose*, sa petite barque en teck. Margo savait qu'au moment où elle était tentée de parler ou d'appeler, elle devait au contraire garder le silence, observer et tendre l'oreille. Le vieil homme l'appelait Elfe ou Nymphe des eaux. Ses cousins l'appelaient Nympho, mais en général pas à proximité du vieil homme.

Margo, baptisée Margaret Louise, et ses cousins connaissaient les eaux boueuses et les remous, le sable et la vase entre leurs orteils, ils en remplissaient des pots de fromage blanc en plastique et des pots à sorbets, et les tamisaient entre leurs doigts pour façonner des stalagmites et des châteaux détrempés. Ils creusaient dans les rives, taillaient dans le sol et les racines pour former des cavités et des tunnels qui s'effondraient. Quand l'un d'entre eux, resté trop longtemps dans le sol meuble, s'enfonçait jusqu'aux genoux, il lui suffisait de crier pour qu'on vienne le tirer de là. Ils passaient les étés nus ou presque, à ramasser des vers de terre dans les bois moussus et des œufs de grenouille dans les nids visqueux sous les branches immergées. Ils construisaient des radeaux de bois flotté en les attachant avec de la corde. À la surface de l'eau, ils savaient lire les menaces cachées en profondeur. Un jour – Margo avait huit ans et Junior, son cousin préféré, neuf –, ils avaient sauvé un de leurs oncles, qui, d'ivresse, avait failli se noyer.

Ensemble, ils pêchaient des crapets arlequins, des poissons-lunes et des crapets de roche dans les branches mortes au bord de la rivière, mais ils prenaient soin d'éviter la zone en aval de l'usine métallurgique Murray, où un tuyau d'écoulement vomissait dans la rivière un mélange d'eaux usées, d'huile industrielle et de solvants – il y avait des poissons à cet endroit, avec d'étranges tumeurs, la chair cloquée autour de la bouche, les branchies effilochées.

Certains jours de grand vent, la fumée couleur d'argile flottait le long de la rivière, remontait jusqu'à eux sur les vérandas grillagées, et même quand ils fermaient les fenêtres, la fumée pénétrait les maisons à travers les lames du plancher et les interstices des portes.

La famille Murray était une tribu ingrate, et Bernard Crane, le fils bâtard que Dorothy Crane avait eu avec le vieux Murray au cours d'une infidélité passagère – pardonnée le moment venu par une épouse qui, en dépit (ou peut-être à cause) de sa nature indulgente, était morte jeune –, n'en était pas moins ingrat. Le vieil homme avait imploré Dorothy Crane de donner à leur enfant son nom de famille, mais sur le certificat de naissance elle avait fait inscrire *père inconnu*. Certains disaient que Dorothy avait du sang indien et que c'était la raison pour laquelle Bernard était si petit, d'autres qu'elle n'avait pas eu assez de lait pour le nourrir parce que le vieux refusait de quitter sa femme légitime, et d'autres encore, y compris Cal Murray, niaient que Bernard fût un Murray. Des années après, cependant, quand Bernard Crane, que tous appelaient simplement Crane, et sa femme Luanne eurent engendré une jolie petite fille aux yeux verts, la rivière connut une courte période de réconciliation et tous les Murray revendiquèrent Margo. La mère de la petite fille trouvait même parfois grâce aux yeux des autres femmes. Le plus souvent, elles qualifiaient Luanne d'« esprit libre ». Dans leurs bouches, ce n'était pas un compliment.

Quand le temps le permettait, Margo et ses cousins nageaient toute la journée. Même les jours où, à cause de la sécheresse, le niveau d'eau était assez bas pour traverser à pied, ils nageaient jusqu'à la grande ferme des Murray sur la rive nord, où Tante Joanna accrochait sa lessive ou faisait cuire le pain et où Oncle Cal les laissait parfois tirer le pigeon au fusil de chasse ou sur des cibles d'argile à la carabine. Ils retraversaient en direction de la maison des Crane, une bâtisse blottie dans une ombre épaisse, où Luanne s'étendait souvent à l'extrémité du ponton flottant, seul endroit ensoleillé, vêtue d'un bikini dégrafé. Au soleil, Luanne se dorait comme les pains de Joanna, ne levant la tête et n'ouvrant les yeux que pour boire le vin blanc coupé d'eau qu'elle emportait dans un seau rempli de glace. Son odeur de beurre de cacao dérivait sur le courant et les garçons ne parvenaient pas à détacher leurs yeux d'elle.

Le soir, pour rentrer, Margo ramait, nageait ou se laissait dériver, et sa mère, anticipant le retour de sa fille, se réveillait, se levait peut-être en vacillant un peu et, sur le ponton, préparait une serviette pour Margo, sa préférée, très grande, imprimée de motifs verts évoquant la jungle. Margo claquait des dents et sa mère l'enveloppait et l'étreignait. Alors seulement elle sentait le doux parfum du vin à l'intérieur du nuage de beurre de cacao. Luanne disait : « Accroche-toi, Margo » tandis qu'elles marchaient enlacées sur le ponton puis sur la rive et regagnaient la maison. Elles s'arrêtaient sur la véranda pour éliminer les sangsues et arrosaient de sel celles qui s'agrippaient à Margo. Une fois toutes les deux douchées, Luanne allait se coucher devant la télévision avec sa bouteille de vin, ou bien elle entamait sa nuit de douze heures, mais Margo se pelotonnait sur le canapé et attendait le retour de son père, ouvrier dans la deuxième équipe de l'usine métallurgique Murray, en feuilletant son livre sur Annie Oakley dont elle ne se lassait jamais d'examiner le visage sombre. Annie paraissait tellement naturelle avec ses carabines et ses fusils, il lui semblait que toutes les filles devaient rêver de posséder un fusil de chasse. Quand elle avait raconté cela à sa mère, Luanne avait répondu d'un ton las qu'elle ne voyait pas comment Annie Oakley avait pu « tirer autant de fois sans tuer personne, sans les tuer tous autant qu'ils étaient », et Margo n'en avait plus reparlé.

Parfois, à la suite d'une grosse tempête ou d'un soudain dégel, la rivière se métamorphosait en une déferlante implacable qui emportait tous les débris charriés par le courant : des bateaux mal amarrés ou des morceaux de flotteurs et de pontons précipités contre des arbres. Toutes sortes de choses pouvaient échouer sur la rive : barriques de deux cents litres, bouées couvertes de mousse encore attachées à leur corde en nylon, carcasses d'animaux. Et les eaux balayaient ce que les Murray n'avaient pas pu ou pas eu le temps de fixer : le sable des bacs à sable, les déjections de la demi-douzaine de porcs dans le pâturage, les piquets et les casiers à tomates de l'été précédent, des jouets et des écuelles, des milliers de cartouches tombées près de la ferme. Chaque année, les inondations nettoyaient les terriers de rats musqués, noyaient les taupes, éloignaient les barriques brûlées, érodaient les sols et détachaient des morceaux de terrain. Un mois de février, après un dégel précoce, les Crane avaient perdu plus de trois stères de bois de chauffage empilés trop près du bord.

La mort du grand-père de Margo, quand elle avait quatorze ans, avait frappé toute la famille comme une de ces inondations de fin d'hiver, refroidissant tout, emportant la vieille génération et cette colle ou ces ficelles invisibles qui assuraient le lien entre les Murray. Autant qu'on le lui avait permis, Margo était restée sur la véranda non loin du lit où gisait Grand-Père. Après les obsèques, elle était partie avec Oncle Cal, elle avait chargé quinze cartouches dans sa Marlin .22, la même que celle d'Annie Oakley, elle avait glissé la bandoulière à son épaule et visé. Son premier tir ne fit pas mouche. Cal lui suggéra de s'asseoir en tailleur et de resserrer la bandoulière. Les quatorze cartouches suivantes perforèrent la cible en papier juste à gauche du centre, formant un agrégat de petits trous serrés. Parmi eux, douze composaient un trou unique d'un peu plus d'un demi-pouce. « Qu'est-ce que c'est que ça ? dit Cal en passant le doigt sur le papier déchiré. Jamais je n'ai tiré comme ça de ma vie. C'est prodigieux. » Oncle Cal prétendit lui avoir appris à tirer, mais si Margo avait senti qu'il la guidait elle s'était tout aussi nettement sentie guidée par le fusil lui-même. Il lui assurait l'équilibre, mais la tristesse améliorait son tir.

Lorsque Cal Murray prit la présidence de l'usine métallurgique Murray, il enjoignit ses fils à venir y travailler l'été plutôt que de passer leurs journées à explorer la rivière. À cette époque, la mère de Margo prit l'habitude de se maquiller et de disparaître tous les après-midi. Elle rentrait sans faute à la tombée du jour, jusqu'à ce soir de juillet où Margo se retrouva seule sur le ponton. Son filet à vairons, trop grand, contenait une vesse-de-loup, blanche comme une lune, plus grosse que sa tête. Margo se hissa hors de l'eau, et monta sur le ponton en tenant le champignon au crâne blanc qu'elle avait l'intention de couper en morceaux et de faire frire pour le dîner. La petite maison des Crane était plongée dans l'obscurité. Quand elle alluma la lampe de la cuisine, elle trouva le mot sur la table. Elle le lut et le relut, sans pouvoir en déchiffrer le code. Combien de fois Luanne avait-elle affirmé ne plus pouvoir supporter de vivre dans cet endroit ? Mais elle avait toujours été là. Margo se gratta la cheville et y trouva une grosse sangsue. Elle n'eut pas la patience de la ratatiner avec du sel. Au lieu de quoi elle prit un couteau à découper, en abattit le manche en bois sur la tête de la créature et l'écrasa jusqu'à que la bouillie ensanglantée tombe sur les carreaux de la cuisine.

*

Peut-être, après la mort du vieux Murray, le déclin de l'usine métallurgique Murray et le chômage qui en résulta à Murrayville étaient-ils inéluctables, étant donné les conditions économiques de la fin des années 1970, ou peut-être fallait-il blâmer la mauvaise gestion de Cal. Peut-être ce qui se passa avec Oncle Cal et Margo le lendemain de Thanksgiving était-il également inéluctable. Margo avait fini de laver une deuxième vaisselle, et sa tante Joanna la chassa de la cuisine.

— Va t'amuser, va rejoindre les autres enfants, dit Joanna. Allez, ouste !

— Je vais enfiler mon jean, dit Margo.

Elle était vêtue d'une robe à manches longues, que Joanna lui faisait porter quand elle l'accompagnait à l'église, même quand il ne s'agissait que de faire don de boîtes de conserve. Le corsage était joli, mais le bas lui descendait aux genoux.

— Quel mal y a-t-il à s'habiller en fille ? Va dire à ton cousin Junior d'arrêter de passer ces disques de rock-and-roll. Mets-nous un peu de country.

La fête battait son plein, et des haut-parleurs accrochés dans les arbres, leur parvenait *Smoke on the Water*. Joanna l'entraîna jusqu'à la porte, lui fourra sa veste sous le bras et la poussa dehors dans le froid. Soulevant sa robe, Margo la replia à la taille pour la raccourcir. C'était la première fête sans Grand-Père Murray et sa présence massive lui manquait. Elle traversa la pelouse gelée pour rejoindre son père, qui parlait soudure. Comme elle ne parvenait pas à attirer son attention, elle se dirigea vers l'endroit où on découpait le cochon rôti. Hank Slocum, l'oncle que Margo avait sauvé de la noyade, découpait des rubans de porc et les plaçait dans une grande poêle en aluminium. Margo vit apparaître un long os blanc, dont il ôtait la chair. Hank Slocum vivait avec sa femme et ses six enfants dans une caravane à huit cents mètres en amont de la propriété des Murray. Julie Slocum, toujours aussi rapporteuse du haut de ses treize ans, flirtait avec son cousin Junior qui, assis les jambes croisées devant le pick-up, ne faisait pas attention à elle. Billy Murray, de quelques mois plus âgé que Margo, menait les petits à la baguette, y compris ses frères jumeaux, Toby et Tommy. Elle le vit leur donner l'ordre de ramper jusqu'à l'endroit où les hommes jouaient à lancer des fers à cheval et de cracher dans leurs bières mousseuses. Les hommes ne remarquaient rien, et chaque fois que l'un d'eux portait à ses lèvres un verre en plastique, Billy et les petits hurlaient de plaisir. Margo s'était couchée en compagnie de Moe, le labrador noir avec qui elle échangeait des propos composés de grondements et de jappements, lorsque son oncle Cal lui donna un petit coup de botte dans les côtes.

— Hé, Elfe, si tu veux aller chasser, faut d'abord que t'apprennes à dépecer un cerf.

Margo se releva et tira à nouveau sur la taille de sa robe. Cal était connu pour complimenter les filles quand elles étaient jolies, alors elles s'y efforçaient toutes.

— Si tu veux, je peux t'apprendre tout de suite, dit-il, la voix empâtée.

Son père lui avait recommandé de rester à l'écart des hommes quand ils buvaient – lui y compris –, mais elle suivit son oncle Cal dans l'appentis chaulé. Elle se lissa les cheveux pour s'assurer qu'ils ne formaient pas d'épis. Le poêle à bois s'était éteint, mais la pièce avait gardé sa chaleur et Cal retira sa veste et la jeta par terre. Elle n'avait pas envisagé que Cal l'attirerait contre lui et, quand il le fit, elle se débattit et le poussa contre la carcasse éventrée qui se balança en répandant dans l'air une odeur de sang.

Lorsque Cal l'embrassa sur le haut du crâne, Margo enfouit sa tête dans son large torse et sentit l'épaisse chemise en flanelle contre sa joue. Elle adorait son odeur de cuir, mais celle-ci se mêlait à celle du porc et de la bière. Il resserra ses bras autour d'elle et la souleva tout entière, de sorte qu'elle se trouva nez à nez avec lui, quelque chose qu'il aurait pu faire quand elle était une petite fille. Elle venait juste d'avoir quinze ans.

— Tu veux venir chasser avec moi demain ? Cinq heures du matin ?

Margo hocha la tête, bien qu'elle n'eût pas oublié l'expression d'horreur sur le visage de Tante Joanna quand, quelques jours auparavant, Cal avait lancé l'idée d'emmener Margo, plutôt que l'un de ses cinq fils, chasser le jour de l'ouverture. Margo donnait des coups de jambe comme si elle nageait.

Tout en la tenant à trente centimètres du sol, Cal l'embrassa sur la bouche.

— Alors ? C'est donc si désagréable ?

Margo étouffa un cri. Elle avait déjà embrassé des garçons dans l'escalier de l'école, et embrassé un ami de Junior dans la cabine abandonnée près de la rivière, elle avait essayé toutes sortes de baisers – doux et durs, rapides et lents. Une fois sûrs que Junior s'était endormi, Margo et son ami s'étaient déshabillés. Margo était certaine que personne ne savait qu'elle était allée jusqu'au bout avec lui, mais peut-être Cal le savait-il. Cal la prit dans ses bras comme s'il faisait passer le seuil à une jeune mariée. C'était un très bel homme – sa mère le répétait tout le temps. Lorsque Cal déposa Margo par terre sur sa veste épaisse, Margo s'efforça de respirer normalement. Lorsque Cal posa les mains sur elle, elle se rappela comment il lui avait appris à tirer, en ajustant ses mains et ses bras, en lui disant de *presser*, non pas d'*appuyer* sur la détente. Pour le tireur, le coup de feu devait être une surprise, dit-il, même si tous ses gestes allaient en ce sens.

— Comme tu es jolie, chuchota-t-il. C'est un péché.

Cal était le meilleur des hommes de cette ville, lui avait dit sa mère, mais où était-elle pour lui expliquer ce qui se passait là ? Margo savait que tout ça n'était pas normal, et elle savait que son père serait furieux, mais elle ne dit pas non. Dire non eût été comme de tirer une cartouche – impossible de la faire revenir en arrière. Crier non, elle pourrait s'y entraîner, une fois que ce serait fini, mais pour l'instant elle devait se fier à Cal. La veste glissa sous elle si bien que lorsqu'elle voulut regarder la porte, derrière, son oreille gratta la poussière. Tandis que Cal se plaçait au-dessus d'elle, elle sentit l'odeur du sang, de moisissure et d'urine de souris. La lumière dorée qui venait de l'ouest et traversait la vitre lui réchauffait la joue et, à la fenêtre, elle aperçut un visage de petite fille. Margo crut d'abord qu'il s'agissait de son propre reflet, mais c'était Julie Slocum. La fille porta la main à sa bouche puis disparut.

— Ça n'a pas été si désagréable ? fit Cal, après.

Elle savait que Cal n'attendait d'elle aucune réponse. Nul n'attendait jamais d'elle aucune parole. Pas même ses professeurs. Avant de pouvoir répondre à une question posée dans la classe, il lui fallait toujours trouver comment ce qu'on lui demandait était relié à toutes les autres choses qu'elle savait. Elle répondait alors des heures plus tard, une fois seule dans sa barque, d'où elle observait les insectes d'eau à la surface de la rivière. Il lui était plus facile de résoudre des problèmes de maths dans sa tête en ramant, plus facile de comprendre la division cellulaire quand elle nageait sous l'eau.

Est-ce que ça avait été si désagréable ? Margo remit sa culotte. Si elle ne se concentrait pas sur sa respiration, pensa-t-elle, elle oublierait de respirer. Elle regarda autour d'elle, pour voir ce qui avait changé d'autre. Pas la carcasse du cerf, ni les toiles d'araignées, ni l'odeur du sang. Oncle

Cal avait le même sourire. Il fallait qu'elle sorte de l'appentis, pour voir les choses du dehors et comprendre ce qui venait d'arriver.

Soudain, la porte s'ouvrit violemment. Cal se relevait et boutonnait sa braguette quand le père de Margo, à peine plus grand qu'elle, donna un coup de pied dans la porte et frappa Cal d'un coup de botte en pleine bouche. Margo entendit le craquement des os et deux pépites rouges et blanches – les dents d'Oncle Cal – rebondirent sur le sol. Les demi-frères, réputés pour leur tempérament coléreux, grognaient tels deux ours. Cal donna à Crane un coup de poing si violent dans la figure que Margo entendit un os se briser.

Tante Joanna pénétra dans l'abri juste après que le père de Margo eut donné à Cal un coup de boule capable de lui enfoncer une côte. Plus d'une douzaine de personnes réunies contemplaient la scène, certaines à l'intérieur de l'appentis, d'autres depuis la porte ouverte ou la fenêtre crasseuse. Julie Slocum se glissa à l'intérieur et caressa les cheveux de Margo. Elle dégageait l'odeur du pétrole que sa famille utilisait pour se chauffer dans leurs caravanes. Cal gisait maintenant sur le sol et Tante Joanna était penchée au-dessus de lui. Elle essuyait le sang de sa bouche avec un mouchoir et lui murmurait quelque chose d'un ton furieux. À voix basse, Cal présenta sa défense à Joanna, mais tout le monde fit soudain silence.

— Cette petite pute m'a entraîné jusqu'ici, Jo, mais je te jure, je ne l'ai pas touchée.

Personne ne bougea ou ne dit mot jusqu'au moment où Julie recula vers la porte. Quelqu'un toussa, et les murmures reprirent.

Joanna regarda Margo :

— Saleté.

Margo regarda Cal en plissant les yeux, l'examinant comme à travers la mire métallique de la Marlin, attendant un mot d'explication, voire un clin d'œil, qui laisserait entendre qu'il ne pensait pas ce qu'il avait dit. Tout avait commencé avec la mort de son grand-père en janvier et le départ de sa mère en juillet ; maintenant, la rupture entre Margo et tous les autres était consommée. Même son père, la joue et la bouche en sang à côté d'elle, semblait très loin tandis qu'il lui disait de se relever.

*

À l'avant du camion son père exigea qu'elle raconte ce qui s'était passé, mais elle ne dit rien. Il la conduisit jusqu'au parking du commissariat de police et la supplia d'entrer avec lui. Il essaya brièvement de la sortir de force du camion, mais elle s'agrippa de la main gauche au levier de vitesse, de la main droite à l'accoudoir, et resta cramponnée. Elle n'avait pas résisté à Cal, mais résister était une leçon qu'elle n'avait pas tardé à apprendre. À la maison, ce soir-là, les yeux ouverts dans son lit, elle entendit crier une chouette : *Ouh ! Ouh ! Qui se soucie de vous ?* Elle l'imita en chuchotant. De sa fenêtre, elle voyait les lumières briller encore en face chez les Murray et elle entendait la musique jouer doucement.

Au matin, Margo fut réveillée par les gémissements de son père de l'autre côté du mur. Elle força sa serrure à l'aide d'un couteau à beurre et le trouva dans son lit, puant l'alcool de mûre, le visage gonflé et couvert de sang coagulé. Il lui demanda d'apporter une bière. Margo prit son pack de douze encore intact derrière le réfrigérateur et, d'un coup de pied, le fit tomber au bas de la véranda et rouler dans les bois devant sa fenêtre jusqu'à ce que le carton éclate. Elle ouvrit une canette, laissa la mousse se répandre sur sa main, avala une bonne gorgée de ce qui en restait et la recracha. Elle posa la canette sur une souche. Elle en plaça une deuxième, fermée, au creux d'un arbre et s'arrêta pour écouter une colombe roucouler sur la terre gelée. Du même cri mélancolique, elle dit à l'oiseau de s'en aller. Elle plaça une troisième canette sous un amas de tuteurs de framboisiers. Elle disposa ainsi dans le bois les douze canettes. D'une main, elle tenait le fusil de chasse de son père, un calibre .20, et dans sa poche elle avait une douzaine de cartouches. Elle s'éloigna de quelques mètres, chargea deux cartouches, appuya sur la détente et pulvérisa la première canette. Elle absorba le recul sans broncher. Elle arma à nouveau, enfonça la crosse contre son épaule, tira une nouvelle fois et regarda exploser la seconde canette. La mousse s'élevait à deux mètres du sol. Une par une, dans la lumière pâle, elle fit exploser les canettes de bière, ne s'arrêtant que pour recharger. Elle inspirait profondément la douce odeur de la poudre. Chaque tir renvoyait un écho dans les bois et sur l'eau.

La lampe s'alluma dans la chambre de son père. Elle allait l'emmener à l'hôpital. En attendant qu'il sorte, elle écouta l'eau courir derrière elle en direction de la Stark puis du barrage de Confluence, au-delà duquel s'étendait la Kalamazoo et, pour finir, le lac Michigan. Ses oreilles résonnaient encore des coups de feu. Son épaule palpitait.

2.

Un an plus tard, le dimanche précédant Thanksgiving, agenouillée entre deux cèdres dans le demi-jour d'avant l'aube, juste au-dessus de la maison, Margo observait un cerf à six cors en train de fouiller le lit de feuilles gelées à la recherche de glands. Elle eut tout le loisir d'examiner l'animal, ses sabots foncés et ses pattes grêles, son poitrail sombre aussi large que celui d'un homme, sa couronne lourde, sa barbe blanche et son regard fier. Le cerf leva la tête, les narines dilatées par l'odeur d'une biche. Margo épaula, la joue contre le canon. Son bras et son œil comme guidés par la rivière, elle visa le cœur et les poumons, pressa la détente, et *bang* ! Ce n'est qu'en se redressant qu'elle remarqua son genou mouillé et la croûte de glace qui se formait sur le tissu de son jean.

Dans la chambre de son père, la lampe s'alluma. Le temps qu'il s'habille, enfile ses bottes et sorte, secouant la tête et grommelant, elle avait traîné le cerf sur une luge jusqu'à la balançoire installée derrière la maison. Son troisième trophée en cinq jours.

— C'est fini, tu ne chasses plus, ma fille, dit Crane en l'aidant à scier les pattes et à attacher la bête en lui passant une chaîne autour du cou.

Il s'assit sur une souche de chêne au bord de la rivière et aiguisa son couteau de boucher sur une pierre. En dessous, l'eau était noire et glacée.

— Tu as entendu, Margo ? La chasse est terminée. Réponds. Tu as perdu ta langue ?

— J'ai entendu, dit-elle, élevant la voix à peine plus haut qu'un soupir.

Tout l'été et l'automne, elle avait pris des leçons de tir et de chasse au club 4-H avec M. Peake, et elle avait été soulagée quand celui-ci avait déclaré que, grâce à son *calme naturel,* elle deviendrait un bon fusil.

— Je te donnerai toutes les cibles que tu voudras, mais plus de cerf.

Margo hochait la tête lorsque quelque chose accrocha son regard dans le brouillard gris, un papier orange accroché au hêtre près de l'allée. Au milieu des érables, des chênes et des caryers des pourceaux, il y avait un unique hêtre au tronc lisse sur lequel Luanne avait gravé des traits au canif pour marquer les âges et les tailles de Margo. Aussi furtivement que possible, elle contourna la maison.

— Le congélateur est plein, Margo. On a de la viande en pagaille.

Crane regardait vers l'amont en plissant les yeux, comme s'il se méfiait du rose à l'horizon.

Margo marchait d'un pas léger, mais les feuilles gelées craquaient sous ses pieds.

— Avoir seize ans ne te dispense pas d'obéir à la loi.

Crane passa la lame du couteau sur le bord d'une boîte d'allumettes pour en apprécier le tranchant et remit la boîte dans sa poche. Il repassa la lame une ou deux fois sur la pierre. C'était un homme de petite taille, mais il avait une voix forte qui portait loin.

— Ce permis de chasse accroché à ta veste t'autorise un seul cerf, Margo, pas trois.

Le jour de l'ouverture, jeudi, ils avaient découpé son premier cerf, passant la soirée à envelopper des côtes et des steaks dans du papier vert pâle destiné au congélateur, mais le transformant en grande partie en viande hachée, le hachoir vissé à la table de la cuisine, un mélange de gibier maigre et de suif de bœuf que Crane s'était procuré à l'épicerie où il travaillait à présent, pour un salaire réduit de moitié. Ils avaient vidé le second cerf et, après quelques coups de fil, ils avaient chargé la carcasse à l'arrière du pick-up, l'avaient couverte d'une bâche et étaient allés la livrer chez un homme qui avait huit enfants et venait de perdre son emploi à l'usine métallurgique Murray.

Tournant la tête, Crane vit Margo s'éloigner discrètement sans lui prêter attention. Il enfonça l'extrêmité du couteau dans la souche et se leva.

— Nom de Dieu, fillette. Même si tu ne réponds pas, écoute quand je te parle.

Margo leva le bras, mais le papier rouge était agrafé trop haut dans l'arbre. Et soudain Crane se matérialisa à côté d'elle, les yeux fixés vers l'affichette rédigée à la main. *Réunion annuelle des Murray : week-end de Thanksgiving, vendredi 23 nov.*, annonçait-elle, indiquant l'adresse de Stark River Road, comme si tous les Murray ne la connaissaient pas déjà. Il y avait des dessins au trait représentant un cochon, une dinde et une tarte, exécutés par Joanna, sans aucun doute – personne d'autre ne se serait donné la peine de décorer les invitations.

— Fils de pute, dit Crane en serrant les mâchoires si fort que le muscle devant son oreille tressautait.

Il s'élança une fois ou deux pour décrocher le bout de papier sans parvenir à le toucher.

Margo pensa que c'était l'œuvre de son cousin Billy, à présent aussi grand que Cal, dont les oreilles décollées dépassaient d'au moins trois centimètres de chaque côté de sa tête, et qui, à l'école, empoisonnait la vie de Margo. Après qu'il eut, il y avait de cela un mois, manqué l'écraser en voiture alors qu'elle rentrait à pied – elle avait été obligée de sauter dans un fossé plein de ronces – Margo avait balancé une marmotte écrasée à l'arrière de sa Camaro garée dans le parking de l'école. Pour se venger, dans le couloir, Billy lui avait sauté dessus par-derrière, armé de ciseaux, et lui avait méchamment entamé sa longue queue-de-cheval brune. Elle avait menti et raconté à son père qu'elle l'avait coupée elle-même. Crane avait secoué la tête et, quand elle lui avait tendu la touffe de cheveux, il se l'était enroulée autour de la main et l'avait glissée dans la poche de sa veste, exactement comme il avait fait avec la lettre de sa mère.

Junior Murray venait toujours la guetter devant l'école, mais le lendemain du jour où, pour la troisième fois de l'été, Cal l'avait surpris en train de fumer de l'herbe, il l'avait envoyé à l'ouest, dans une académie militaire. Avant ça, Margo sortait furtivement et allait rendre visite à Junior dans la cabane abandonnée en amont qu'il avait baptisée *la maison de la marijuana*. À de rares occasions, Margo avait inspiré une bouffée, mais elle n'aimait pas cette léthargie dans laquelle la plongeait l'herbe. Parfois, en se dirigeant vers la cabane, Margo voyait sa cousine Julie Slocum, seule, assise au bord de la rivière, en train d'accompagner de la voix un transistor. Elle aurait pu aller lui parler. Mais si, un an auparavant, Julie s'était occupée de ses affaires, personne n'aurait été au courant pour Margo et Cal et tout serait resté comme avant.

Une fois Crane parti d'un pas furieux, Margo caressa des doigts les cicatrices sur l'écorce lisse du hêtre. Avant de s'en aller, Luanne avait mesuré la taille de Margo le jour de ses quatorze ans, et comme elle n'avait pas grandi cette année-là, Luanne n'avait gravé aucun trait.

— Je crois bien que ça y est, avait-elle dit, tu as fini de grandir.

Crane revint avec sa tronçonneuse, il la fit démarrer et le moteur rugit. Margo recula juste au moment où son père enfonçait le bout de la lame dans le hêtre, à hauteur de sa cuisse. La sciure jaillit et, après un unique et furieux passage, l'arbre se retrouva coupé de ses racines. Il était plus grand que l'avait cru Margo et la cime se coinça d'abord dans un gros chêne bicolore avant de tomber en entraînant dans sa chute l'une des branches du chêne. Lorsqu'enfin le hêtre s'effondra entre le camion de Crane et la maison, il écrasa un buisson de laurier qui, au printemps, répandait toujours sa bonne odeur. Crane posa le pied sur le tronc abattu et y découpa quelques bûches pour le poêle. Parvenu au niveau de l'invitation, il la réduisit en charpie avec la scie. Margo constata avec stupeur combien de temps il fallut pour détruire le mot *Murray*.

— Le culot de cet enfoiré, dit Crane.

Margo déglutit.

— T'as quelque chose à dire, Margo, dis-le. Ce regard inquiet, ces yeux écarquillés, c'est plus que je ne peux supporter si tôt le matin.

Crane coupa encore une demi-douzaine de bûches, puis il éteignit le moteur et jeta la tronçonneuse sur le plateau arrière de son camion.

— Tu es prête à en discuter ou pas ?

Elle voulut secouer la tête mais se ravisa.

— Je ne vais pas le laisser nous insulter comme ça, dit Crane avant de grimper dans la cabine et de claquer la portière.

Quand il démarra, le tuyau d'échappement cracha un nuage noir et les roues arrière du Ford s'enfoncèrent dans la couche de glace de leur double allée. Quand il eut disparu, Margo l'entendit faire jaillir le gravier sur la route et, plus tard, lui parvint le bruit sonore de l'échappement quand le camion traversa le pont en aval.

Non, elle n'était pas prête à en discuter. Et elle n'était pas prête à envoyer son oncle Cal *pourrir en prison*, selon les termes de son père. Si seulement il montrait avec elle un peu plus de patience. S'il ne s'était pas rué ce matin sur sa tronçonneuse, il aurait pu la hisser à la courte échelle et il l'aurait soulevée assez haut pour qu'elle attrape le papier. Elle l'aurait arraché et brûlé avec les ordures de la cuisine. Maintenant il y avait des petits confettis orange partout, et chacun d'eux, tous les jours, jusqu'à la première grosse chute de neige, rappellerait à Crane l'invitation. Et même après ça, au bout de quelques jours, le papier commencerait à saigner orange dans la neige et jusqu'au printemps suivant, une fois celle-ci fondue, on en retrouverait encore des morceaux.

Margo retourna à la balançoire, entoura de ses bras son cerf suspendu et regarda en direction de la rivière. Peut-être l'invitation n'était-elle pas une insulte dirigée contre Crane. C'était plutôt le signe qu'il fallait oublier, le temps d'un jour, les problèmes de l'année dernière et venir manger, boire et s'amuser. Margo serait contente de voir Joanna qui lui avait appris à cuisiner comme sa mère ne l'avait jamais fait – Luanne était capable de faire brûler de l'eau, disait Crane. Joanna devait déjà être en train de préparer ses tartes pour vendredi : hachis de fruits secs, pomme, potiron, et noix. Les garçons étaient doués pour ouvrir les noix à coups de marteau, mais ils se fatiguaient vite d'extraire les fruits du labyrinthe de leurs coquilles, de sorte que ce travail revenait toujours à Joanna et à Margo. Ses cousins avaient été comme des frères, excepté Billy, qui garderait toujours rancune à Grand-Père d'avoir donné sa barque en teck, *La River Rose*, à Margo plutôt qu'à lui. Si Cal acceptait de s'excuser pour ce qu'il avait fait et dit, s'il acceptait de redonner à son père son emploi de contre-maître à l'usine Murray, tout s'arrangerait. Son père pour-rait échanger sa blouse d'épicier bleu ciel contre son ancien uniforme avec CRANE brodé en lettres rouges sur un bout de tissu blanc au-dessus de la poche de poitrine, et ils pour-raient payer la facture du dentiste.

Margo retira de la souche le couteau affilé et alla retrouver son cerf, le plus gros des trois qu'elle avait tués jusque-là. Elle avait déjà ficelé l'ouverture de l'anus et elle voulait aller vite et en finir avec la première longue entaille parce qu'elle savait que cette troisième fois ne serait guère plus facile que la première ou la seconde. Elle serait tran-quille après cette entaille initiale, une fois le cerf passé de l'état de bête morte à l'état de viande. C'est avec surprise qu'elle avait constaté que le plus facile, c'était de l'abattre. Crane, si elle le lui demandait, l'aiderait à le vider et à le dépecer, mais Grand-Père Murray avait insisté sur l'impor-tance de faire les choses soi-même. Levant le bras, elle enfonça le couteau de cinq centimètres dans la chair, en dessous de l'endroit où les côtes se rejoignaient. En appuyant fort et régulièrement sur le dos de la lame, elle ouvrit le cerf du sternum jusqu'aux testicules, coupant dans la peau, la chair et le gras, puis, comme les viscères tombaient dans le seau galvanisé, elle ferma les yeux.

Un coup de fusil claqua sur la rive opposée, du côté de la ferme des Murray, et Margo laissa tomber son couteau dans le seau d'entrailles tordues et fumantes. Un deuxième coup retentit. Les quatre beagles des Murray se mirent à aboyer, se jetant contre les parois en bois grillagées de leur niche. Le labrador noir poussa un gémissement qui se répercuta sur l'eau. Allongée, Margo lisait souvent le dos appuyé contre ce chien, elle l'emmenait dans sa barque et nageait avec lui. L'été dernier, Crane lui avait interdit de nager et de traverser la rivière pour quelque raison que ce soit.

Un troisième coup de feu résonna sur l'autre rive.

Margo craignait depuis longtemps que ce jour arrive, que Crane tue son oncle. Crane irait alors en prison et elle resterait toute seule. Margo n'avait plus eu de nouvelles de sa mère depuis qu'elle était partie, il y avait de cela un an et demi. Sa lettre, sur un papier bleu décoré de hérons, laissée sur la table de la cuisine, disait : *Chère Margaret Louise, tu sais, je l'espère, que je ne t'abandonne pas. Je veux t'emmener avec moi, mais il me faut d'abord trouver qui je suis et ici c'est impossible. Prends soin de ton père et je t'écrirai bientôt. Je t'embrasse, Maman.* Margo craignait, si elle ne touchait pas le papier avec précaution, que l'encre bleu foncé s'évapore, que les hérons quittent la page d'un coup d'ailes et que le papier lui-même se dissolve, ne laissant qu'un nuage de beurre de cacao et quelques gouttes de vin.

Un quatrième coup de feu résonna au-dessus de l'eau.

Margo contempla le trou qu'elle avait creusé dans le sol à demi gelé pour y enfouir les entrailles du cerf. Elle savait qu'il lui fallait agir vite pour dissimuler le crime de son père en effaçant les preuves. Elle saisit la pelle et la scie, les jeta dans la barque et rama jusqu'à l'autre rive. Elle fit un nœud et grimpa sur le bord. Elle eut mal au cœur en passant devant l'appentis chaulé, mais elle continua à marcher jusqu'au moment où elle aperçut la Chevy Suburban blanche neuve de Cal. Elle était à plat sur ses pneus crevés. Debout à côté, haute silhouette fortement charpentée, Cal

hurlait en direction de l'arrière défoncé du camion Ford
dans lequel son père s'éloignait.

— Crane ! Enfoiré ! C'étaient des pneus neige tout
neufs !

Margo, soulagée, s'effondra contre l'appentis.

Tante Joanna se tenait à côté de Cal, en robe et tablier,
sans veste, une pomme dans une main rougie et un couteau
économe dans l'autre. Margo eût été prête à tout pardonner
à Cal si cela pouvait lui permettre de s'asseoir avec Joanna,
d'éplucher des pommes dans la grande cuisine des Murray
où sifflait le poêle à bois, d'écouter Joanna chanter ou parler
de ses élèves du club 4-H de cuisine, dont Margo avait fait
partie.

*

Mercredi, la veille de Thanksgiving, Margo était assise de
son côté de la rivière et observait la propriété des Murray
lorsqu'un cerf déboucha du sentier près de l'appentis
chaulé, se dirigeant vers la berge. Après avoir bu, il regarda
vers l'aval, présentant à Margo son profil parfait. Margo leva
son fusil, plaça sa mire juste sous la patte avant puis visa
légèrement au-dessus pour compenser la gravité due à la
distance. Calmement, elle logea la cartouche dans le cœur
et les poumons de l'animal, et absorba le recul. Elle n'avait
pas été certaine de parvenir à tirer juste à trente mètres, mais
les pattes du cerf ployèrent sous lui et il tomba dans le sable,
en avant, comme s'il faisait la révérence. Margo attendit
quelques minutes pour s'assurer qu'aucun Murray n'était
attiré par le bruit, mais personne ne sortit faire son enquête.
Elle emporta son grand couteau dans sa barque, redoutant
la perspective d'avoir à achever le cerf en lui tranchant la
carotide – quelque chose, l'avait avertie M. Peake, qu'il
fallait parfois faire – mais il était mort quand elle parvint de

l'autre côté. Tuer le cerf signifiait qu'Oncle Cal ne l'aurait pas, et Billy non plus.

Elle entoura de ses bras le poitrail et le cou de l'animal, et essaya de le soulever, mais il était trop lourd. En tirant le cerf par l'arrière-train, elle parvint à l'engager à moitié dans la barque, mais toujours pas à déplacer le poitrail. Pour finir, elle eut l'idée de se glisser, tête la première, sous le torse de la bête, Elle se tortilla sous son corps dans la boue froide jusqu'au moment où elle se retrouva enfouie sous lui, coincée sur le ventre. Elle sentit son odeur de musc et d'urine ; elle sentit le sang, la terre, la mousse et la sueur, elle sentit son poids chaud sur son cou et sur son dos. Une fois le cerf chargé sur elle, la boue dans son nez, dans sa veste, sur son pantalon et dans ses chaussettes, elle crut étouffer. Elle se souvint de M. Peake lui expliquant de se calmer avant de tirer, et, pour cela, de ralentir le rythme de sa respiration et de ses battements de cœur. Elle rassembla toutes ses forces, souleva la tête sous le cou du cerf et, lentement, redressa son corps. Elle se mit à genoux, vêtue du cerf comme d'une cape ensanglantée. Et puis elle se mit debout afin que l'animal glisse sur son dos. Il s'écrasa violemment à la proue de *La River Rose*. Deux pattes pendaient au-dessus de l'eau. Pour rentrer, à cause du poids, elle eut du mal à ramer à contre-courant.

À son retour du travail, Crane trouva Margo en train de hisser par les bois le corps chaud et souple de son cerf à dix cors sur la berge.

— Qu'est-ce que tu fous ?

Elle s'immobilisa et le regarda.

— Il faut arrêter ce massacre, ma fille.

Il secouait la tête.

— Si on nous attrape, on nous collera une amende et je n'ai pas l'argent pour payer. Seigneur, si seulement je pouvais boire un verre à l'heure qu'il est, un seul putain de verre.

Margo recommença à traîner l'animal, mais l'une des pattes arrière du cerf s'était prise dans des racines de sumac vénéneux. Elle déploya des efforts désespérés pour le ramener, ne voulant pas lâcher l'animal, redoutant qu'il ne retombe sur la berge et d'être obligée de tout recommencer.

— Écoute, dit Crane. Les Murray pourraient donner un coup de fil, et si ces enfoirés de l'État du Michigan se pointent et trouvent la viande qu'on a déjà dans le congélateur, on est mal.

Il s'inquiétait pour rien, Margo le savait. Cal n'avait même pas porté plainte après que Crane lui avait crevé ses pneus l'autre jour. Elle n'espérait pas que son père comprenne pourquoi elle avait besoin de tuer tous ces cerfs – elle-même ne le comprenait pas – mais dès qu'elle en avait un dans sa ligne de mire, il fallait qu'elle l'abatte, c'était un réflexe aussi naturel que de respirer.

Comme Margo redoublait d'efforts, Crane dévala la berge pour dégager la patte d'entre les racines. En secouant la tête, il poussa par en dessous, l'aida à remonter le cerf, puis à le suspendre avec la poulie.

— Tu as un sacré coup de fusil. Je ne sais pas d'où tu le tiens, mais ce qui est sûr, c'est que tu ne rates jamais ta cible.

Il lui tapota le dos, essuya un peu de terre et laissa sa main posée dessus.

— Tu as tiré ce cerf dans la boue ?

Margo lui adressa un sourire. C'était la première fois, se dit-elle, qu'il lui prenait les épaules depuis qu'elle avait remporté le mois dernier le premier prix au concours de tir du club 4-H. Elle était encore là quand M. Peake avait dit à son père que la sûreté de son tir était *inquiétante*, et que peut-être il s'agissait d'un miracle, étant donné qu'elle tirait avec la vieille Remington 510 à un coup à viseur métallique de Crane.

— N'oublie jamais, Margo, que tu es la seule raison au monde pour laquelle je suis vivant et sobre.

Il renifla l'air, puis renifla la veste de Margo.

— Tu as l'air d'un ange, mais tu sens le cerf en rut.

Quand il rentra prendre son couteau, elle renifla sa manche. Elle vit, sur l'autre rive, Billy sortir de la grange en traînant par les pieds la grosse rôtissoire sur le sol gelé, par à-coups de quelques dizaines de centimètres. La rôtissoire était une cuve à fuel de mille litres coupée en deux. Margo avait eu de la chance, elle avait ramené le cerf sans être vue.

Tante Joanna, de son côté, était sortie de la maison, chaussée de bottes en caoutchouc fourrées et vêtue d'un long manteau à carreaux, tirant une rallonge électrique orange. Elle s'approcha du fût de mazout qui servait de flotteur, chargée de guirlandes lumineuses colorées et déjà scintillantes. L'an dernier, Margo l'avait aidée à visser des crochets tout autour pour lui donner un air de fête à la tombée de la nuit, quand les lumières se refléteraient sur l'eau. Après la fête de Thanksgiving, les Murray remonteraient le flotteur sur la terre ferme et l'enchaîneraient à un arbre pour le protéger du gel et des crues.

— Je sais que ta tante Joanna te manque, dit Crane à son retour. Je sais que c'est dur de vivre sans mère. Mais ne va même pas imaginer que tu pourrais aller à cette fête.

— J'ai une mère, chuchota-t-elle. Quelque part.

Sur l'autre rive, Joanna fit tomber ses cordes lumineuses dans la rivière et Margo vit le bout serpenter et briller dans le courant sur quelques mètres. Malgré le risque d'électrocution, Joanna devait sans doute rire en repêchant les lumières dans l'eau glacée. Margo pouvait l'entendre dans sa tête, disant : *Cesse de bouder et chante avec moi, Elfe ! Personne n'aime les filles maussades.*

C'est Joanna qui avait sorti de l'étagère *La Petite Femme au tir sûr* pour le donner à Margo dès que celle-ci avait manifesté de l'intérêt pour le tir. Les garçons de la famille Murray avaient tous refusé de lire cette histoire de fille. L'illustration de couverture montrant Annie Oakley était affublée d'une barbe et d'une moustache dessinées au crayon noir, mais Margo avait réussi à presque tout effacer, ne laissant qu'une ombre grise sur le visage d'Annie. Margo examinait attentivement les étranges vêtements qui couvraient Annie des pieds à la tête, ses cols hauts et les jambières qu'elle portait sous ses jupes. Elle adorait étudier l'expression mélancolique qui se lisait sur son visage.

Crane, Margo le savait, voulait qu'elle se fasse des amis en dehors de la famille. Et elle-même s'intéressait aux autres enfants de l'école, mais ceux-ci prenaient son calme pour de la prétention et sa lenteur à répondre aux questions pour de la bêtise. Crane voulait qu'elle s'exprime davantage, mais le silence et la tranquillité de l'année passée avaient éveillé en elle un désir de plus de silence et de tranquillité encore, et Margo ne pouvait affirmer que cela aurait une fin. Le silence lui permettait de réfléchir, pas seulement à Cal et à ce qui s'était produit l'an dernier, mais aussi à son grand-père, et de ressentir encore le contact de sa peau fine et crêpelée, la tristesse et la peur qu'il lui avait confiées, sur la terrasse ensoleillée, dans l'attente de la mort. Le silence lui rappelait les soupirs de sa mère quand, certains jours d'hiver, elle se sentait trop déprimée pour se lever. Margo ne savait pas si elle pourrait aller de l'avant alors que le passé ne cessait jamais de se rappeler à elle.

— Tu n'as pas l'air de te rendre compte de ce que ces gens t'ont fait subir, dit Crane en voyant l'intensité avec laquelle Margo observait Joanna.

Il lui prit les épaules.

— Si tu avais dénoncé Cal, on aurait pu l'envoyer en prison. Putain, il t'a *violée* ! La fille Slocum m'a tout dit.

Il la relâcha et, secouant la tête, s'éloigna d'un pas lourd vers la maison.

Viol, c'était un mot qui évoquait un acte rapide et violent, comme d'obliger quelqu'un à vider son portefeuille sous la menace d'un couteau, comme de tirer sur quelqu'un ou de voler une télévision. Ce que Cal avait fait était plus doux, plus personnel, comme de lui inoculer un virus. Elle n'avait pas manifesté d'objection contre les gestes de Cal dans l'appentis, elle avait même éprouvé une certaine curiosité pour ce qui se passait. Mais, toute cette année, ça l'avait rongée et Margo avait eu le temps de formuler son objection.

3.

Le jour de Thanksgiving, Margo et son père mangèrent de la poitrine de dinde, de la farce achetée à l'épicerie, des pommes de terre et de la sauce aux airelles en pot. Ils jouèrent au rami jusqu'à ce que Crane s'endorme dans son fauteuil. Le lendemain matin, un vendredi, Margo lui prépara des œufs brouillés et des toasts. Le téléphone sonna et, en raccrochant, Crane déclara :

— Brian Ledoux va venir chercher la viande. Il va te donner un peu d'argent.

Margo hocha la tête.

— Garde-le. Tu l'as gagné. Tu en auras sans doute besoin pour acheter des munitions. Mais je ne veux plus que tu chasses le cerf, Margo. Je confisque le fusil. Je ne dois pas aussi confisquer la carabine, si ? Personne n'irait tuer un cerf avec une .22 à un coup, sauf toi, j'en ai peur.

Elle secoua la tête.

— Promets. Dis-le ou je confisque la carabine.

— Je promets, chuchota-t-elle.

— Je suppose que tu as besoin de quelque chose pour te défendre si l'un des Murray venait par ici. Mais tu ne fais rien à moins de ne pas avoir le choix. Tu réfléchis avant de tirer. Tu penses aux conséquences.

Margo hocha la tête.

— Et n'oublie pas que tu ne vas pas à cette fête. Si tu poses le pied sur la propriété des Murray, je viens te chercher et je te ramène par le bout de l'oreille.

Elle hocha la tête de nouveau, ne sachant pas combien de temps elle allait pouvoir supporter cette prison. L'été prochain, elle irait nager, quoi qu'il dise.

— Je serai de retour vers sept heures. Nous dînerons tous les deux, Margo. Nous avons des restes de dinde et je vais essayer d'apporter une tarte aux pommes s'il en reste chez l'épicier. C'est le mieux que je puisse faire. Tu sais que tu es la seule raison pour laquelle je reste en vie. N'est-ce pas ?

Il ne la quitta pas des yeux jusqu'à ce qu'elle eût hoché la tête, après quoi il glissa le fusil dans son étui et replia le siège arrière pour le ranger là. Margo appréciait son affection, mais peut-être était-ce trop pour elle d'être la seule raison de vivre de quelqu'un d'autre.

Une fois Crane parti au travail, Margo prit sa carabine et tira sur le stand de tir à réinitialisation automatique qu'il avait façonné pour elle à son ancien travail. Il y avait quatre cibles le long de la partie inférieure qui se repliaient lorsqu'on les touchait, et lorsqu'elle atteignait la cinquième sur la partie supérieure, toutes les cinq revenaient à leur position de départ. Elle répéta le cycle vingt fois sans manquer un seul tir, rechargeant avant chaque coup. Elle avait même mis les protège-tympans en mousse jaune sur lesquels M. Peake avait beaucoup insisté ; il lui en avait donné un plein sac en plastique, ainsi qu'une quantité de cibles en papier. Elle alla ensuite chercher le petit miroir de la salle de bains, le plaça en équilibre sur la crosse de la carabine et, imitant l'un des tours d'Annie Oakley, tira en arrière. Après une vingtaine d'essais ratés en direction de la colline, elle toucha le centre de la cible assujettie à un morceau de contreplaqué et le toucha encore dix fois d'affilée. L'exercice de tir l'avait réchauffée au point qu'elle put ouvrir son blouson Carhartt – un blouson appartenant à son père et qu'elle s'était octroyé.

À midi elle alla s'asseoir sur la berge et mangea un sandwich à l'œuf frit avec du pain acheté dans le commerce. Joanna en avait sûrement fait cuire une douzaine pour la fête, ainsi qu'un pain à la cannelle pour le petit déjeuner du lendemain. Margo leva sa carabine et visa de l'autre côté de la rivière en direction de tous les gens qui se présentaient chez les Murray. Au bout de quelques heures, quand le vent tourna, elle sentit l'odeur de la viande rôtie. La musique lui parvenait des haut-parleurs extérieurs. Elle visa en direction de Billy.

— Tu as l'intention d'abattre un des invités ?

La voix de l'homme la fit sursauter. Il était assis dans le siège de pilotage d'une embarcation d'un peu plus de quatre mètres de long qui dérivait vers elle. *Playbuoy*, pouvait-on lire sur le flanc. Elle était tellement concentrée qu'elle n'avait pas entendu approcher le bateau. Elle abaissa sa carabine et descendit vers la berge et sur le ponton. Une fois le bateau parvenu assez près, elle tendit le bras et saisit le côté. Deux des trois hommes à bord avaient des barbes et des cheveux bouclés ; ils étaient si semblables que l'un aurait pu être la copie de l'autre. Le troisième homme, plus maigre et blond, dormait sur un banc à bâbord. Le brun au gouvernail était Brian Leroux, l'ami de Grand-Père, bien qu'il eût le même âge que Crane. L'homme debout à côté de lui avait un corps de géant pareil au sien, mais le teint pâle, ce qui rendait ses cheveux noirs d'autant plus saisissants. Ses yeux avaient quelque chose de bizarre.

— T'as un cerf pour moi ? dit Brian.

Elle montra du doigt l'animal, vidé et écorché, placé sur une bâche sous la balançoire.

— J'ai parlé à ton père hier soir. On dirait que tu es devenue tireuse d'élite, Maggie. Et avec cette carabine !

Il fit un clin d'œil.

Elle ne savait pas pourquoi Brian l'appelait Maggie, mais elle aimait bien sa façon de sourire.

Les deux géants hissèrent la carcasse dans le bateau et la couvrirent de leur propre bâche. Elle était allée à la cabane de Brian avec son grand-père, généralement quand il n'y avait personne d'autre. Elle se trouvait à plus de quarante-cinq kilomètres en amont, sur une partie sauvage de la rivière, sans route d'accès ni électricité. Sa cabane semblait en appui sur ses pilotis, comme si elle voulait se trouver au plus près de l'eau. Les arbres, se souvenait Margo, étaient hauts et mousseux, et les sumacs vénéneux s'y enroulaient comme des serpents. Son meilleur souvenir était le jour où quelqu'un avait pris au piège un opossum. Grand-Père avait failli le tuer mais Margo lui avait montré les petits accrochés dans la fourrure bouclée, une douzaine de minuscules créatures roses aux yeux exorbités, aux pattes et aux nez translucides. Il avait vu sa fascination et avait laissé partir la maman, lourde et maladroite.

— J'avais de l'admiration pour le vieux, ton grand-père, paix à son âme, dit Brian, mais il faut que je te dise, fillette, je n'ai pas d'affection particulière pour aucun des Murray de Murrayville.

— Brian lui a cassé deux dents, à ce Cal, dit l'autre barbu, en plissant un œil.

Il avait un filet de voix plus grêle et il paraissait timide.

— Hé, fit Brian, l'enfoiré m'a viré. Il a même pas eu le cran de le faire lui-même, il a envoyé sa secrétaire. Alors je suis allé dans son bureau et je lui ai dit le fond de ma pensée. Il a dit qu'il n'aimait pas mon attitude, alors je me suis dit qu'il valait mieux que je lui montre de quoi j'étais capable, pour qu'il s'en souvienne la prochaine fois.

Des grognements s'échappaient de l'homme endormi sur le banc. Il remua sur les coussins et Margo vit qu'il avait une moustache.

— Quelqu'un va réveiller ce crétin ? Ou le jeter par-dessus bord, dit Brian.

Les deux hommes s'esclaffèrent.

— Chérie, non…, marmonna l'homme ivre.

— On dirait que Cal s'est fait remplacer les dents, dit Brian. Ça me donne envie de lui en mettre un ou deux juste pour voir comment ça marche, de se les faire remplacer.

Margo se demanda si Brian savait que Crane aussi avait démoli les dents de Cal. Elle se demanda s'ils avaient démoli les mêmes.

— Je te présente mon frère, Paul. Pauly, je te présente la fille de mes rêves. La plus jolie créature de la rivière. Si tu avais mis tes lunettes, tu serais raide mort, comme Johnny, là.

Puis, se tournant vers Margo :

— J'empêche mon frère de toucher aux drogues. Pas besoin de speed sur la rivière, sauf dans ton moteur.

— Ne lui dis pas ça, fit Paul. Nom de Dieu.

— Ne crains rien, elle ne le répétera pas, dit Brian avec un clin d'œil. Je l'ai pratiquement sevré de cette saleté, Maggie.

— Tu vas la fermer, Brian ?

Paul se tourna, de sorte qu'il voyait Margo du coin de l'œil gauche, et elle se demanda s'il était aveugle de l'autre.

Margo prit les deux billets de vingt de Brian – plus qu'elle n'avait espéré – et les fourra dans la poche de son jean. Son pantalon commençait à être serré, mais elle ne voulait pas dépenser l'argent des munitions pour en acheter un neuf.

L'homme dans le bateau gémit de nouveau.

— Cinq dollars que Johnny tombe sur le cerf, dit Paul.

— S'il a besoin d'amour, il peut toujours se frotter dessus, dit Brian.

Sa grosse main reposait maintenant sur le gouvernail et Margo vit que son dos était couvert de cicatrices, des lignes blanches, comme si quelqu'un l'avait coupé et coupé, sans parvenir à le blesser. Elle aurait aimé le toucher, sentir le contact de ces cicatrices.

— Monte nous voir un de ces jours, Maggie, fit Brian. Tu sais où se trouve la cabane.

Le blond roula sur le côté et, sans se réveiller, tomba du banc sur le cerf enveloppé dans la bâche. Brian et Paul rugirent de rire. Quand l'homme posa sa main ouverte sur le flanc du cerf, Margo ne put s'empêcher de sourire à son tour.

— On y va, dit Paul pour finir, regardant successivement Margo et Brian. Si toi et ta belle mineure arrivez seulement à vous séparer.

— Je ne me lasse jamais d'une fille qui ne parle pas, lança Brian à Paul en faisant rugir le moteur. Au revoir, Maggie.

Les hommes remontèrent le courant. Margo regarda leur bateau s'éloigner et disparaître dans le coude. Exactement en face, Junior Murray, peut-être de retour de l'académie militaire, parvenait au bas des marches qui conduisaient à la cuisine de la grande maison. Joanna, qui se trouvait dehors, posa la poêle qu'elle tenait à la main et le prit dans ses bras, l'étreignant longuement avant de le pousser en haut des marches et à l'intérieur.

Incapable de rester plus longtemps sans rien faire, il était près de cinq heures, Margo monta dans son bateau. Elle posa sa carabine sur le siège arrière et se laissa un peu dériver au fil du courant pour que personne en face ne la voie venir. Après quoi elle remonta et attacha *La River Rose* au saule près de l'appentis en bois chaulé, là où tous les problèmes avaient commencé. Elle donna des coups de pied dans l'herbe gelée pour se réchauffer. Elle visa à plusieurs reprises de petites plaques de givre sur le sol, voulant croire qu'elle avait aperçu des lapins. Et puis elle vit un écureuil s'immobiliser près de l'appentis, elle ferma les yeux, épaula sa carabine en pressant la joue contre la crosse, visa l'endroit en question puis rouvrit les yeux. Sa visée était presque parfaite. L'écureuil détala. Elle tendit l'oreille vers les cris et les bruits métalliques du jeu de fer à cheval, écouta la plainte de Hank Williams Sr. Ce fut ensuite le tour de Johnny Cash, qui chantait *Folsom Prison Blues*. Elle se demanda ce qui se passerait si elle allait jusqu'à la table, prenait une canette de soda, se servait une tranche de tarte aux pommes, agissait en somme comme si tout était normal. Comme si elle faisait à nouveau partie de la famille.

À la maison, sur l'autre rive, il y avait du mouvement. Le Ford bleu de Crane s'immobilisa dans l'allée, des heures avant son retour supposé. Il descendit du camion, entra dans la maison, ressortit aussitôt et scruta l'autre rive. Elle savait que Crane allait voir sa barque attachée du mauvais côté de la rivière, elle courut donc en direction de l'eau pour lui faire signe et lui montrer qu'elle n'était pas allée à la fête, mais le temps de parvenir à l'endroit où il aurait pu la voir, il était remonté dans son camion. Les pneus de Crane crachèrent la boue recouverte d'une croûte de gel. Margo se félicita que Cal ne fût nulle part. Au même instant, comme si ses pensées l'avaient fait apparaître, Cal se matérialisa sur le sentier qui longeait la rivière ; il marchait vers elle, l'air ivre. Peut-être Crane l'avait-il vu, peut-être était-ce la raison pour laquelle il venait ici au lieu de crier depuis la rive. Margo recula sans bruit et se hissa dans le pommier au-dessus d'elle, jusque dans la plate-forme en bois que Grand-Père et Junior avaient construite quelques années plus tôt. À genoux, elle tendit l'oreille et vit approcher Cal. Quand il s'arrêta devant l'appentis, six mètres seulement le séparaient d'elle ; elle était assez près pour le voir plisser les yeux, assez près pour voir qu'il manquait un bouton à la chemise à carreaux qu'il portait sous son blouson Carharrt ouvert. Elle se demanda s'il y avait une fille dans l'appentis, mais à travers les carreaux sales elle ne distinguait que la carcasse écorchée d'un cerf, suspendue au plafond. C'était difficile à dire, mais il lui paraissait plus petit que tous ceux qu'elle avait tués cette année.

Cal se tenait face à la rivière. Il posa son gobelet de bière en plastique sur le rebord de la fenêtre à côté de la porte, si bien qu'il offrait son profil entre elle et le mur blanc. Margo entendit le tuyau d'échappement de Crane sur le pont en aval, mais Cal allumait une cigarette et n'y prêtait aucune attention. Elle vit Cal inhaler, elle vit sa poitrine se soulever puis retomber quand il exhala un nuage bleuté. L'air était plus froid qu'au dernier Thanksgiving. La plate-forme était placée juste assez haut au-dessus du sol pour que Margo puisse apercevoir le toit du Ford au moment où le camion s'immobilisa devant la clôture, à quelques centaines de mètres. Cal porta la main à sa braguette. Il ne parut pas entendre s'ouvrir puis claquer la portière. Il tirait sur sa cigarette, les yeux baissés sur son pénis, qu'il tenait en attendant qu'il en sorte quelque chose. Margo remua pour s'asseoir en tailleur, nicha la crosse de sa carabine contre son épaule et regarda son oncle Cal dans le viseur.

Elle ralentit sa respiration et les battements de son cœur afin de mieux faire le point. Son père avait menacé de tuer son oncle et c'était probablement ce qu'il venait faire. Crane, se dit Margo, ne survivrait pas à la peine d'emprisonnement qui le punirait du crime qu'il s'apprêtait à commettre. Elle savait aussi que Crane ne tirerait pas sur un homme blessé ou à terre. Elle se demanda si elle pouvait abattre Cal elle-même avant l'arrivée de Crane, ou plutôt le blesser. Margo visa l'une de ses bottes de travail fourrées. À cette distance, la balle traverserait le cuir et la couche d'isolant, et frapperait l'astragale.

Margo plaça son viseur sur le genou droit de Cal, elle pouvait aussi lui exploser la rotule.

Elle visa sa cuisse. L'espace d'une fraction de seconde, Cal ne saurait pas ce qui l'avait atteint. Un fer à cheval ? Un frelon ? Si la balle lui frôlait le devant de la cuisse, elle pouvait poursuivre sa course dans le mur en bois du vieil appentis et s'enfoncer dans le sol en terre battue.

Des années plus tôt, Billy et Junior avaient plaqué Margo au sol et lui avaient mis un ver de terre dans la bouche, et elle, à son tour, avait mis des dizaines de vers de terre dans le lit des garçons. Après cela, Junior avait cessé de l'embêter. La fois où elle s'était vengée de Billy avec le cadavre de mouffette qu'il avait déposé dans sa barque, elle avait dû prendre le bain de jus de tomate forcé préparé par Joanna – conséquence imprévue, comme le lui avait fait remarquer son père – et elle avait quand même dégagé une odeur pestilentielle toute une semaine. Mais quel plaisir ç'avait été d'enfoncer la mouffette dans la figure et dans les cheveux de Billy ! Ses cousins lui jouaient des tours, adoraient l'entendre pousser les cris qu'ils provoquaient, mais ils avaient aussi peur d'elle parce qu'elle rendait toujours coup pour coup. Seulement, avec Cal, elle ne l'avait pas fait.

Quand Crane atteignit l'endroit où le sentier s'élargissait, Margo constata qu'il avait laissé son fusil dans le camion. Le voir désarmé à cet instant fut un choc comparable à celui qu'elle avait ressenti le jour où elle l'avait vu sans barbe, un an auparavant, à l'hôpital. Ils l'avaient rasé pour poser les points de suture sur sa joue et sa mâchoire, et il ne l'avait jamais laissée repousser. L'épicerie n'autorisait pas les employés à porter la barbe. Sous son blouson

Carharrt, il avait encore sa blouse bleue. Il n'avait pas fini sa journée – il était seulement passé la voir. Et il n'était pas venu se venger – il était là pour la ramener *par le bout de l'oreille*, comme il l'avait promis. Son père, quelle que fût la colère qui l'animait, n'allait pas tuer Cal, jamais de la vie. Et cela valait mieux ainsi, il valait mieux que ce soit elle qui le fasse.

Son père la suppliait toujours : *Réfléchis avant d'agir*, mais elle avait assez réfléchi et il ne lui restait que peu de temps pour faire quelque chose.

Sans bruit, Margo plaça une cartouche dans la culasse qui fit un léger *tap* quand elle la remit en place. Cal, très concentré, continuait à pisser. Il regardait au loin, vers la rivière. Elle examina le côté de sa tête et comprit qu'elle ne voulait pas d'excuses. Elle baissa le viseur sur un point au niveau du torse de Cal mais détourna la tête et vit son père approcher, les mains vides. Incroyable que Crane ait pu blesser un homme aussi costaud l'an dernier. S'ils se battaient à nouveau, Margo craignait que son père ne s'en sorte pas simplement avec la mâchoire cassée.

Avec ces cartouches de Winchester, Margo avait tiré, à dix pas, un millier de fois. Elle avait, au cours des années passées, tiré depuis cet arbre, visé et manqué des écureuils en pleine course, mais Cal était une cible immobile. Margo dirigea le canon de sa carabine sur la main de Cal, qui soutenait toujours vaguement son pénis duquel s'écoulait un mince filet. Elle visa juste à côté du pouce. Cal lui avait appris à tirer sur des canettes, des pommes sauvages et des bobines de fil posées sur des clôtures, et elle possédait la sûreté nécessaire pour lui ôter la pointe du pénis sans toucher aucune partie de son corps. Et puis Cal baissa la main, prit le gobelet sur le rebord de la fenêtre et but une gorgée, lui laissant la vue dégagée.

Le hurlement de sa carabine fut suivi d'un jet silencieux de sang Murray sur le mur blanc de l'appentis. Son bras était resté ferme, elle n'avait pas cillé et elle avait entendu un dernier cliquetis de fer à cheval. La bouche de Cal s'ouvrit en un cri, mais probablement dans le registre aigu seulement audible par les chiens de chasse. Margo se retint à la branche au-dessus d'elle. De l'autre main, elle serra étroitement la carabine. Elle ferma les yeux pour prolonger ce moment parfait et terrible, pour différer celui qui allait venir, où l'air se remplirait de voix.

4.

Pendant quelques secondes, le travail lui sembla terminé. Cal et elle étaient à égalité, et ils pouvaient reprendre le cours de leurs vies là où les problèmes l'avaient interrompu. Elle vit arriver son père, mais ne remarqua pas Billy qui accourait, un fusil à la main. Crane tendit le bras dans l'arbre et saisit la main de Margo. Il tira, elle tomba sur lui. Embarrassé, il lui prit la carabine tout en essayant de la remettre sur ses pieds alors qu'elle avait sa veste entortillée autour d'elle. Billy vit Crane tenant le fusil. Il vit son père à terre, le sang éclaboussant le pantalon de Cal et le mur de l'appentis. Le sang maculant le visage de Cal. Billy visa la poitrine de Crane.

— Billy, pose ça ! cria Crane en avançant vers lui. Sale petit voyou excité.

— Salaud ! Tu as tué mon père.

Cal essayait de refermer sa braguette.

— Pose ce fusil tout de suite, dit Crane.

— Billy, non ! dit Margo, mais sa voix ne portait pas.

Peut-être Crane n'avait-il pas conscience de pointer le canon du Remington en marchant vers Billy. Et Billy, les yeux fixés sur Crane, ne voyait pas que Cal se mettait debout et lui adressait des signes désespérés.

— Pose ce putain de fusil, dit Crane, avant que quelqu'un soit blessé.

Margo retrouva sa voix quand Billy tira. Ce fut comme le hurlement d'un chien. Crane chancela en arrière. Billy eut un large sourire, comme pour signifier qu'elle n'était pas la seule à savoir faire mouche, mais le sourire s'évanouit aussitôt.

Crane tomba lourdement sur le dos et Margo s'accroupit à son côté. Elle sentait l'odeur du métal, comme si le sang qui coulait de sa poitrine était du fer en fusion, comme s'il avait trop longtemps travaillé à l'usine métallurgique Murray pour être encore fait de chair et de sang ordinaires. Grand-Père Murray était mort lentement, il avait disparu peu à peu en laissant à Margo le temps d'imaginer la vie sans lui, mais Crane, dont les yeux s'étaient écarquillés sous le coup, était mort instantanément. Cal tomba à genoux. Il s'adressa à Billy d'une voix pâteuse :

— Petit connard d'abruti ! Qu'est-ce que tu as fait ?

Billy semblait hébété.

— Il a tiré sur ta bite, papa. Il allait me tirer dessus.

Margo vit la souffrance sur le visage de Cal, et la peur, et ensuite elle vit le calcul.

— Appelle l'ambulance, dit Cal d'une voix faible.

Il se pencha en arracha le fusil des mains de Billy.

— Courez chercher Jo. Dites-leur qu'un homme a été abattu. Bordel de Dieu ! Courez !

Obéissant à Cal, deux petits Murray et deux Slocum qui rôdaient là prirent leurs jambes à leur cou.

La poitrine de Crane était déchiquetée, le tissu de sa blouse bleue imbibé de sang. Arrivée près de son mari, Joanna l'entoura de son bras.

— Tu es couvert de sang, dit-elle, hors d'haleine.

Elle toucha son pantalon à l'entrejambe.

— Je n'ai rien, chuchota Cal, mais Billy vient de tirer sur Crane. Ce petit crétin vient d'abattre un homme en plein cœur avec un fusil de chasse. Appelle une ambulance.

— C'est fait, dit Joanna.

Elle poussa un petit cri en voyant Crane.

L'un des cousins de Cal, ancien infirmier militaire, se glissa entre Margo et son père, et posa les deux mains sur la poitrine de Crane. Il poussa sur un rythme régulier, provoquant un nouvel écoulement de sang, mais il abandonna la réanimation cardio-respiratoire après moins d'une minute. Il s'écarta, et Margo reprit sa place.

— Il a tiré sur papa, dit Billy en geignant. Regarde le sang. Il avait cette carabine. J'ai cru qu'il allait me tuer. Et tuer papa.

Margo laissa tomber sa tête sur la poitrine de son père, mais elle sentait les yeux de Cal fixés sur elle. Quand elle tourna le regard pour rencontrer le sien, elle reconnut l'expression de son père, *Attention, réfléchis aux conséquences.* Le visage de Cal était mouillé de larmes, même s'il ne pleurait pas exactement.

— Cal, fit Joanna. C'est vrai ?

— C'est vrai, répondit faiblement Cal. Crane m'a tiré dessus. J'ai cru qu'il allait tirer encore. Billy a voulu me protéger.

Joanna se mouvait comme au ralenti. Elle ôta son long manteau écossais, releva Margo – incapable de lui résister – et en couvrit la tête et la poitrine de Crane. Margo enfouit son visage dans la laine à carreaux. Joanna alla vers Billy et le prit dans ses bras. Il se réfugia dans l'étreinte de sa mère en sanglotant. Junior arriva. Il prit le fusil de la main de Cal et le posa contre l'appentis. Margo n'avait pas vu Junior depuis cinq mois. Il s'agenouilla à côté d'elle et l'entoura de son bras un moment, avant que Joanna lui demande d'aller chercher la voiture.

Les deux policiers du comté affectés à Murrayville arrivèrent quelques minutes plus tard, tandis que le crépuscule cédait la place à l'obscurité. Ils confisquèrent la carabine de Crane et le fusil de Billy, et les enveloppèrent de plastique. Ils déclarèrent qu'une ambulance était en route. Le plus grand des deux policiers dit : « Apportez une serviette pour essuyer la figure de cette pauvre fille », et Margo laissa Tante Carol Slocum lui passer une serviette chaude et humide sur le visage. Margo entendit les mensonges que Cal, d'une voix tendue, raconta aux inspecteurs. Entre deux respirations hésitantes, il expliqua que Crane le visait, que Crane lui avait crevé les pneus quelques jours plus tôt. Cal avait eu peur que cela arrive. Cal guida Margo dans le mensonge qui condamnait Crane, mais les sauvait, elle et Billy. Il lui dit qu'elle était la bienvenue chez eux jusqu'à ce qu'on retrouve sa mère.

Après cela, les policiers parlèrent à Margo avec douceur. Elle hocha la tête pour confirmer que son père avait tiré sur Cal et pointé son fusil sur Billy. Elle répéta en chuchotant ce que Cal avait dit. Elle détestait avoir à parler aux flics, et même si elle avait eu la tentation de raconter ce qui s'était réellement passé, elle n'avait pas la force de contredire Cal. À quoi bon ? Son père était mort et la vérité ne servirait plus à aucun être vivant. Elle ne voulait pas que Billy aille en prison pour meurtre. Elle voulait s'occuper de Billy toute seule, comme elle l'avait toujours fait. Un policier l'emmena avec lui. Junior et Joanna suivirent le véhicule de police dans la Suburban blanche familiale.

Quand l'ambulance arriva, les infirmiers vérifièrent d'abord les signes vitaux puis secouèrent la tête et l'un d'entre eux donna un coup de fil. Malgré les protestations de Cal, ils le convainquirent de monter dans l'ambulance, laissant Margo et une douzaine d'autres attendre dans le froid le médecin légiste. Tante Carol Slocum insista pour que Margo entre dans la maison se réchauffer, mais elle ne voulait pas abandonner son père. Plus elle restait cramponnée à son corps, plus elle semblait susciter la méfiance des autres, comme lorsqu'elle veillait à côté de son grand-père au cours des semaines avant sa mort. À la fin, le reste de la famille avait évité Grand-Père et Margo les avait tous pris en pitié parce qu'ils refusaient de voir cette dernière partie de sa vie, où la douleur avait métamorphosé cet homme immense et autoritaire en être silencieux et méditatif.

À présent, tous les Murray étaient réunis autour d'elle. Pour la première fois depuis l'année dernière, elle faisait, de façon terrible, partie de la famille. Quand Julie Slocum s'approcha d'elle, Margo lui prit le bras.

— Lâche-moi, dit Julie en se dégageant de son emprise.

Margo la regarda dans les yeux.

— Maman, elle me fait mal au bras, cria Julie et tout le monde se retourna.

— Pourquoi es-tu allée chercher mon père ?

— Tu es couverte de sang, dit Julie. Tu m'en mets partout.

— L'année dernière. C'est à cause de ça que tout est arrivé, dit Margo.

Elle serrait le bras de Julie comme le manche d'une rame. La fille avait grossi, elle avait les seins plus lourds. Quelque chose de dur s'était imprimé sur son visage.

— Cal ne veut plus de toi, dit Julie en tapant sur le poignet de Margo de sa main libre.

Quand Margo la relâcha, Julie se mit debout et s'éloigna.

Les policiers semblaient se satisfaire du témoignage minimal de Margo. Ils devaient également juger qu'étant dans sa famille, elle serait accueillie pour la nuit. Pourquoi une Murray aurait-elle besoin d'une assistante sociale ou d'un endroit où dormir à Murrayville ? Carol Slocum prit Margo et lui passa encore une serviette chaude sur le visage. C'était deux heures avant l'arrivée du médecin légiste dans une camionnette blanche. À ce moment-là, Margo avait les doigts raidis par le froid. Le médecin légiste l'écarta de son père avec douceur. On l'enveloppa dans un drap de plastique et on le plaça dans la camionnette. Elle regarda partir le véhicule. La rivière coulait en direction du dépôt mortuaire, qui se trouvait à sept kilomètres en aval, près du cimetière et en face du grand entrepôt de l'usine métallurgique Murray qui couvrait deux hectares de Murrayville sous son toit de tôle.

Une partie des femmes faisait cercle autour d'elle. Les hommes qui restaient étaient soit ivres soit hébétés par l'émotion. Quelques enfants épuisés écarquillaient leurs yeux brillants. Ils avaient les oreilles rougies et les joues enflammées. Margo pensa que quelqu'un devrait aller les coucher.

— Tu restes là cette nuit ? questionna une femme.

Margo secoua la tête et, d'une voix aussi claire que possible, déclara :

— Je dois d'abord rentrer chez moi.

— Sais-tu où se trouve Luanne ? s'enquit une autre femme avec empressement, à quelques mètres de là.

D'abord saisie, Margo pensa que quelqu'un savait et pourrait le lui dire, mais personne ne savait. Quand sa mère avait disparu, Cal demandait souvent à Margo où elle se trouvait. Il disait vouloir la remettre sur le droit chemin, il disait qu'elle avait abandonné son enfant et qu'il devait la ramener à la maison.

Quand une femme que Margo ne connaissait pas l'entoura de son bras, elle se dégagea, se dirigea vers l'eau et monta dans *La River Rose*. Elle aurait tant voulu pouvoir emporter avec elle le corps de son père, lui faire traverser la rivière comme elle l'avait fait avec la carcasse du cerf. Dans le faible clair de lune, elle s'immobilisa pour regarder les bottillons Red Wing que Crane lui avait achetés un mois plus tôt quand il s'était dit que ses pieds ne grandiraient plus. Quelques gouttes de son sang brillaient sur le cuir gras. Elle dégagea la barque d'un coup de rame.

Une fois parvenue sur son propre ponton, elle descendit et attacha sa barque. L'eau était noire comme de l'encre. À l'enterrement de Grand-Père, en janvier dernier, tout le monde était éploré de chagrin : Luanne pleurait près de Cal et de sa sœur aînée, et Joanna s'efforçait de consoler ses fils. Margo avait eu envie de sauter dans l'eau glacée et de se laisser emporter par le courant. La seule chose qui l'avait retenue, c'était le corps massif de son père à son côté.

Margo ôta son blouson et ses bottes, et les posa au pied du ponton. Elle enleva ses chaussettes et les fourra dans ses bottes. Ses pieds étaient déjà engourdis par le froid. Elle avança dans l'eau. Elle laissa ses pieds nus s'enfoncer dans la vase glacée, s'éloigna de quelques pas, s'enfonça encore un peu plus dans le lit de la rivière, cria sans faire de bruit quand l'eau lui arriva aux cuisses. Elle avança jusqu'au moment où son nénuphar – c'était le mot de sa mère – fut électrifié par le froid. En face, les gens allaient et venaient sous les lumières du jardin, et elle devait garder le silence afin de ne pas attirer leur attention et leur donner l'idée de venir à son secours. Les hanches de Margo résistaient au courant et son ventre se contracta quand le froid parvint à sa hauteur, et son cœur enfin se mit à cogner contre sa poitrine. Elle trembla sous l'effet des décharges électriques que produisait son propre corps, sentit des carpes et des poissons-chats piquants la frôler. Elle imagina les serpents d'eau et les serpents noirs s'enroulant autour de ses jambes. Au lieu de se sentir prise au piège de la rivière, qui pouvait la faire mourir de froid ou la noyer, elle se sentait terriblement,

douloureusement, libre. Sans son père, plus rien ne la ratta-
chait à quiconque, et, dans le flot qui s'écoulait autour
d'elle, elle se sentait absolument vivante.

En imagination, elle humait le parfum du beurre de
cacao dans l'air froid, ce parfum qui ne quittait jamais tout
à fait la peau de sa mère, pas même en hiver où, après la
douche, elle se massait le corps avec la lotion au beurre de
cacao. Margo s'agrippa au ponton et parvint à arracher son
pied droit à la vase. Elle libéra son autre pied avec autant de
difficulté, oubliant presque son père tant elle luttait. Elle se
hissa jusqu'à la berge.

Elle emporta ses bottes dans la cuisine où régnait un froid
mordant. Crane avait éteint la chaudière par souci
d'économie, pensant qu'il parviendrait à chauffer la maison
au bois. Margo avait eu l'intention de couper du petit bois
aujourd'hui, mais elle n'en avait pas trouvé le temps, et
maintenant elle ne savait plus si ses doigts engourdis fonc-
tionnaient assez bien pour saisir la hachette ou même rouler
en boule des feuilles de journal. Elle embrassa la cuisine du
regard : il y avait trois chaises en pin, et dans le coin, la
chaise haute de bébé, en bois d'érable. Margo alla chercher
la hache sur la véranda, l'abattit sur la chaise de bébé, puis
l'abattit encore. Quand le vieil assemblage commença à se
défaire, elle continua à casser le bois sur le sol de la cuisine.
Avec ces morceaux secs et des feuilles de journal, elle parvint
à allumer un feu.

Elle se réchauffa les mains devant les flammes, puis
démolit les autres chaises à la hache. Tandis que le feu crépi-
tait, elle ôta ses vêtements mouillés et s'enveloppa dans une
couverture. Le bois des chaises dégageait une telle chaleur
que la créosote dans la cheminée devait avoir entièrement
brûlé. Pour finir, elle jeta deux bûches fendues trouvées sur
la véranda et grimpa dans le lit de son père. En cherchant
le sommeil, elle sentit l'odeur de la fumée de cigarette, du

soufre des allumettes, de la crème à raser Old Spice et des moisissures de la maison au bord de la rivière. Elle sentait la rivière dans tous les coins de la maison, dans chaque molécule d'air, dans tous les pores de son propre corps. Même le feu, même les flammes sentaient la rivière.

5.

Le lendemain, Junior Murray entra dans la maison sans frapper, chose normale à l'intérieur de la famille Murray mais qui rendait pourtant fou le père de Margo.

— Il est midi passé. Tout le monde s'inquiète pour toi, dit-il, assis au bord du lit où elle était couchée. Je suis venu te dire que les flics sont en route.

— Quoi ?

— Ricky travaille à la mairie, il a entendu dire qu'ils allaient venir. C'est Ricky dans la cuisine.

— Pourquoi ils viennent ici ?

Margo entendit un véhicule s'arrêter dans l'allée.

— Ça m'a tout l'air d'une voiture de police, dit Junior. Ils veulent peut-être te poser d'autres questions. Ils veulent être sûrs que tout va bien. C'est la loi qui veut ça, les flics harcèlent toujours les gens qui n'ont pas envie de les voir.

— C'est la police, cria Ricky dans la pièce à côté.

Ricky était leur oncle le plus jeune, le petit frère de Cal, il avait vingt ans. Il faisait des études d'assistant juridique.

Margo s'enveloppa dans les couvertures, se redressa et se blottit contre son cousin. Elle avait peur que Junior s'en aille si elle ne disait rien.

— Tu m'as manqué, chuchota-t-elle.

— Toi aussi, Margo, tu m'as manqué, dit Junior en lui entourant l'épaule de son bras. Tout et tout le monde me manque. Je dois retourner à l'école, et rien que d'y penser j'ai envie de me suicider.

Quelqu'un frappa à la porte et, quand des voix s'élevèrent dans la pièce à côté, Junior se leva.

— Tu ferais bien de cacher ces petits nénés avant de sortir.

Margo resserra sa couverture. Quand il quitta la pièce, elle enfila l'un des jeans de Crane, un de ses pulls à col roulé et une chemise en flanelle. Elle alla dans la cuisine, où deux policiers parlaient avec Junior, qui était plus grand qu'eux.

— Nous voulons être sûrs que tout va bien, Margaret, dit le plus petit, que tout le monde à l'école appelait Officer Mike.

— Tu vois, Margaret, *tout le monde* s'est inquiété, dit Junior.

Margo avait l'impression qu'il se moquait du policier, mais elle ne comprenait pas exactement de quelle manière.

— Il nous faut fouiller la maison, voir si quelque chose peut nous aider à comprendre pourquoi M. Crane a tiré sur Cal et Billy Murray. Il écrivait un journal ou quelque chose ?

Margo secoua la tête. De Crane, ils ne trouveraient rien de plus qu'une liste de courses griffonnée sur une boîte d'allumettes vide. Ils ne trouveraient rien sur quoi il aurait pu écrire sa colère à l'encontre de Cal.

— Pas d'autres armes ici ? Des revolvers déclarés ? On peut regarder ?

Elle haussa les épaules et ils en conclurent que c'était oui.

— Cal Murray a dit que, si votre père n'avait pas d'argent, il paierait les frais d'obsèques, dit le plus grand des deux policiers, quand ils eurent renoncé à trouver quelque chose d'intéressant. On peut vous déposer chez Cal.

Elle secoua la tête.

— Sûr ?

— Je veux y aller avec mon bateau, dit-elle.

Comme ils ne la quittaient pas des yeux, elle craignit qu'ils ne partent pas.

— Ma mère va venir me chercher. Dès qu'elle aura appris pour papa.

— Nous la prendrons chez nous, Officer Mike, dit Junior, adoptant l'expression d'un fidèle boy-scout.

— Tenez-nous au courant dès que votre mère aura pris contact avec vous, dit Officer Mike. Nous aurons peut-être besoin de lui parler. Et nous reviendrons vous voir dans quelques jours si nous avons besoin d'un complément de témoignage.

— Et s'il y a quelque chose pour ta mère dans la succession, il faudra qu'on la retrouve, dit Ricky.

Margo savait qu'il n'y aurait pas d'héritage. Crane devait encore de l'argent à un type pour son Ford de dix ans, et il en devait au dentiste aussi. Il envoyait Margo se faire détartrer tous les six mois – même quand il était soûl ou au chômage, il l'envoyait avec un billet de vingt dollars d'acompte.

— Il n'y aura pas de procès, n'est-ce pas ? demanda Junior.

— Personne ne nie que votre frère a agi en légitime défense, mais il a tout de même tué un homme. Quelqu'un est en train de faire le point avec lui en ce moment.

— Je suis navré, Margaret, dit Officer Mike, prenant une carte et la posant sur le comptoir. Appelez mon numéro si vous avez besoin qu'on vous dépose chez Cal. Ou de quoi que ce soit.

— Nos condoléances, dit le plus grand.

Quand ils eurent refermé la porte, Ricky Murray prit la parole :

— Il faut retrouver les papiers de ton père, n'importe quel document officiel. S'il a fait un testament, il faut savoir où il l'a mis.

Margo avait les yeux gonflés par les larmes et, quand elle se pencha près du lit de son père, elle ressentit une violente douleur à la tête. De dessous le lit, elle sortit une boîte en fer vert militaire. C'était comme une effraction de la poser sur la table de la cuisine et d'ouvrir le couvercle devant Ricky et Junior. La première chose qu'elle vit à l'intérieur fut sa queue-de-cheval coupée, enveloppée dans du papier gras. Dans une enveloppe bombée, elle trouva des dizaines de photos de sa mère, souriant jusqu'aux oreilles à l'appareil photo. Luanne n'avait que très rarement souri dans la vraie vie au point de découvrir ses dents, mais elle adressait ce faux sourire au moindre appareil photo. Il n'y avait aucune photo de ses parents ensemble, pas même une photo de mariage. Le seul portrait de Crane était une image minuscule et sombre sur sa carte d'employé de l'usine métallurgique Murray.

Une enveloppe de taille administrative contenait une feuille de papier ligné jaune sur laquelle était écrit à la main : *Dernières volontés et testament. Je voudrais être incinéré et ne dépensez pas d'argent pour une cérémonie religieuse. Donnez tout ce que j'ai à ma femme et à ma fille. Désolé, ce n'est pas grand-chose. Signé, en pleine possession de ses facultés, Bernard Crane, le 14 octobre 1971.* Margo devait avoir dans les huit ans. Il n'était encore rien arrivé de mal.

— Voilà qui est clair et simple, dit Junior. Les policiers ont bien quitté les lieux ?

— *Le monsieur* est parti, dit Ricky.

— C'est le moment d'allumer.

Junior pêcha quelque chose dans la poche de son blouson en jean. C'était un petit sac en plastique contenant plusieurs joints. Il s'assit sur la table de la cuisine.

— Où sont passées tes chaises ?

Margo haussa les épaules et s'assit à côté de lui.

— Ils n'auraient pas dû te laisser rentrer, hier soir.

Junior lissa un joint avec soin et l'alluma à l'aide d'un briquet blanc. Il aspira une longue bouffée et le lui tendit.

— Je ne sais pas.

Margo laissa pendre ses jambes près de celles de Junior. À l'académie militaire, remarqua-t-elle, son cousin s'était fait couper les cheveux court et ils ne bouclaient plus dans la nuque. La nuit dernière, elle avait entendu dire qu'il rentrait à l'académie tout de suite après le week-end, c'était donc sans doute la seule occasion pour elle de le voir.

Tout en retenant sa respiration, il lui donna un coup de coude et dit d'une voix de canard :

— Ça va t'aider. Quand Grand-Père est mort, je suis resté défoncé trois mois.

Margo prit le joint, aspira une longue bouffée et toussa. Elle le passa à Ricky, qui inhala tout en examinant le testament, le tournant et le retournant plusieurs fois, bien que le verso fût vide.

— Dommage que ce testament ne soit pas notarié, dit Ricky.

Quand Junior lui repassa le joint, Margo inhala profondément et retint la fumée. Elle n'aimait pas se sentir désorientée, mais elle espérait que l'herbe émousserait sa douleur. Ils se passèrent le joint en silence jusqu'à ce qu'il fût terminé. Après quoi, Ricky se mit à examiner les papiers de façon plus sérieuse.

— Acte de divorce, dit-il. Prononcé il y a huit mois.

Margo aurait voulu pouvoir tirer encore une fois sur le joint. Crane n'avait jamais parlé d'un divorce.

Junior était en train de lire l'acte de vente foncière avec une intensité étrange. La troisième page portait la signature de leurs pères respectifs.

— Tu vas rester chez Cal et Joanna ? demanda Ricky.

— Maman dit que tu va devoir rester chez nous, dit Junior, qui étudiait maintenant de près la carte d'employé de Crane. Tu ne peux pas rester seule à quinze ans. Où irais-tu ?

— J'ai eu seize ans le 20.

— Si tu restes chez ton oncle et ta tante, dit Ricky, les policiers ne seront peut-être pas obligés de te signaler aux services sociaux.

— Les services sociaux ?

Margo prit la carte des mains de Junior. Elle avait entendu dire que les enfants dont s'occupaient les services sociaux finissaient par habiter des foyers ou avec des étrangers qui leur faisaient des trucs bizarres. Et elle était sûre de se retrouver loin de la rivière.

— Si seulement tu étais à la maison, dit-elle d'une voix qu'elle sentait pâteuse. Ça me serait plus facile de rester chez toi.

— Si seulement… Je reviens pour Noël. Peut-être que je pourrai les convaincre de me laisser rester après.

Ricky et Junior semblaient se mouvoir au ralenti tandis qu'ils sortaient des papiers de la boîte – actes de naissance, titre de propriété du Ford. Margo remarqua autre chose : une enveloppe rose avec une adresse écrite à la main, en haut sur le coin gauche, une adresse à Heart of Pines, Michigan. Le nom de sa mère n'apparaissait pas, mais Margo reconnaissait son écriture oblique, penchée vers l'arrière.

— Papa posait des papiers sur le comptoir près du grille-pain, dit-elle, et quand Junior et Ricky se tournèrent vers la pile de factures de Crane, Margo tira l'enveloppe de la boîte et la glissa dans sa poche arrière. Elle prit son acte de naissance et celui de Crane, et les mit de côté.

— Tu es au courant d'autres biens ? demanda Ricky. Il nous faut des renseignements sur ce qu'il possédait.

— Tu n'es pas avocat, mon vieux, dit Junior.

— Et alors ? Il faut bien que quelqu'un s'occupe de ça. Et Nympho, là, n'a pas de quoi se payer un avocat.

— Il a son camion, une tronçonneuse et ses outils, dit Margo.

Elle s'essuya le nez et les yeux sur sa manche. Elle ne parla ni de la carabine, ni du fusil de chasse.

— Un compte d'épargne ? questionna Ricky.

Il alla dans la salle de bains et en rapporta un rouleau de papier toilette en guise de mouchoir pour Margo. Elle en déroula une grosse poignée.

— Il a dépensé toutes ses économies pour l'achat de la terre. Ou chez le dentiste.

— Selon l'acte de vente, il semble que la maison revienne à mon père après deux défauts de paiement, dit Junior. C'est bidon. J'espère que le dentiste ne veut pas récupérer ses dents.

— Assurance vie ? demanda Ricky.

Elle secoua la tête.

Junior prit une des photos de Luanne et hocha la tête.

— Tu sais où est ta mère ? Papa répète toujours qu'il faudrait la ramener à Murrayville par la peau du cou. Peut-être qu'elle va rentrer toute seule maintenant.

— Regarde ça, fit Ricky en montrant une photo en pied de la mère de Margo, souriant en maillot deux-pièces. On dirait une star de cinéma. Je me souviens qu'elle enlevait le haut pour se prélasser au soleil.

Margo sécha ses larmes à sa manche de chemise.

— Un peu de classe, mon vieux, dit Junior en donnant un coup de pied à Ricky.

— Désolée, Nympho. Elle nous manque à tous, tu sais.

Margo aurait voulu trouver une photo de sa mère ressemblant au souvenir qu'elle avait d'elle, avec un sourire triste ou, pourquoi pas, le front plissé. L'hiver, parfois, Luanne passait presque toute la journée au lit. Elle laissait Margo se serrer contre elle ou lire dans le lit. Luanne semblait tirer du réconfort de la présence Margo.

Ricky Murray sortit de la boîte en fer un portefeuille en cuir neuf, couleur chocolat, identique à celui que portait son père et il le lui tendit. Margo prit de sa poche les billets de vingt roulés qu'elle avait reçus de Brian Leroux, les lissa et les rangea dans le portefeuille. Elle y glissa la carte d'employé de l'usine métallurgique Murray ainsi que les actes de naissance pliés.

— Tu savais que ton père voulait être incinéré ? s'enquit Junior.

Elle secoua la tête :

— J'ai pas l'argent.

— Tu as entendu les policiers. Mon père va s'en occuper.

Elle hocha la tête. Sa tristesse était puissante, mais l'herbe faisait son effet – Junior avait raison. Peut-être survivrait-elle à la mort de son père si elle restait de cette façon à côté d'elle-même.

Junior alluma un second joint et, après avoir exhalé une première fois, il dit :

— Je n'aurai plus l'occasion de fumer jusqu'à Noël. C'est super dur de passer quelque chose dans cette prison. Je serais prêt à promettre n'importe quoi à papa et maman s'ils me laissaient rentrer. Ou alors je trouverai le moyen de m'enfuir en Alaska et de travailler dans un bateau de pêche comme Oncle Loring.

— Tu penses que Billy va aller en prison ? demanda-t-elle.

— Je ne sais pas ce qui va arriver à mon petit frère. Je sais que cette tête brûlée finirait en quartier d'isolement s'il allait dans mon école.

Junior se leva.

— Je dois rentrer, Nympho – je veux dire, Margo –, et Ricky doit retourner à son travail. Il va nous déposer à la maison. Viens.

— Je veux apporter mon bateau.

— La barque de Grand-Père ? On peut revenir la chercher plus tard.

— Faut d'abord que je prenne une douche. S'il te plaît, laisse-moi seule un moment.

— D'accord. Ne traîne pas trop. Il faudrait que tu y sois à temps pour que Maman t'emmène à l'église avec elle ce soir. Elle tient vraiment à ce que tout le monde vienne.

— Je promets de venir bientôt. Laissez-moi.

Il l'étreignit, lui donna un joint dans un sachet en plastique et dit :

— Au cas où.

Il goba un bonbon au gaultheria, lui en mit un dans la bouche et partit avec Ricky.

Une fois seule, Margo sortit l'enveloppe de sa poche arrière, l'ouvrit et aplatit la lettre, une petite page rose assortie à l'enveloppe, décorée d'un dessin de flamant.

Cher Bernard,

Je regrette qu'il en soit ainsi avec le divorce. Tu le sais, je n'ai jamais eu le sentiment de faire partie de ta famille. Je ne me crois pas capable de voir Margaret Louise en ce moment. Ce serait trop douloureux. Je reprendrai contact avec toi, d'ici peu, quand ma situation se sera améliorée et que nous pourrons nous rendre visite, elle et moi. S'il te plaît, n'envoie rien à cette adresse, sauf en cas d'urgence, et s'il te plaît ne la communique à personne.

Je t'embrasse, Luanne.

Plus importante que le contenu de la lettre était l'adresse qui figurait sur l'enveloppe : 1121 Dog Leg Road, Heart of Pines, Michigan. La ville de Heart of Pines était située à une cinquantaine de kilomètres en amont, juste après la maison de Brian Leroux. Elle était pleine de cabanes en location, de restaurants et de bars, c'est là qu'on pouvait acheter des articles de chasse et de pêche. Pour faire l'aller-retour en voiture avec Grand-Père, elle avait mis toute la journée. Après Heart of Pines, la rivière, trop peu profonde, n'était plus navigable.

Elle fouilla une fois encore dans la boîte en fer, choisit trois photos de sa mère et les glissa dans les pages de *La Petite Femme au tir sûr*. Elle plaça le livre dans le vieux sac à dos militaire de son père marqué CRANE au pochoir. Elle y fourra ses vêtements préférés, ajoutant des bandanas, une brosse à dents, un pain de savon, une bouteille de shampooing, quelques outils et des cibles en papier, et ce que son père appelait sa *trousse d'urgence féminine*. Quand elle mit le pied dehors, elle fut incapable de détacher son regard de l'eau scintillante ; peut-être était-ce l'effet de l'herbe qu'elle avait fumée, mais la rivière miroitait dans le soleil de fin d'après-midi comme si elle lui parlait, comme si, en renvoyant la lumière, elle l'invitait à partir à la rame. Elle chargea *La River Rose*, y jeta un sac de couchage militaire, deux gilets de sauvetage, une bâche en nylon, un bidon d'eau de huit litres et la plus belle canne à pêche de son père. Elle grimpa, fixa les rames et quitta la berge d'une poussée.

Margo prit la direction de la maison des Murray, ramant d'abord à vitesse lente, ce qui la fit dériver et l'obligea à remonter en force. En détachant sa barque, elle avait senti que son père désapprouvait l'interrogatoire que les Murray lui avaient fait passer. Maintenant qu'il n'était plus là, elle pouvait traverser la rivière et nager si elle en avait envie, elle pouvait caresser les chiens des Murray sans se faire crier dessus. Crane ne pouvait plus se mettre en colère et elle ne serait plus sa raison de vivre ni celle de personne. Peut-être, en s'efforçant de ne jamais oublier tout cela, parviendrait-elle à survivre sans lui. À la pensée de survivre sans lui, elle recommença à pleurer.

Margo se fraya un chemin jusqu'à l'appentis chaulé – quelqu'un avait rincé le sang sur le mur et placé sur le sol, à l'endroit où son père était tombé, un morceau de feutre de la taille d'une couverture. Quand elle vit le camion Ford encore garé dans l'allée de gravillons, la scène lui parut si ordinaire qu'elle s'attendit à voir Crane assis au volant. Après quelques profondes inspirations, elle ouvrit la portière et replia le siège, mais ne trouva pas le fusil. Si la police avait pris l'arme, ainsi que la carabine, c'était pas de veine. Si c'était Cal ou un membre de la famille, elle le trouverait dans le bureau de Cal, à côté du salon, avec ses autres armes. Margo se demanda ce qui valait mieux pour elle pour l'instant, être avec les Murray ou sans eux.

Elle s'approcha de la maison et se cacha derrière un bouquet d'érables. Moe, le chien, tira sur sa laisse en gémissant. Si Margo s'installait avec les Murray, il lui faudrait attendre que sa mère vienne la chercher et elle n'avait aucune idée du temps que cela prendrait. Au bout d'une éternité, Joanna sortit et mit la Suburban en marche. Margo se baissa. Elle entendit des voix de garçons qui se querellaient, les jumeaux peut-être. Junior sortit, tint la porte pour Cal et, lentement, descendit les marches et se dirigea vers l'allée avec lui. Cal avançait à petits pas, comme s'il apprenait seulement à marcher. Junior ouvrit la portière avant et tendit le bras, se préparant à soutenir son père.

— Je n'ai pas besoin d'aide, bordel, dit Cal d'une voix tendue.

Il monta à l'avant, et Junior à l'arrière. Enfin, l'un des jumeaux grimpa de l'arrière pour s'asseoir avec ses parents.

Personne ne regarda en direction de Margo. Les guirlandes de Noël sur le flotteur étaient toujours allumées, leurs couleurs étouffées par les premières lueurs du soir. La messe du samedi soir les tiendrait éloignés de la maison au moins une heure et demie. D'ordinaire, Joanna y assistait seule ou avec les tout-petits – Cal portait autant d'intérêt à la religion que le père de Margo –, mais aujourd'hui, Joanna les avait sans doute convaincus de prier pour Billy et de mettre leurs âmes en paix. Peut-être Joanna pensait-elle qu'il y avait quelque chose à gagner cette fois, à montrer la famille au complet. Peut-être Cal voulait-il qu'on voie qu'il n'était pas estropié.

Margo grimpa les marches, trouva la clef sous le pot de fleurs habituel, l'introduisit dans la serrure et la remit à sa place. La cuisine baignait dans la chaleur du poêle, dont quelqu'un avait baissé l'intensité pour la conserver jusqu'à leur retour. La maison embaumait le pain à la cannelle. Margo sentait aussi le fumet du bouillon de dinde, ce qui signifiait qu'en dépit des événements de la veille Joanna avait mis les carcasses de dinde à bouillir comme elle le faisait toujours le lendemain de la fête. La dernière fois que Margo était entrée dans cette vaste pièce claire, c'était l'an passé, à Thanksgiving, quand elle était venue aider Joanna à faire la vaisselle avant d'aller dehors rejoindre les autres. Margo se risqua jusque dans le salon, où, des années durant, elle s'était querellée avec Billy sans ressentir aucune gêne – c'était depuis un an seulement que Billy était devenu un étranger et lui faisait peur. La maison des Murray ne lui avait jamais semblé vraiment vide, même quand il n'y avait personne. Elle était toujours remplie d'odeurs, de chaleur et d'énergie. Ce soir, elle sentait les esprits des Murray dans tous les coins, au plafond et sur les murs. Même au temps où elle était la bienvenue ici, elle préférait rester dans la cuisine. Quand elle allait dans le salon pour regarder la télévision, elle s'asseyait par terre près du fauteuil de Cal, qui lui caressait parfois la tête en disant : « Bonne petite. » Chaque fois, Billy chuchotait : « Bon chien » ou « Bonne Nympho », mais elle s'en fichait.

Mais elle ne pouvait plus rester ici, après ce qui s'était passé. Où allait-elle dormir en attendant sa mère ?

Elle trouva une feuille de papier et un crayon, et écrivit un message : *Chers Joanna et Cal : Merci pour votre générosité en proposant de me prendre avec vous. Ma mère veut que j'aille chez elle, mais elle m'a demandé de ne pas donner son adresse. S'il vous plaît, ne le dites à personne, Margaret.* Elle le laissa sur la table de la cuisine.

Margo entra dans le bureau de Cal, dont elle n'avait jamais franchi le seuil. Les enfants n'en avaient pas le droit et c'était une règle à laquelle tous obéissaient. La pièce sentait l'odeur de Cal, du cuir, de la graisse à fusil et de la crème à raser citronnée. Elle sentait aussi un peu la sueur et le whisky.

L'armoire à fusils n'était pas fermée à clef. Peut-être, ébranlé comme il l'était, Cal avait-il oublié de la verrouiller, ou peut-être, certain que personne ne viendrait toucher à ses armes, ne la fermait-il jamais. Elle ouvrit les deux portes. À l'intérieur étaient rangés une douzaine de carabines et six fusils de chasse de calibre .12, mais pas le calibre .20 de son père avec ses initiales gravées au feu sur la crosse.

Le cœur de Margo cogna contre sa poitrine quand elle prit la Marlin, la carabine dont Cal l'avait autorisée à se servir dans les grandes occasions parce que, expliquait-il, c'était la même que celle d'Annie Oakley. Margo caressa l'écureuil gravé sur la crosse en noyer, le levier en chrome. Cal prenait soin de la carabine, elle était graissée et cirée. Une décharge électrique la traversa quand elle toucha la détente dorée. Lorsqu'elle avait tiré avec, il y avait une bandoulière de cuir travaillé, mais on l'avait retirée, ne laissant que les émerillons. Elle porta la carabine à son épaule et visa par la fenêtre. Elle pressa la joue contre la crosse et dirigea le viseur sur un morceau de ruban orange agrafé à un poteau de clôture. Si elle devait quitter cet endroit et tous ses repères familiers, il lui fallait emporter ce fusil. Elle empocha une boîte de cartouche de calibre .22 et saisit l'arme dans sa main gauche. Comme elle regagnait la cuisine, elle sentit les fantômes des Murray la suivre du regard. Elle prit le pain à la cannelle sur le comptoir et repartit de la même façon qu'elle était venue. Dehors, le labrador enchaîné aboya, et elle avait beau savoir qu'elle devait faire vite, elle s'agenouilla par terre à côté de lui, écartant le pain de son museau.

— Oh, Moe, tu me manques tellement. Je sais, j'aurais dû venir te voir.

Elle s'éloigna du chien qui aboya derrière elle. Les beagles à leur tour aboyèrent dans leur niche. Parvenue à sa barque, elle tremblait si fort qu'au lieu de lancer la carabine sur le banc arrière elle la fit tomber dans la rivière glacée. Elle la repêcha aussitôt, mais l'eau l'avait déjà entièrement submergée.

Elle la secoua et l'essuya du mieux qu'elle put avec une serviette sortie de son sac. Engourdie par le froid et la peur d'être vue, Margo posa la carabine sur sa bâche et l'enveloppa comme on lange un bébé. Elle pensait que le bruit qu'elle avait fait en montant dans *La River Rose* résonnait sur la rivière et dans les bois. Elle mordit dans le pain, c'était la première chose qu'elle mangeait depuis le début de la journée. Quand elle quitta la berge, elle eut l'envie irrésistible de se laisser dériver sur le courant, de glisser sans effort, vers l'aval. Mais sa mère était en amont, et elle commença à ramer.

6.

Margo entendit trois coups de feu successifs. Ébranlée par le bruit, elle eut envie de tirer en réponse. La chasse au cerf était ouverte quelques jours encore. Apercevant les caravanes des Slocum sur la rive nord, elle rama aussi fort qu'elle put pour passer vite sans être vue. Quelques centaines de mètres plus loin, à l'endroit où la rivière formait un coude, Margo entendit des voix et des rires provenant de devant la cabane abandonnée que Junior avait baptisée la maison de la marijuana. Elle dirigea son bateau vers le banc de sable juste en dessous et décida d'attendre la nuit complète plutôt que de risquer d'être vue. Elle ôta ses gants de travail en cuir et souffla sur ses mains. La toute petite cabane était la propriété des Murray et, trois ans plus tôt, elle servait encore aux frères de Grand-Père pour leurs week-ends de pêche. Margo tendit l'oreille vers les voix d'adolescents. Le rire d'une fille crépita comme le feu d'une arme automatique avant d'être assourdi par une porte qu'on fermait. Quand tout resta calme un moment, Margo grimpa sur la berge pour mieux voir.

Un cerf de Virginie approchait de la rivière à moins de vingt-cinq mètres, près du ponton. Margo introduisit six des cartouches qu'elle avait dans sa poche dans le chargeur de la Marlin, actionna le levier aussi vite qu'elle put et arma le chien en position de sûreté. Elle aimait cette sensation de la carabine chargée dans ses mains. Quand le cerf s'arrêta au bord de la rivière et se tourna pour regarder dans la direction où elle se trouvait, Margo ralentit sa respiration. L'arme en appui sur un genou, elle observa l'animal, compta dix corps, distingua une méchante cicatrice en V sur sa joue, peut-être une blessure infligée par un autre mâle. Ses mains cessèrent de trembler. Avec le calibre .22, elle pouvait l'abattre en le touchant à l'œil ou à la tempe. Le cerf baissa la tête pour boire à la rivière. La Marlin à levier était un peu plus lourde que la carabine à répétition de son père, mais au moment de viser, elle se sentit légère et libérée de sa fatigue.

— Ne tirez pas ! chuchota une voix de femme derrière elle, assez claire pour être audible.

Le bruit fit tressaillir le cerf qui bondit sur ses pattes et s'éloigna de la berge.

Margo dévala la berge, grimpa dans sa barque et lui imprima une poussée.

— Hé, tu es la cousine de Junior ? Viens avec nous ! cria la fille.

Margo ramait. La fille dit à quelqu'un d'autre : « J'ai cru que c'était la cousine de Junior. »

Margo reconnut la voix. C'était une amie de Junior, une fille que Ricky avait un jour traitée de « traînée ». Elle s'éclaircit la gorge et réussit à répondre :

— J'ai pas de cousins. Je m'appelle Annie.

Margo remontait la rivière à la rame, et se réchauffait en luttant contre le courant. Elle était reconnaissante à la fille de l'avoir empêchée de tuer le cerf. La viande aurait pourri sur place. Margo rama plus fort en se rappelant que, dans sa hâte, elle n'avait pas fermé à clef la maison des Murray. Elle se demanda si Joanna allait préparer pour sa famille un autre pain tressé à la cannelle pour remplacer celui qu'elle avait pris. Au bout d'environ deux heures d'efforts dans l'obscurité, elle trouva un petit bras peu profond, manœuvra à l'intérieur sur quelques mètres, hors de vue d'éventuelles autres embarcations, et attacha sa barque aux racines d'un arbre. Elle se pelotonna dans son sac de couchage à l'arrière de la barque comme elle se pelotonnait sur le canapé en attendant le retour de Crane, et s'endormit. Bercée par les ondulations de la rivière, elle dormit à poings fermés, longtemps, jusqu'à ce que le soleil soit haut dans le ciel le jour suivant. Elle s'éveilla glacée, engourdie, sans trop savoir où elle se trouvait, soulagée aussi de ne pas avoir été inquiétée. Elle n'avait entendu personne appeler son nom, mais elle sentait des regards peser sur elle. Elle remua les orteils dans ses bottes pour les réchauffer et vit un grand cerf sur la berge. Comme elle se redressait et faisait du bruit avec la bâche, le cerf se tourna et montra une blessure en forme de V avant de s'enfoncer de quelques mètres dans les bois. Elle mangea la moitié du pain à la cannelle et recommença à ramer.

Au milieu de l'après-midi, Margo aperçut une pompe à essence où les bateaux venaient faire le plein et où une personne qui n'aurait pas craint d'être vue aurait pu s'arrêter pour acheter un sandwich et des chips sans s'éloigner de la rivière de plus de quelques mètres. Margo se dissimula dans le chenal d'une petite maison située juste en aval, sur un îlot. Il n'y avait personne. Elle se demanda comment ce serait de vivre sur une petite île comme celle-là, entourée par l'eau de tous côtés. Elle se trouvait à environ dix-huit kilomètres en amont de Murrayville et savait qu'elle ne pouvait parcourir plus d'un kilomètre et demi par heure en ramant à contre-courant.

À la tombée du soir, elle vit approcher un dix-cors, et elle se remit à ramer. Elle sentait derrière elle le battement des ailes d'un grand oiseau, mais elle se retourna et ne vit rien. Elle passa la station-service sans être vue, après quoi il n'y eut plus que des bois et des champs éclairés par la lune, des maisons et des petites villas dotées de pontons, avec leurs bidons d'huile en guise de flotteurs qu'on n'avait pas encore remontés pour l'hiver. Dans l'obscurité, elle ramait avec la même régularité que son souffle. Elle voyait défiler l'arrière de concessions automobiles et de magasins de matériel agricole. Certains endroits lui étaient familiers : une falaise où, l'été, venaient nicher des hirondelles, un mur et une tour de pierre qui, selon les dires de son grand-père, avaient été bâtis par les Indiens, de vieux arbres dont les branches s'étendaient au-dessus de l'eau d'une manière que Margo trouvait généreuse, tout comme Grand-Père était généreux, grandes et gracieuses, tout comme Tante Joanna semblait toujours grande et gracieuse. Les lumières de sécurité qui se reflétaient sur l'eau rappelaient à Margo que sa mère était loin devant. Elle rama une grande partie de la nuit, mordant dans le pain jusqu'à ce qu'il n'y en ait plus. Quand elle fut trop fatiguée pour garder les yeux ouverts, elle s'attacha à une branche et dormit à nouveau.

Le lendemain, elle fut réveillée par une éclaboussure à côté du bateau et, en scrutant l'eau sombre, elle vit le reflet du visage de son père en colère. Mais non, c'était son propre visage, encadré par ses cheveux sombres. Ses joues et ses lèvres étaient desséchées par le froid, ses muscles endoloris. Elle repartit lentement, passant d'une rive à l'autre dans les coudes, sachant que l'eau était lente et peu profonde du côté extérieur des méandres, rapide et haute vers l'intérieur où elle travaillait à éroder la berge. Comme elle négociait un coude, elle se rappela ce que disait Grand-Père, que la boucle d'une rivière était une forme éphémère, que celle-ci finirait, au bout de milliers d'années, par reprendre son chemin le plus direct, sans égards pour les maisons que les hommes avaient construites sur sa route, sans égards pour les murs de soutènement ou les piles de béton, les enrochements accumulés le long des rives. La rivière perdurait, disait Grand-Père, et les gens finissaient par baisser les bras. Margo se rappelait avoir pensé qu'elle ne baisserait pas les bras dans sa volonté de maîtriser la rivière. Il lui vint à l'esprit que Grand-Père parlait peut-être de sa propre maison, la grande maison Murray, qui finirait par être emportée. Peut-être avait-il voulu dire que les Murray ne seraient pas toujours les rois de la rivière. Ce qui semblait éternel aux yeux de Margo, le paradis des Murray, paraissait probablement, aux yeux de son créateur, transitoire.

L'après-midi de ce second jour entier à ramer, l'épuisement et la faim dépassèrent tout ce qu'elle avait pu connaître en matière d'épuisement et de faim. À chaque coup de rame, elle avait l'impression de se liquéfier. De temps à autre, elle marquait une pause et plongeait les mains dans l'eau pour les reposer. Quand la neige commença à tomber, elle pensa qu'elle allait elle-même se dissoudre avant d'être parvenue à destination, comme les gros flocons qui se posaient sur l'eau. Quand elle attrapa des crampes aux jambes, elle se laissa ramener en arrière sur le courant, revoyant les arbres qu'elle venait de passer de haute lutte ; glissant devant un ponton chaulé qu'il lui avait fallu tant d'efforts pour remonter une minute plus tôt ; passant devant un grand héron bleu, haut de plus d'un mètre, qui se tenait à quelques dizaines de centimètres de l'eau glacée. Et la scène la réveilla en sursaut. Avant de se laisser entraîner, elle dirigea sa barque vers un banc de sable. Elle se retourna pour observer le héron qui aurait dû migrer vers le sud depuis des mois. L'oiseau hérissa toutes les plumes de sa tête et du cou et planta son bec dans l'eau. Il engloutit un poisson de la taille d'un doigt, puis remonta le courant à tire-d'aile. Margo ouvrit le sachet en plastique que Junior lui avait donné. Elle en sortit le joint et l'alluma avec une allumette prise dans son sac à dos. Elle en fuma la moitié, espérant engourdir toute sensation, mais comme il lui donnait la nausée, elle jeta dans l'eau ce qui en restait. Au bout de quelques minutes, elle eut faim plus que jamais.

Au crépuscule, la tête lui tournait. Les effets agréables de la marijuana s'étaient dissipés depuis des heures, lui laissant un vide qui naissait dans son estomac grondant et s'étendait à tout son corps. La gourde d'eau, elle aussi, était vide. La nuit était bien avancée lorsqu'une maison en bois familière, montée sur pilotis, se dressa devant elle comme une apparition miraculeuse, avec ses fenêtres où vacillaient de faibles lumières. Elle la dépassa un peu pour se donner de l'espace de manœuvre, mais dès qu'elle cessa de ramer, le courant l'emporta trop vite et elle dut recommencer son approche. Elle s'efforça d'enrouler ses doigts autour des rames, mais ils s'étaient raidis, tout repliés à l'intérieur de ses gants de cuir. Elle avait toujours vu cette maison en plein jour, avec Grand-Père. La lumière dansante lui donnait un air mystérieux. Brian l'avait invitée à venir lui rendre visite, mais elle avait pensé y entrer furtivement, en son absence. De là, Heart of Pines n'était plus qu'à quelques kilomètres.

Elle passa à nouveau devant la maison, se dirigea vers la berge et saisit le ponton en bois qui venait vers elle, manquant se coincer la main entre la barque et le ponton. Elle s'attacha près du bateau pneumatique qu'elle avait vu quelques jours plus tôt. Il y avait un bateau de pêche en aluminium attaché de l'autre côté du ponton. Celui-ci cogna un certain nombre de fois contre sa barque, dont la proue était en sécurité tout près du rivage. Elle avança vers la cabane à pied, n'emportant que la carabine et faisant le moins de bruit possible. Des voix d'hommes lui parvinrent quand elle escalada les marches de bois. Les panaches de fumée qui s'échappaient de la cheminée sentaient le merisier. À quelques mètres du chalet, elle vit un tas de bûches fendues occupant, à hauteur de hanche, l'espace entre deux arbres. Bien que rudimentaire, la maison semblait prête pour affronter l'hiver, comme si quelqu'un avait l'intention de l'habiter et non pas simplement de venir y passer les week-ends. Une corde à linge était accrochée près du ponton. Juste devant la porte de la véranda, sous l'avant-toit en tôle, il y avait un seau en plastique de cinq litres rempli d'épingles à linge. Margo entra sans bruit dans la véranda grillagée et s'arrêta quelques minutes devant une porte vitrée. À l'intérieur, elle reconnaissait déjà Brian et son frère Paul, avec leurs cheveux et leurs barbes noirs. Il s'était passé tant de choses depuis qu'elle les avait vus, il y a trois jours. Brian se leva et vint ouvrir la porte, sans lâcher ses cartes.

— Qui est là ?

Margo inspira profondément.

— Sainte Marie mère de Dieu ! dit-il en repliant son jeu. Est-ce que c'est un joli fantôme ou bien la nymphe de la rivière a-t-elle remonté le courant pour me bénir ? Entre, ne reste pas dans le froid, et ferme la porte.

Il regagna la table, s'assit et se radossa à son fauteuil pour mieux la regarder. Il semblait sincèrement ébloui par la présence de Margo. Paul, assis le dos à la porte, regarda par-dessus son épaule. Il plissa un œil.

— Nom de Dieu, Brian. Qu'est-ce que vient faire ici une femme armée ? Elle va nous tuer ?

— Mets tes lunettes, Pauly. C'est Maggie Crane.

Margo aurait pleuré de soulagement à la seule idée d'avoir trouvé un havre. Elle était contente d'être à l'abri, mais la taille imposante des deux hommes lui donnait froid dans le dos. Ils étaient aussi grands que Cal et deux fois plus costauds. Elle était à leur merci. S'ils ne lui donnaient pas à manger, elle mourrait de faim ; s'ils la renvoyaient, il était probable qu'elle mourrait de froid ; si l'envie les prenait de la forcer à faire ce qu'ils voulaient avec eux, ils n'auraient aucun mal.

— Pose ta carabine, Maggie, et viens t'asseoir.

Tirant une chaise, Brian tapota le siège. Elle posa la crosse de la Marlin sur le parquet en pin, appuyant le canon dans un coin, à côté d'un balai. Elle alla s'asseoir près de Brian.

— Tu arrives pile au moment où je gagne, dit Paul.

Margo ne savait plus pourquoi elle avait trouvé les deux hommes si semblables. Ils étaient de la même taille et leurs traits comparables – cheveux et barbes noirs, yeux bleus –, mais si Brian avait les épaules larges et l'abdomen musclé, Paul avait les épaules arrondies et le ventre mou. Brian avait les cheveux trop courts pour les porter en catogan comme Paul. Ce dernier, dont le visage était plus étroit et plus pâle, se concentrait intensément sur ses cartes, qu'il posait maintenant de mauvais gré. Il pêcha une paire de lunettes dans la poche de son blouson doublé de mouton et les chaussa. Derrière les verres, un œil semblait plus gros et l'autre était à demi fermé. Margo ne pouvait détacher son regard de lui.

— Un seul bon jeu ne va pas corriger tes cinq années de pertes ininterrompues, pauvre abruti, dit Brian.

— Je t'ai battu, la semaine dernière.

— Rien du tout ! fit Brian en se tournant vers Margo. Nous avons appris la nouvelle pour ton père. On est désolés. J'ai travaillé deux ans avec lui, dans le traitement thermique. Le vieux Murray disait qu'il était intelligent et très précis. C'est ce qu'il disait toujours. Il l'aimait comme un fils. Enfin, c'était son fils, non ? Je n'ai jamais su le fin mot de l'histoire.

— Moi aussi, je suis désolé, dit Paul. Je ne l'ai pas connu, mais ça secoue.

— Paul et moi, dit Brian, avons perdu notre père il y a cinq ans, et ça n'a pas été facile, même pour nous, des hommes adultes. Et pourtant, ce bâtard nous foutait de ces raclées.

— Ça oui ! dit Paul. Le salaud nous battait, il nous a endurcis.

— Il a fait de nous les salauds que nous sommes aujourd'hui, renchérit Brian.

Paul sourit et ôta ses lunettes. L'œil resta à demi fermé.

— Garde-les si tu veux y voir, fit Brian.

— Cette saloperie me donne mal à la tête. Occupe-toi plutôt de ton œil, Brian.

— Quand on était gosses, je lui ai tiré dans l'œil droit avec un pistolet à plomb, il l'a perdu à cause de moi et maintenant il faut que je m'occupe de lui.

— Tu t'occupes pas de moi, connard.

— Il est pas allé au Vietnam. Ça lui a probablement sauvé la vie, à ce crétin.

— On finit la partie ?

— L'autre œil est devenu aveugle pour les raisons habituelles. Il a trop tiré sur sa chaîne.

Brian fit un clin d'œil à Margo :

— Le curé nous avait prévenus.

— Tu vas la fermer, Brian ?

Margo ôta ses gants de cuir et les posa sur la table. Ils conservaient la forme de ses doigts repliés.

— Oh, pauvre Maggie. Paul, cette petite est gelée. Regarde ses doigts.

Brian prit ses deux mains dans les siennes et leur souffla de l'air chaud. Un peu plus tôt, quand elle avait soufflé dessus elle-même, ça n'avait pas eu beaucoup d'effet, mais le grand corps de Brian – même ses poumons devaient être grands – irradiait de la vraie chaleur. Malgré sa méfiance, elle avait envie de poser sa tête contre lui.

— Ne m'en voulez pas de vous poser la question, Miss Maggie, dit Paul, mais votre famille, elle sait où vous êtes ?

— Sa famille, c'est les Murray, Pauly. T'aurais envie, toi, de rester avec ces salauds de Murray ?

— Sa famille doit quand même la chercher. Et sa mère ?

— Sa mère est partie il y a un an et demi, elle s'est enfuie avec un homme de Heart of Pines. Maggie, c'est elle que tu cherches ? Ta mère ?

Margo eut un sursaut. Il ne lui était pas venu à l'esprit que Brian pouvait connaître sa mère.

— Donne-moi deux cartes, dit Paul.

Brian lâcha les mains de Margo et distribua deux cartes à Paul avant d'en prendre deux pour lui. Paul serra si fortement ses cartes que ses jointures blanchirent.

— Demain, on t'emmènera où tu veux, dit Brian. Ne t'inquiète pas. Tu peux rester cette nuit.

— Je peux comprendre qu'une femme quitte son mari, dit Paul, la colère dans la voix, mais quel genre de femme abandonne son enfant ? Sa fille, surtout ? Ma femme, elle préférerait mourir que d'abandonner un de mes gosses.

— Ce n'est pas à nous de juger, dit Brian en reprenant les mains de Margo.

Quand il les eut frottées quelques minutes, le rose commença à revenir. Margo avait envie d'aller se mettre devant le poêle, mais elle savait qu'ensuite, elle n'aurait plus le courage de s'écarter de son intense chaleur. Comme s'il devinait ses pensées, Brian se leva, l'impressionnant encore avec sa grande taille, et rechargea le poêle de quelques bûches prises dans le tas derrière.

— Et j'ai eu vent d'une autre rumeur, reprit Paul. Brian aussi. C'est vrai, Maggie, que ton père a tiré sur la bite de Cal Murray ?

Il parlait d'une voix tremblante. Elle se sentait en sécurité, assise près de Brian, qui paraissait calme et sûr.

— Pas la peine d'être vulgaire, Pauly, dit-il en souriant pour montrer qu'il appréciait ce genre de vulgarité.

Et puis il fronça les sourcils :

— Mais peut-être vaut-il mieux que tu saches quelles sont les rumeurs qui courent, Maggie.

— Je peux avoir un peu d'eau ? chuchota Margo.

— Ah, elle a une langue ! dit Brian. Je ne t'avais encore jamais entendue. Eh bien, ne dis surtout pas ce que tu n'as pas envie de dire. On en reparlera demain.

— Brian croit pas que ton père a fait ce qu'ils ont dit, fit Paul.

— Laisse tomber tout ça, dit Brian. Tu dors ici cette nuit. On t'emmènera où tu dois aller. Ou bien tu restes le temps que tu veux. Tu vas rentrer pour les obsèques ?

Margo secoua la tête. Il n'y aurait pas d'obsèques, pas de cérémonie.

Brian prit une bouilloire sur le comptoir et remplit un verre d'eau.

— On fait bouillir l'eau du puits par sécurité, dit-il.

Margo vida le verre et en accepta un autre.

— On va te donner à manger, dit Brian. Il nous reste de la truite et un morceau de steak de ton cerf. Je l'avais pris pour arranger ton père et maintenant je ne regrette pas, je n'ai rien pris moi-même. Peut-être les jolies filles attirent-elles tous les cerfs, et ne laissent rien pour nous, les hommes gros et laids.

Paul eut beau protester que la partie allait prendre encore du retard, Brian alluma le réchaud à gaz et, quelques minutes plus tard, apporta une assiette orange où étaient disposés un morceau de viande, du poisson avec son arête, deux grosses pommes de terre et des haricots verts huileux parsemés de bacon. Paul et Brian reprirent leur partie,

Margo mangea. Quand Brian lui offrit un morceau de pain blanc, elle s'en servit pour essuyer l'assiette.

— Tu manges bien, dit Paul, pour une petite demoiselle.

— Elle a un bon coup de fourchette, c'est sûr.

Elle cessa de mastiquer le pain.

— Continue, dit Brian. C'est bien d'avoir de l'appétit. Tu ne peux pas vivre sans manger. Il y a des gens, en cas de coup dur, qui arrêtent et qui dépérissent.

Avec le dernier morceau de pain, elle détacha le dernier morceau de poisson de son arête.

— Pauly, tu crois ça, toi, que cette magnifique apparition est venue chez nous chercher de l'aide ?

— Pour être franc, Brian, ça ne me dit rien de bon. Quel âge a-t-elle, à ton avis ?

— Dix-huit ans, répondit tranquillement Margo.

— Tu vas rester alors ? demanda Brian en lui adressant un clin d'œil. Tu vas me préparer des crêpes tous les matins et me répéter comme je suis beau ? Parce que je cherche une fille comme ça depuis longtemps.

— Oh, nom de Dieu, dit Paul. Tu as bu combien de verres ? Si elle a dix-huit ans, elle a la moitié de ton âge. Et je ne suis pas sûr qu'elle les ait. Attention à mon frère, Maggie. Il a besoin de personne pour se mettre dans le pétrin.

— Tu veux encore à manger ? demanda Brian.

Il but une gorgée d'eau-de-vie de gingembre au goulot d'une bouteille d'un demi-litre à moitié vide, puis la lui tendit.

Margo, qui secouait la tête devant la bouteille, n'était pas aussi sûre de vouloir refuser un peu plus de nourriture.

— Pauvre petit agneau égaré, dit Brian en revissant la capsule de la bouteille.

— Tu devrais être avec ta mère, dit Paul en secouant la tête, pas ici.

— Je croyais que vous saviez où elle est, chuchota Margo.

Elle fouilla dans sa poche, ouvrit son portefeuille et sortit l'enveloppe avec l'adresse écrite dans un coin.

— Elle était là il y a un peu plus d'un an, dit Brian après avoir examiné l'enveloppe. Je l'ai aperçue une dizaine de fois à Heart of Pines avec un dénommé Carpinski. Ça pourrait être son adresse. Je ne l'ai jamais dit à ton père, mais c'était une beauté. Elle est partie au bout de quelques mois, je crois. On dit qu'elle est allée en Floride. Il faut arrêter de pleurer, ma belle.

— Bien sûr qu'elle pleure, dit Paul. C'est une petite fille.

Margo s'essuya les yeux avec le morceau d'essuie-tout qui lui tenait de serviette.

— On va retrouver ta maman. J'irai parler à Carpinski. C'est un type bien, il habite une petite maison sur Dog Leg Lake. Tu peux rester ici en attendant.

— Brian, tu es cinglé ? Tu vas te faire arrêter.

— Faut bien que je me fasse arrêter pour une raison ou pour une autre, et si c'est pour avoir aidé une fille, eh bien, c'est mieux que pour autre chose.

Brian sentait la fumée de cigarette, l'eau-de-vie de gingembre et la rivière. En repartant, le feu rendait plus intenses les odeurs de nourriture. La pièce était si chaude que Paul ôta son gilet doublé de mouton.

— Cal Murray est un salaud, répéta Brian, secouant la tête, et il a transmis son mauvais caractère à la deuxième génération, à ce Billy. Il va aller en prison pour ce qu'il a fait ?

— Il va payer, dit tranquillement Margo.

— T'as entendu, Pauly ? Cette fille veut se venger. C'est la seule façon de faire, Maggie. Ton père était un homme bien, et Cal et son fils, il n'y en pas un qui lui arrive à la cheville.

Margo se concentra à nouveau sur les yeux dissemblables de Paul. Quand elle sentit son irritation, elle détourna la tête et trouva du réconfort en voyant l'épaule de Brian, tel un mur inébranlable à côté d'elle.

— Tu veux dire que personne n'est à ta recherche ? demanda Paul.

Elle secoua la tête, mais elle n'en savait rien.

— Tu as quel âge en vrai ?

— Dix-huit ans.

— Contrairement à ce que prétend mon frère, je n'ai pas touché à une fille mineure depuis l'âge de quinze ans, dit Brian.

— Merde ! fit Paul en secouant la tête.

— Pauly, qu'est-ce que t'as ? On nous a appris à recueillir les âmes égarées. Tu veux dire qu'on ne peut pas l'aider parce qu'elle est trop jolie ?

— Je dis juste que tu devrais faire attention, dans ta situation.

Paul tourna la tête vers Margo :

— Et elle devrait faire attention à toi.

— Tant que tu ne caches pas de la drogue ici, tu n'as aucun souci à te faire pour moi, Pauly.

Brian mit un bras autour de l'épaule de Margo et la serra un instant.

— Je te le dis, Brian. Elle a besoin de sa mère ou quelque chose comme ça.

— Ne crains rien, Maggie, on va retrouver ta mère, où qu'elle soit. C'est rare que les gens disparaissent.

— Même s'ils se donnent du mal pour ça.

Margo frissonna. Son sang refluait dans son ventre. Elle plia les doigts et remua les orteils dans ses bottes.

— Putain, Brian, tu cherches les ennuis. Ils vont signaler sa disparition.

— Je ne cherche pas les ennuis.

Brian la relâcha pour poser ses cartes.

— Mais les ennuis savent me trouver d'une façon ou d'une autre, n'est-ce pas, petit frère ?

— Tu te mets dans le pétrin tout seul, dit Paul. Demande à n'importe lequel des gars avec qui tu t'es battu récemment. S'ils respirent encore.

Brian aspira une longue bouffée de sa cigarette. Margo sentit l'air changer, se charger de tension, mais il secoua la tête et souffla un nuage de fumée en éclatant de rire.

— Écoute, Paul, je ne vais pas jeter la petite dehors dans le froid, alors fais-toi à l'idée qu'elle sera à cette table aussi longtemps qu'elle voudra.

— Il y en a qui doivent travailler, demain, fit Paul.

Avant de repartir, il alla chercher le sac à dos de Margo dans *La River Rose*. Brian prépara un lit sur le canapé, avec un drap qui sentait légèrement le renfermé et un gros édredon qu'il apporta de la chambre. Comme elle se glissait sous les couvertures, il remit du bois dans le poêle et disposa quelques bûches dessus pour les faire sécher, après quoi il s'agenouilla par terre à côté d'elle. Il la borda pour la protéger des courants d'air. Lorsqu'enfin, épuisée, elle ferma les yeux, il l'embrassa sur la bouche. Trop fatiguée pour sursauter, elle le laissa faire.

— Ne t'inquiète de rien, Maggie, dit-il en s'écartant.

Jusqu'au jour où elle retrouverait sa mère, elle n'avait nul autre endroit où aller et elle se demanda comment elle pourrait se faire accepter ici. Elle tendit la main et attrapa sa barbe, qu'elle trouva douce, puis l'attira doucement vers elle. Bien que seules sa bouche et celle de Brian fussent en contact, elle eut le sentiment qu'il l'embrassait avec tout son corps, ce qui à la fois l'effrayait et redonnait vie à sa peau. Quand il glissa sa langue dans sa bouche, elle sentit se hérisser les poils de ses bras et de ses jambes. Il l'embrassait toujours quand elle sentit qu'elle s'éveillait d'un long sommeil, alors qu'à peine une minute ou deux venaient de s'écouler. Ce long baiser calma sa tristesse. Elle avait l'impression qu'à l'abri de ce baiser, elle pouvait vivre et respirer. Quand enfin il s'écarta, ses lèvres semblaient gonflées.

— Oh, Maggie, dit-il en secouant la tête. Il faut que tu dormes un peu.

Il écarta les cheveux de son visage et lui baisa le front, puis alla dans la chambre. Elle trouva réconfortant qu'il laisse la porte ouverte. Elle se sentit moins seule.

Lorsqu'elle s'éveilla, il faisait toujours noir dehors. La pièce était éclairée par une lampe à pétrole dont on avait baissé la flamme. Elle tendit l'oreille, espérant le cri d'une chouette, mais n'entendit rien. Elle se sentit de nouveau accablée par le fait que sa mère avait quitté Heart of Pines. Rien d'étonnant à ce qu'elle ait eu envie d'aller en Floride, où il faisait chaud toute l'année. Les hivers n'avaient pas été tendres avec Luanne.

Margo avait tiré sur Cal et pour ça, Billy avait tué Crane. À en juger par cette minute de vérité au milieu de la nuit, c'était comme si Margo elle-même avait abattu son père en pleine poitrine. Elle s'assit sur le canapé. En ce moment, elle n'avait ni envie d'être dans sa peau, ni envie d'être seule.

Des heures s'étaient sans doute écoulées depuis qu'elle avait embrassé Brian, mais elle sentait toujours la force de sa bouche. L'édredon et l'air ambiant s'étaient imprégnés de son odeur. Elle sentait encore le goût de fumée et de bonbon au gingembre de l'alcool qu'il avait bu. Elle sentait encore sa barbe dans son cou.

Elle s'emmitoufla dans l'édredon, mais le vent qui s'insinuait par les fenêtres était plus fort que le poêle baissé pour la nuit. S'il la laissait rester un peu, elle pourrait aider Brian à mettre du plastique aux fenêtres. Elle nourrirait son feu et veillerait sur lui en son absence. Elle se leva du canapé, mit une bûche dans le poêle et une autre au-dessus. Elle remonta la mèche de la lampe. Les épaules enveloppées dans l'édredon, elle se dirigea vers la porte de la chambre. Elle ne savait pas si Brian était capable de prendre une fille par la force, mais il ne pourrait pas le faire si elle allait à lui de son plein gré. Elle resta debout devant le lit jusqu'au moment où elle vit ses yeux luire dans la lumière de la lampe.

Brian rabattit les couvertures – un sac de couchage et un drap – pour lui faire de la place dans son lit double et elle franchit cette courte distance. Elle fit glisser son jean et grimpa dans son lit en culotte et en T-shirt. Elle tira les couvertures sur eux.

— Sainte Marie mère de Dieu, chuchota Brian. Regarde ce que tu me fais. Tu es sûre, Maggie ?

Elle hocha la tête.

— Dis-le, souffla-t-il, et je ne te renverrai pas.

— Oui, je suis sûre, chuchota-t-elle.

Elle était sûre que c'était la meilleure façon de se protéger du froid de l'hiver, la meilleure façon de ne pas se faire renvoyer chez Cal et Joanna ou aux services sociaux. Sûre que c'était le mieux pour elle, là, tout de suite, parce qu'elle ne pouvait pas supporter de rester seule dans son lit. Son corps, déjà, se réchauffait au contact de celui de Brian, s'enflammant là où il la touchait.

— As-tu déjà été avec un homme ?

Elle hocha la tête, puis chuchota : « Oui. »

Il fit courir sa main sur ses bras, puis son flanc et ses cuisses, et elle se laissa redonner forme et chaleur. Elle regardait Brian et il la regardait. Avec l'ami de Junior, elle s'était sentie maladroite, mais Brian était facile à suivre. Quand ses muscles se raidirent, les mains de Brian continuèrent à se mouvoir sur elle, et un souvenir de Cal s'éloigna. Quand la main de Brian glissa sous son T-shirt, le tissu de coton parut se dissoudre et quand il fit descendre sa culotte sur ses genoux, il lui sembla que c'était le résultat de sa volonté. Sa main se posa entre ses jambes, et sa bouche sur sa bouche puis sur son ventre, et son corps se retrouva au-dessus du sien. Malgré sa taille, il ne pesait pas sur elle. Margo lui prit les bras et vit qu'il formait une maison autour d'elle, que son grand corps devenait une demeure dans laquelle elle pouvait vivre, en sécurité. Il avait les yeux ouverts, il ne cessait de la regarder, dans cette lueur orange que répandait la lampe à pétrole depuis la pièce voisine. Elle vit comment il examinait chaque détail de son corps, et comment, par ricochet, elle admirait chaque détail d'elle-même. Chaque fois qu'elle le touchait, elle avait la sensation que ses bras étaient aussi puissants que les siens, ses petites mains blessées aussi expertes que ses larges mains.

Son corps se tendit quand il la pénétra, mais elle se laissa aller et bougea à son rythme. Elle fit courir ses mains gonflées sur ses bras. Elle caressa des doigts les cicatrices ondulées qu'il avait au dos de la main. Elle eut envie de les sentir sur son visage. Et quand elle fut débordée par le plaisir, elle ferma les yeux.

7.

Au matin, Margo fit semblant de dormir tandis que Brian se levait et s'agitait dans la pièce principale de la maison. Un peu plus tard, il apporta un seau d'eau chaude dans la chambre et le posa par terre, près de la petite table surmontée d'un miroir. Il apporta également son sac à dos militaire et le posa contre le mur. Quand il eut quitté la chambre et fermé la porte, elle s'assit et regarda la lumière laiteuse au-dessus de l'eau. Le chalet était orienté au sud, comme la maison de son père à Murrayville. Elle alla s'asseoir devant le miroir terne. Son visage paraissait ancien, non pas vieilli, mais venant d'une autre époque de l'histoire. Même après s'être débarbouillée, elle continua à voir dans son reflet les tons sépia des photos d'Annie Oakley.

Margo ne regrettait pas ce qu'elle avait fait avec Brian. Son corps lui semblait différent, comme si on l'avait désarticulé entièrement pour le remonter autrement. Elle lava ses bras gonflés, et entre ses jambes. Ses épaules lui faisaient mal quand elle levait les bras, et à nouveau quand elle les baissait. Ses mains étaient des serres, figées autour de rames imaginaires. À peine quelques jours plus tôt, elle prenait le petit déjeuner dans sa cuisine en compagnie de son père, entourée de leur vaisselle et de leurs meubles, et maintenant elle se trouvait dans la maison d'un inconnu, avec un avenir incertain. Elle brossa ses cheveux bruns, les laissa retomber dans son dos et, devant le miroir, son regard, ce viseur à deux coups, la prit pour cible.

Elle avait toujours aimé être nue ou presque nue aux abords de la rivière, du moins quand il faisait chaud, mais à présent elle avait envie de se couvrir tout le corps, comme Annie Oakley. Margo avait l'impression que ce corps nouvellement sculpté recelait un pouvoir qu'il lui fallait tenir secret. Elle enfila une culotte propre, un T-shirt à col roulé, et son autre jean.

La porte fermée, la chambre refroidissait peu à peu et, au bout d'un moment, Margo fut incapable de résister à l'envie de retrouver la chaleur du poêle.

— Bonjour, ma belle, dit Brian quand elle entra dans la pièce principale.

Elle vit sa carabine dans le coin et son cœur se mit à battre.

— J'ai fait tomber ma carabine dans la vase. Je dois la nettoyer.

— On mange d'abord, dit Brian, et ensuite on la nettoiera et on la graissera. Tout ira bien.

Il tendit les bras pour la faire asseoir sur ses genoux et le laisser l'embrasser. Malgré toute la nourriture avalée la veille, elle mourait de faim.

Elle suivit Brian dehors jusqu'à une pompe à main, où il entreprit de remplir le seau galvanisé. Le tuyau était protégé du gel par une couche d'isolant. Il lui indiqua la direction des toilettes extérieures, à quelques mètres de là.

En regagnant la cuisine, elle regarda Brian battre des œufs et frire des filets de poisson sortis d'un réfrigérateur, pour pouvoir le faire elle-même la prochaine fois. L'odeur du poisson frit et du bacon était si puissante que la tête lui tournait. Tant qu'elle resterait là, elle ferait en sorte d'être utile, d'aider Brian et de ne rien considérer comme acquis. Brian posa devant elle l'assiette de poisson, de bacon, de pommes de terre et de pain grillé. Il prit place à côté d'elle, non en face, comme s'ils étaient installés au comptoir du drugstore de Murrayville, et fit courir sur son bras sa main couverte de cicatrices. Ses muscles se relâchèrent, mais quand il la touchait, elle ne parvenait pas à manger, et elle dut poser sa fourchette.

— Pardon, dit-il en ôtant sa main. Mange !

Tandis qu'ils buvaient leur deuxième café instantané, il n'avait de cesse que de lui toucher l'épaule ou le visage, ou de lui caresser les cheveux. Il lui répéta qu'il avait été renvoyé de l'usine métallurgique Murray lors des derniers licenciements, qu'il s'était battu avec Cal et lui avait brisé les dents. Elle accepta d'écouter l'histoire une nouvelle fois, parce que cela signifiait que, déjà, quelque chose de familier s'était glissé entre eux.

Ils lavèrent la vaisselle dans le grand plat à rôtir en aluminium rempli d'eau, qu'ils firent chauffer sur les deux feux du réchaud, et enfin Margo et Brian s'occupèrent de la carabine. Margo lui montra, comme Cal le lui avait montré, comment, en ôtant une simple vis, on mettait à nu tout le mécanisme de la Marlin.

Brian examina les chromes et l'écureuil ciselé sur la crosse :

— Je crois que c'est une édition limitée. Elle a sans doute une certaine valeur. Elle appartenait à ton père ?

— À Cal.

— Bien fait, rit Brian.

Elle le laissa détacher la crosse du canon. Ils passèrent la matinée à démonter la Marlin, aspergeant la chambre de solvant à l'odeur forte, puis d'huile. Quand Brian n'était pas en train d'expliquer quelque chose ou de raconter des histoires, il fredonnait des chansons populaires datant des décennies écoulées, des chansons des Beatles en particulier. Pendant un long moment, il fredonna *Norwegian Wood*. Ils trouvèrent quelques gouttes d'eau à l'intérieur du canon, mais il n'y avait eu aucun dégât. Une fois bien graissée, ils remontèrent la carabine. Après quoi Brian et elle partirent dans le bateau pneumatique, s'attachèrent à une branche et pêchèrent des crapets pour le déjeuner.

— Alors, pourquoi ton père a-t-il tiré sur la bite de Cal ? demanda Brian tandis qu'elle vidait les poissons dans l'évier. Cal Murray a essayé de te tripoter ?

Margo ne dit rien, même quand il se tourna et plongea son regard dans le sien.

— C'est ça ? Cal t'a violée.

Ce n'était plus une question quand il finit de la poser.

— Putain ! C'est pour ça que tu lui as pris son fusil.

Elle fit la grimace. Dans son esprit, le mot ne s'accordait toujours pas avec la chose qui s'était produite.

— Ton père voulait se venger. Mais ça n'est pas assez. Je tombe sur Cal, je lui casse une autre dent, à cet enfoiré. Je les lui casse toutes.

Tandis que Brian faisait frire les poissons, Margo se posta à la fenêtre pour observer la rivière et elle vit soudain une ombre passer à tire-d'aile – une buse à queue rousse, peut-être, ou au moins une corneille – et elle s'imagina suivant son vol au bout du canon de la Marlin. Quoi que Brian fasse à Cal, cela n'avait pas grand-chose à voir avec elle. Elle était peut-être l'étincelle qui avait allumé la colère de Brian, mais c'est ce qui, avant elle, opposait déjà Brian et Cal qui attiserait le feu.

*

— Bon, Maggie, on va essayer ta carabine, s'assurer qu'elle marche encore, dit Brian, le lendemain, après le petit déjeuner.

Margo avait pris la Marlin, regrettant encore qu'elle fût dépourvue de bandoulière, et Brian un fusil de chasse de plus gros calibre, un M1, datant de la Seconde Guerre mondiale. Pendant qu'ils nettoyaient la Marlin, il avait dit qu'il était allé au Vietnam, précisant, pour seule confidence, que son « putain de M16 s'enrayait tout le temps ». Se rappelant que Crane ne voulait jamais parler de son expérience au Vietnam, Margo ne songea pas à interroger Brian à ce sujet. Au bord de la rivière, à vingt-cinq pas, il disposa deux douzaines de canettes et de bouteilles en plastique vides sur une traverse de chemin de fer, et donna à Margo une paire de protège-tympans qu'il avait accrochée à son bras. Il chargea le gros fusil et tira huit coups. Il vida encore deux chargeurs et, quand il eut fini, après vingt-quatre coups, il avait touché la moitié des cibles environ. Il replaça les canettes et les bouteilles détruites par d'autres cibles, dont deux boîtes de sardines posées à la verticale.

— Je crois que je manque d'entraînement, dit-il. Peut-être mon viseur a-t-il besoin d'être ajusté.

Margo leva son calibre .22 avec difficulté. Les muscles de ses bras étaient encore épuisés d'avoir autant ramé. En pressant la détente pour la première fois, elle ressentit comme un choc électrique et elle rata la première canette. Elle se concentra et fit tinter la deuxième puis, touchant le haut de la troisième, la dégomma. Elle inhala l'odeur légère de la poudre. Elle rechargea la Marlin avec quinze cartouches prises dans l'armoire de Cal et écouta un moment les bruits de la rivière. Tenir le fusil en équilibre eût été plus facile avec une bandoulière, mais elle garda le bras levé jusqu'à ce que son corps trouve cette position naturelle. Elle toucha la canette suivante et toutes les autres ensuite, puis elle rechargea et fit tomber toutes les bouteilles de leur perchoir. Et durant ces quelques minutes d'intense concentration, elle se sentit en paix. Margo abaissa la carabine, puis pressa le canon contre sa joue pour en sentir la chaleur.

— Nom d'une pipe ! dit Brian. Je te dois le respect.

Après quoi, il échangea son M1 contre un fusil de chasse, une vieille Winchester 97 à pompe de calibre .12. Il tira sur des bouts de bois gelés qu'il avait repêchés au bord de la rivière et elle vit qu'à une dizaine de mètres, les plombs dessinaient un motif serré de trous de quelques centimètres seulement. Au premier tir, elle ressentit un fort recul. Ensuite, elle cala bien l'arme dans son épaule et absorba le choc avec tout son corps. Elle chargea et tira jusqu'au moment où, elle le savait, elle se ferait une ecchymose. Bien que le bruit fût assourdi par les protège-tympans, le souffle de chaque explosion la traversait, et, en retombant, l'apaisait.

Brian proposa de rester avec elle dans la cabane le lendemain, mais lui expliqua qu'il y avait deux cents dollars à la clef s'il allait nettoyer le toit et les gouttières d'un immeuble d'appartements. Aucune route ne menait à la maison, ce qui voulait dire qu'elle n'était accessible qu'en bateau, et Margo eut moins peur de rester seule. Si quelqu'un venait, elle pourrait le voir approcher sur l'eau. Brian lui dit que, si la rivière gelait au cours de l'hiver, ils seraient coupés de tout, et qu'il leur fallait préparer des provisions de nourriture, d'appâts et de munitions, perspective qui semblait lui être agréable. Quand il eut disparu en amont, Margo trouva une longueur de corde, trop petite pour servir à quoi que ce soit, qu'elle entreprit de défaire pour en natter les fils et fabriquer une bandoulière pour sa carabine.

Ce soir-là, Brian alla rendre visite à Carpinski, qui lui donna des nouvelles de la mère de Margo. Après avoir vécu quelques mois avec lui, Luanne était partie avec un chauffeur-routier. Carpinski lui donna une adresse en Floride, mais la première lettre de Margo lui revint la semaine suivante dans la boîte postale de Brian, portant la mention manuscrite : *N'habite plus à cette adresse.* Brian promit de continuer à se renseigner et d'aller reparler à Carpinski pour savoir s'il se souvenait d'autre chose. Au dire de Brian, plus d'un an après, l'homme était encore très secoué par le départ de Luanne.

Brian adorait raconter des histoires, les siennes et d'autres qu'il avait collectées. Le soir, il parlait souvent de son enfance dans la péninsule supérieure du Michigan, dans des camps de bûcherons, les barrages sur les ruisseaux pour attraper du poisson, leur capture au filet, les hommes qui se faisaient tuer parce qu'ils marchaient trop près du bord de la route au passage d'un camion chargé de bois scié. Il y avait l'histoire, longue et compliquée, d'un serpent à sonnettes capturé et mangé en Idaho. Il lui parla de deux hommes partis en bateau avec une de leurs femmes et rentrés sans elle, aucun d'eux n'ayant remarqué son absence tant ils avaient été heureux d'être au calme. Elle était rentrée plusieurs heures plus tard, à pied, de la rive opposée du lac, ivre de colère. Il lui raconta l'histoire de l'agent du Département des Ressources naturelles du Michigan, parti à la pêche avec un ami au milieu d'un grand lac. Le type du DRS voit son ami allumer la mèche d'un quart de bâton de dynamite et le jeter dans l'eau. Après l'explosion, vingt poissons morts remontent à la surface, et il les ramasse. Voyant qu'il allume un autre bâton, le DRS lui dit : « Tu sais que je vais être obligé de t'arrêter. » Et le type lui tend le bâton de dynamite allumé en lui disant : « Tu es venu pour pêcher ou pour discuter ? »

Le voisin le plus proche en aval sur la rive de Brian se trouvait à sept cent cinquante mètres, derrière des bois touffus. Et c'était pour elle un sentiment bienheureux d'isolement de ne pas avoir la ferme des Murray sous les yeux comme cela avait été le cas toute sa vie. En amont, sur l'autre rive, se trouvait une maisonnette en bois peinte en blanc, apparemment inhabitée l'hiver. À quelques centaines de mètres en contrebas, séparée de la maisonnette par un terrain vague envahi d'arbustes et de ronces, se trouvait une jolie maison jaune dans laquelle vivaient un homme qui conduisait une Jeep verte, une femme vêtue d'une doudoune blanche cintrée et grand chien fou, peut-être un hybride de labrador et de setter irlandais. La maison se dressait à bonne distance de la rivière, mais le chien chassait au bord de l'eau et passait beaucoup de temps à la contempler. Margo n'avait jamais possédé de chien – pas d'animaux, tel avait été le rare point d'accord entre ses parents – mais, enfant, elle avait passé tant de temps en compagnie des chiens des Murray qu'elle en était venue à les considérer comme des compagnons naturels.

C'est après le Nouvel An que Margo eut l'idée d'écrire à l'occupant de l'ancienne adresse de sa mère en Floride pour lui demander s'il avait des renseignements sur Luanne. Brian dit qu'elle devrait lui proposer cinquante dollars de récompense – c'est lui qui paierait, précisa-t-il. La réponse arriva dans la boîte postale de Brian. L'adresse communiquée n'était pas en Floride mais dans le Michigan, à Lake Lynne, une ville située à l'ouest de Murrayville et au nord de Kalamazoo. Margo s'escrima des jours entiers pour rédiger une lettre aussi simple que possible, sans donner aucun détail de sa vie, pour dire à sa mère qu'elle allait bien et qu'elle voulait venir la voir. Brian l'envoya à la nouvelle adresse.

Au cours des mois suivants, Margo se félicita que personne ne fût lancé à sa recherche. Si la police ou les Murray étaient à ses trousses, ils ne se donnaient pas beaucoup de peine. Elle avait vu le bateau du shérif remonter la rivière à plusieurs reprises, mais l'embarcation filait toujours en direction de Heart of Pines, puis redescendait un peu plus tard. Personne ne s'était jamais arrêté à la cabane pour s'enquérir d'une jeune fille disparue. Dans le Michigan, on pouvait légalement quitter l'école à seize ans – peut-être seize ans était-il aussi l'âge auquel on cessait de s'inquiéter à votre sujet. Margo sentait que Cal et Joanna n'avaient pas vraiment envie de la retrouver.

Tout au long de ces mois glacés, Margo s'entraîna à *emplomber*, tirer juste devant les lapins et les écureuils en pleine course. Elle tua, pluma et fit cuire également quelques canards non migrateurs, entre autres bizarreries semi-domestiquées qui firent leur apparition sur la rivière. Pour gagner un peu d'argent, Brian effectuait de menus travaux, le plus souvent des travaux de désenneigement, pour lesquels il se servait d'un camion 4 × 4 qu'il gardait quelque part en ville. Paul et lui possédaient une petite exploitation forestière au sud de Heart of Pines, et il coupait des arbres, fendait des bûches avec une fendeuse hydraulique et livrait des stères de bois dans tout le comté. Il savait aussi réparer les voitures, mais il détestait le faire en hiver, à moins de pouvoir travailler dans un garage chauffé. Une fois par semaine environ, il allait en ville rendre visite à ses enfants, dont l'un avait, d'après lui, juste trois ans de moins que Margo, ce qui signifiait que le garçon, en réalité, n'avait qu'un an de moins. Il invitait parfois Margo à l'accompagner, mais elle ne voulait pas risquer de tomber sur la police ou les Murray. Au début, Brian n'avait pas semblé tranquille à l'idée de la laisser seule, mais il ne tarda pas à tenir pour acquis qu'il la retrouverait à son retour. Il disait qu'il se sentait un homme meilleur quand il savait qu'elle l'attendait à la fin d'une journée passée à creuser des tranchées ou à abattre des arbres. Elle représentait son *salut*, disait-il, une raison pour se fixer et s'amender. Parfois, quand il disait ça, il y avait dans son sourire quelque chose de féroce qui effrayait Margo.

La lettre qui arriva en mars se trouvait dans une enveloppe jaune. À l'intérieur, le papier était décoré d'abeilles. Après l'avoir lue plusieurs fois, Margo sentit son parfum de fleurs et de miel. Il n'y avait pas l'adresse de l'expéditeur. Plié à l'intérieur de la feuille de papier, il y avait un mandat de deux cents dollars. La lettre disait :

> *Chère Margaret Louise,*
> *Merci de m'avoir écrit, ma chérie. Je suis heureuse de savoir que tu vas bien et que tu habites toujours au bord de la rivière. Je sais que tu as toujours adoré la rivière. Je ne pouvais plus supporter cette humidité et cette odeur. J'en ai le cœur brisé, mais je ne peux pas t'encourager à venir me rendre visite en ce moment. Ma situation est délicate. Je vais t'écrire bientôt et m'arranger pour te voir.*
> *Je t'embrasse, Ta mère*
> *P.-S. : ne dis ni à ton père ni à Cal que tu as reçu de mes nouvelles.*

Ce soir-là, Margo fut incapable de prononcer un seul mot, mais elle hocha la tête en signe d'acquiescement chaque fois qu'il lui sembla que c'était la chose à faire, et elle s'endormit tôt. Le lendemain, quand Brian partit travailler, Margo chargea son calibre .22 et alla dans la forêt en traînant la grosse luge dont se servait Brian pour le bois de cheminée. Ce n'était pas la saison de la chasse au daim, mais elle descendit le long de la rivière en s'enfonçant dans la neige, jusqu'au moment où elle trouva la piste d'un daim coupant en direction de la rivière. Elle s'assit contre le tronc d'un chêne et attendit. Quelques heures plus tard, elle vit d'abord une biche marcher sur les traces, suivie d'une autre biche au ventre gonflé. Margo les regarda se désaltérer sur la berge, puis remonter d'un bond et fouir la couche de neige à la recherche de glands avant de continuer leur chemin. Elle les regarda, indifférentes, mastiquer de jeunes branches puis s'éloigner, sans avoir remarqué sa présence. Un peu après midi, un daim plus grand, ou plutôt un cerf qui avait perdu ses bois, descendit boire au bord de l'eau. Margo regarda avec une attention toute particulière les ondulations des muscles courant dans les épaules et le cou, le tressautement des oreilles et de la queue. Elle repoussa toutes les pensées ayant trait à sa mère, tout au fond d'elle-même, à l'endroit le plus calme, jusqu'à pénétrer le bruit que faisaient le froissement des feuilles et le courant à la surface de la rivière. Le cerf bondit sur la berge et Margo le suivit calmement du regard. Quand il s'arrêta pour fouiller la neige, elle visa le cœur et le poumon, et pressa la détente.

L'animal tomba lourdement. Quand Margo parvint devant lui, elle vit qu'elle avait logé sa balle dans le corps d'une biche. En jugeant par sa musculature, elle avait eu la certitude que c'était un cerf, mais c'était une femelle au ventre légèrement renflé. Malgré la précision du tir de Margo, la biche n'était pas morte. Elle s'efforçait de lever la tête, regardant Margo, terrifiée, de son grand œil transparent. Comme si elle voulait courir, la bête donnait des ruades de ses pattes arrière. Margo sortit le couteau suisse de sa poche, déplia la lame la plus longue et trancha la jugulaire, geste qui exigeait une certaine force. Elle replia son couteau encore ensanglanté, s'essuya les mains sur son jean, et alors seulement ses mains commencèrent à trembler.

Margo s'assit, jambes croisées, près du corps chaud de la biche, écœurée par ce qu'elle venait de faire. Tandis que l corps refroidissait, elle caressa la fourrure épaisse tendue sur la cage thoracique. Au bout d'un moment, elle entendit approcher un autre animal. Elle demeura immobile pendant qu'il passait devant elle et se dirigeait vers l'eau. Elle l'observa boire tout son soûl, lever la tête et regarder au loin. Elle se demanda comment il pouvait ne pas sentir la présence de la biche morte et celle de Margo alors qu'elles se trouvaient si près, à douze mètres à peine. L'animal grimpa sur la berge et, une fois de plus, elle fut certaine qu'il s'agissait d'un cerf. Il s'arrêta, renifla l'écorce d'un pommier sauvage et quelque chose attira son attention. Il fouilla le sol. Il se retourna et, plaçant ses sabots avant sur l'arbre, il se dressa sur ses pattes arrière, exposant son poitrail et ses testicules. Le cerf avança le museau et mordit quelque chose dans le creux de l'arbre. Margo tira sa seconde balle dans son cœur. Comme le cerf touchait le sol, il parut exhaler un soupir. De sa bouche s'échappa un oiseau gris, une tourterelle triste dont les yeux noirs, d'abord exorbités par l'épouvante, se fermèrent.

Elle étouffa un cri de surprise. Elle n'avait jamais vu de cerf manger un oiseau, ni même entendu raconter pareille chose. Il lui restait beaucoup à apprendre sur la vie au bord de la rivière. Elle s'approcha, donna un petit coup de pied dans la poitrine du cerf pour s'assurer qu'il était bien mort ; il y eut un petit tourbillon de plumes à côté d'elle, la tourterelle, réveillée, s'élançant vers le ciel.

Margo dut s'asseoir un moment pour contempler l'étendue de son gâchis. Après avoir tué la biche, elle aurait dû décharger la carabine. Ce n'était pas la saison de la chasse, et le seul fait d'avoir abattu l'un ou l'autre était déjà un crime. Elle se jura à l'avenir, si elle tuait une biche, de la vider et de la dépecer, comme pour un cerf. Elle mangeait des lièvres et des écureuils femelles tout le temps. Mais pas cette fois, pas cette biche. Elle recouvrit son corps de branches mortes, de feuilles gelées et de neige, en espérant qu'elle ne serait repérée par personne. Elle fit glisser le cerf sur le grand traîneau et le tira lentement vers l'amont, sur la neige.

Quand Brian rentra, après avoir pris quelques bières au pub de Heart of Pines, Margo avait déjà vidé l'animal sur une bâche en plastique et jeté les viscères dans la rivière, dans l'espoir qu'ils seraient emportés par le courant.

Brian parut choqué de la trouver avec un cerf en dehors de la saison, mais il alla vite chercher une scie et l'aida à couper les pattes. Ils nouèrent une corde au cou de la bête, qu'ils suspendirent à un arbre derrière la maison, hors de vue des bateaux de passage. Il lui proposa de l'aider à le dépecer et sembla reconnaissant quand elle déclina son offre. Il alla s'asseoir sur une souche, buvant au goulot son quart de whisky pendant qu'elle travaillait. Il lui raconta qu'il avait un copain qui écorchait les daims en leur glissant sous la peau une balle de golf entre les épaules. Son copain nouait ensuite une corde autour de la bosse ainsi formée, puis il attachait l'autre extrémité à un 4 × 4 et démarrait doucement.

— La peau se détache en une minute, dit Brian. C'est incroyable. J'aimerais pouvoir te montrer.

— As-tu déjà entendu dire que les cerfs mangeaient les oiseaux ? demanda-t-elle.

— J'en ai déjà vu manger un poisson. Paul a dit que j'étais cinglé, mais je sais ce que j'ai vu.

Elle hocha la tête.

— On était petits, et j'avais attrapé des carpes que personne ne voulait manger, alors je les ai jetées dans le jardin. Eh bien, tu vas pas le croire, mais cette nuit-là, j'ai vu un cerf les manger.

— Pourquoi mangeraient-ils du poisson ?

— Je ne sais pas. Pour les protéines ? Le calcium ? Parce que c'est bon ? Pour la même raison que nous, nous mangeons du poisson.

— Et un oiseau ?

— Je n'ai jamais entendu ça.

Margo aimait pouvoir s'émerveiller de nouvelles choses, qu'un cerf, par exemple, pût avoir des envies différentes des autres de son espèce. Il se passait tant de choses dans le monde qui vous échappaient. Quand elle eut terminé de dépecer l'animal, la peau de celui-ci gisant comme une serviette sur le sol, Brian vida sa bouteille de whisky et la laissa tomber.

— Maggie, tu es le genre de fille avec qui je voudrais vieillir, dit-il en l'attirant sur ses genoux.

Il l'entoura de ses bras, sans remarquer, semblait-il, qu'elle tenait le manche de son couteau de boucher dont la lame était longue de vingt-cinq centimètres.

— Si j'ai la chance d'atteindre la vieillesse, bien sûr. Qu'est-ce qu'on fait de la tête ?

— On la jette dans l'eau, dans un sac lesté de cailloux, suggéra-t-elle.

Les remarques de Brian, ces idées à propos de vieillir ensemble, la mettaient mal à l'aise. Elle aimait vivre auprès de Brian, elle aimait se sentir protégée dans le cercle de son étreinte, mais elle n'avait pas l'intention de rester pour toujours. Sa mère n'allait pas tarder à lui écrire et lui dire de venir. Une fois chez sa mère, elle pourrait décider quoi faire ensuite.

— Tu as un sac en toile ?

— C'est décidé, Maggie. Je te donne le calibre .12. Maintenant c'est ton fusil. Tu tires mieux que moi. Et puis j'ai un nouveau fusil dans mon camion à Heart of Pines. Alors celui-ci t'appartient.

Ses mots avaient quelque chose d'un peu inarticulé.

— Merci, dit Margo en soupirant. Je me demande pourquoi ma mère ne veut pas que j'aille la voir.

— Les gens ont toutes sortes de complications, Maggie. Je parie qu'elle va bientôt t'écrire.

Elle hocha la tête.

— Tu ne crois pas que ce salaud de Cal l'a violée elle aussi, non ? demanda Brian.

— Non.

Elle avait répondu sans se donner le temps de réfléchir.

— Bon, j'ai faim. Allons cacher ce cerf sur la véranda.

Cette nuit-là, Margo dormit douze heures d'affilée, d'un sommeil profond, comme sa mère.

8.

Avec Brian, Margo apprit à découper contre le fil de fines tranches de viande de cerf semi-congelée et à les faire sécher sur le poêle. Il lui expliqua les qualités des différentes essences de bois : le caryer chauffait mieux et avait l'odeur la plus agréable, mais il était le plus difficile à couper. Il lui apprit à se tenir hors de portée du radar des autorités, lui répétant de toujours attacher sa barque derrière son bateau et de la recouvrir d'une bâche verte quand elle ne s'en servait pas. Margo lui était reconnaissante pour tout ce qu'elle apprenait et pour ce toit où elle pouvait être elle-même. Elle aimait bien avoir quelqu'un pour qui faire la cuisine ; Brian appréciait tous les plats que son père aimait. Margo se prit à penser que peut-être elle éprouvait de l'amour pour Brian, que l'amour n'était peut-être pas ce qu'elle avait imaginé, mais quelque chose d'ordinaire. Quand on connaissait toutes les particularités de quelqu'un, quand, tous les jours, pendant des heures, on examinait son visage, sa peau rose et sa barbe noire, quand on connaissait la douceur de ses cheveux et l'effet de vos caresses sur sa peau, quand on écoutait toutes les paroles d'un homme, ses vérités et ses mensonges, on ne pouvait que l'aimer. Et aimer quelqu'un d'autre devait même, à la fin, réussir à atténuer la douleur d'avoir perdu ceux que vous aimiez auparavant, même si cela n'arrivait pas aussi vite qu'on le souhaitait.

Presque tous les jours, elle passait des heures à tirer avec la Marlin sur les cibles en papier que lui avait données M. Peake. Elle s'était entraînée à viser les cartouches de Winchester à une distance de neuf à quinze mètres pour chasser le petit gibier, et elle apprenait à ajuster son tir sur d'autres distances et avec d'autres munitions. Brian lui apportait surtout des munitions pour canons longs, mais parfois pour canons courts ou pour carabines à air comprimé à vitesse lente qui tiraient sans bruit et ne pénétraient pas la cible aussi profondément. Elle tira de la main gauche assez souvent pour gagner en précision – Annie Oakley était capable de tirer juste des deux mains, à en croire *La Petite Femme au tir sûr*. Pour les tirs sur cible, Brian avait rapporté une cible automatique pour quatre coups semblable à celle dont elle disposait à Murrayville. Il lui arrivait de sortir le fusil offert par Brian pour pulvériser des bouteilles en plastique et des rebuts qu'elle trouvait au fil du courant. Ce genre de cibles l'aidait à résister à la tentation de tirer un autre cerf hors saison, même si elle en voyait souvent venir s'abreuver à la rivière.

Quand Brian oubliait de lui apporter des munitions, Margo ne lui en faisait pas la remarque. Une fois ou deux, elle installa son moteur sur *La River Rose* et remonta jusqu'à Heart of Pines pour acheter une boîte de cartouches et de la nourriture à l'épicerie. Avant de rentrer, elle enfouissait ses longs cheveux dans une cagoule et personne ne faisait particulièrement attention à elle. Elle adorait cette liberté de se déplacer seule. Elle dépensa ses quarante dollars et voulut encaisser le mandat de sa mère, mais elle craignait que son nom resurgisse à la poste. Elle avait beau se sentir loin de tout, Heart of Pines ne se trouvait qu'à une quarantaine de kilomètres en amont de Murrayville. Elle redoutait que l'agent du Département des ressources naturelles ne découvre sa biche abattue, le même qui aurait pu la faire condamner, pour avoir dépassé le nombre de prises autorisé. Tout le printemps elle ne cessa d'aller voir le cadavre de la biche, veillant à ce qu'il reste couvert de branches. De jour en jour, les coyotes, les ratons laveurs et les corbeaux s'en étaient repus, le squelette s'affaissant avec le fœtus cartilagineux à l'intérieur, et, l'un après l'autre, ses os s'étaient dissous. La semaine dernière, elle avait pu ramasser ses balles dans les restes nivelés.

À mesure que l'air se réchauffait et que le sol dégelait, Brian acceptait de menus travaux, coupe d'arbres, jardinage et déblaiement, se servant de machines louées ou d'une simple bêche quand il y avait peu d'espace ou que les gens craignaient pour leurs arbustes ornementaux ou leur fosse septique. Margo ne ressentait pas moins la perte de son père, mais son corps avait désormais intégré l'habitude de la tristesse, de sorte que celle-ci l'environnait et l'accompagnait dans ses mouvements naturels. L'absence de sa mère était une chose différente : elle était un sujet d'émoi constant, et un mystère. Margo s'efforçait d'imaginer les situations dans lesquelles sa mère se trouvait, *délicates* au point qu'elles ne pouvaient pas se retrouver, pas même le temps d'une visite. Était-elle retenue prisonnière ? Élevait-elle les enfants d'un autre homme, une douzaine, de sorte qu'elle ne pouvait s'occuper d'une personne supplémentaire ? Luanne aurait dû savoir que Margo n'exigeait pas beaucoup d'attention.

Le plus satisfaisant, dans les journées de Margo, était d'observer le chien jaune sur l'autre rive. L'animal aboyait à peine, et il pouvait rester immobile au moins une heure durant, le nez au ras de l'eau. Quand l'homme ou la femme revenaient et libéraient le chien, quand il bondissait jusqu'au rivage, Margo partageait son plaisir d'aller et venir à sa guise. Au début du printemps, la femme parut s'absenter plus souvent, puis elle et sa voiture cessèrent complètement de venir. Après quoi, au début du mois de mai, elle vit l'homme passer des heures seul le soir, réparant le flotteur avant de le mettre à l'eau et de replacer le ponton, de tailler les haies autour de la maison et de peindre le petit appentis. Elle le regarda nettoyer le toit, puis les gouttières, et même les essuyer avec un chiffon. La cabane de Brian ne possédait pas de gouttières.

La première nuit où Margo vit Brian soûl comme une barrique, il était tard et elle était assise, occupée à nettoyer le fusil, quand elle entendit son bateau s'approcher du ponton. Paul le soutenait, ainsi qu'un autre homme, pour l'aider à monter les marches qui menaient à la véranda.

— Voilà ton homme, dit Paul. Fais-en ce que tu veux. Il était trop soûl pour conduire. On a croisé le bateau du shérif, alors on va tous passer la nuit ici.

Elle vit, au regard ralenti de Paul qui allait de sa gorge à son visage, que lui aussi était ivre.

— Paul a fait tomber ses lunettes dans son verre.

Brian se leva du canapé de la véranda où ils l'avaient déposé et vacilla jusqu'à la porte.

— C'est toi qui as fait tomber mes putain de lunettes dans mon verre, répliqua Paul. C'est pas moi.

— Désolé, frérot. Écoute, commença-t-il, mais il avait déjà oublié la suite.

Margo savait qu'il faudrait trois quarts d'heure pour que la pièce se réchauffe, les hommes ayant laissé la porte grande ouverte si longtemps.

— Qu'est-ce que tu essaies de dire, Brian ? demanda Paul.

— Ben, je sais que j'aime mon frère. Je t'aime, mon vieux. Et je suis désolé de t'avoir tiré dans l'œil.

Il se tenait debout contre l'embrasure de la porte, puis soudain il plongea vers la table, renversant la vaisselle par terre. Une assiette et un verre se brisèrent. Le matériel dont Margo se servait pour nettoyer son arme s'éparpilla. Elle redressa le flacon de solvant avant qu'une trop grande quantité ne s'en échappe, mais l'odeur se répandit dans la pièce.

Elle ramassa les débris de l'assiette orange. Brian lui saisit l'épaule et l'attira sur ses genoux si brusquement qu'elle se coupa sur un éclat. Du sang coula sur le livre d'Annie Oakley posé sur la table, à la page où une illustration montrait, l'expression sévère, Sitting Bull, qui avait donné à Annie le sobriquet de « Petite Femme au tir sûr ». Margo eut honte que ces hommes voient qu'elle lisait un livre pour enfants. Un livre destiné à la fillette de neuf ans qu'elle était quand Joanna le lui avait donné.

— Oh, merde, s'exclama-t-il en voyant le sang sur son avant-bras.

Il se pencha et referma les lèvres sur sa blessure. C'est alors que Margo remarqua que les doigts de sa main droite, la main couverte de cicatrices, saignaient.

— Je ne voulais pas te faire mal, Maggie. Ton sang a le goût du vin.

— Qu'est-il arrivé à ta main ?

Elle s'installa plus confortablement sur ses genoux. Comme il n'y avait pas de chiffon sur la table, elle se servit de sa manche pour essuyer le sang sur le livre.

— Tu sais, dit-il, la voix pâteuse, Paul me dit qu'il ne touche toujours pas à la drogue. Je suis tellement fier de mon petit frère, putain. Mon frère. Putain ce que je suis fier et je vais pas le nier.

— Oh, ferme-la, Brian, dit Paul.

Margo n'avait pas conscience de dévisager Paul, mais celui-ci se tourna de biais pour la regarder de son bon œil et dit tranquillement :

— Arrête de me regarder comme ça. Ça me rend dingue. Je ne sais vraiment pas ce que tu me veux.

Margo se dit qu'il ne lui aurait pas parlé aussi durement si Brian avait été sobre. Quand Paul pénétra dans la maison, l'autre homme apparut derrière lui dans l'embrasure et leva la main en guise de salut.

— Maggie, c'est Johnny. Un demeuré de Kalamazoo.

Le blond aux yeux gris entra dans la pièce à la suite de Paul, chancelant, aussi ivre que Brian, mais moins pesant.

— Il va dormir sur le canapé, et moi dans la véranda, dit Paul. Comme ça, je ne serai pas obligé d'entendre ronfler ces connards.

Brian se releva en marmonnant.

— Je vais me pieuter.

Il trébucha jusque dans la chambre et tomba sur le lit tout habillé, sans même ôter son gros blouson de toile doublée. Margo se demanda comment elle allait pouvoir se glisser dans ce lit et sous les couvertures avec Brian couché en travers.

Johnny fit un clin d'œil à Margo, qui déroulait pour lui son vieux sac de couchage militaire.

— Paul dit que je suis un crétin, mais je sais ce que je vois.

Il éclata de rire et se laissa tomber sur le canapé.

— Ouais, t'es un crétin, dit Paul. Tu as vendu ton droit d'aînesse pour t'acheter du whisky.

— Je suis pas un bouseux, dit Johnny. J'ai jamais voulu être un bouseux.

Paul secoua la tête et ressortit sur la véranda. Johnny ne semblait guère avoir envie de faire autre chose que de caresser le sac de couchage. Il regarda Margo, répétant, d'une voix pâteuse, « charmante », et Margo se surprit à apprécier son attention. Elle se rappela soudain que Johnny était le blond qui était tombé dans les pommes sur le bateau pneumatique, et avait caressé la carcasse du cerf qu'elle avait vendu à Brian à Murrayville. Ça avait été un moment si drôle que le souvenir la fit rire un peu. Bien sûr, Johnny ne l'avait même pas vue ce jour-là. Et soûl comme il était maintenant, il ne la reconnaîtrait probablement pas la prochaine fois qu'il la verrait.

Johnny tomba de côté, leva ses jambes et se mit en position allongée. Margo se pencha et le couvrit comme Brian l'avait fait un jour. Comme elle ajustait le sac de couchage, il lui saisit le bras et l'attira près de lui. Pour éviter une trop grande proximité de son visage avec le sien, elle se détourna et finit assise au bord du canapé, le dos contre son torse. Tels deux serpents, il referma ses deux bras autour de sa taille et se mit à la chatouiller et à la faire rire.

— Tu as besoin de sortir d'ici et d'aller t'amuser un peu, fillette, chuchota-t-il.

Il desserra peu à peu son étreinte jusqu'au moment où ses bras devinrent lâches autour d'elle. Margo avait vu des chiennes et des truies pétrifiées devant un mâle, alors que, de toute évidence, elles avaient envie de s'enfuir. Elle ne trouvait pas désagréable ce sentiment d'indécision et d'apesanteur.

— J'aimerais qu'on soit en été, chuchota-t-il.

La lampe à pétrole, dont la mèche était baissée, donnait à la peau de Johnny un aspect lisse et faisait étinceler ses yeux. Elle trouvait qu'il sentait bon, qu'il avait moins cette odeur de musc et de fumée que Brian.

— On pourrait aller se baigner nus.

Sans pour autant envisager quoi que ce soit avec Johnny, Margo avait envie de rester un peu à l'intérieur de ce moment étrange, de comprendre sa nature. Le moment n'avait aucun rapport avec Brian. Elle pensait plutôt à sa mère, elle se demandait si sa mère avait pu quitter son père uniquement pour partager cette parenthèse légère avec un autre homme. Son père, se plaignait souvent Luanne, ne l'emmenait plus nulle part depuis leur mariage.

Quand Margo sentit un regard posé sur elle, elle leva la tête et trouva Paul sur le seuil, les bras chargés de flotteurs.

— Qu'est-ce qui se passe ici ? dit-il.

Il secoua la tête comme pour confirmer quelque chose qu'il savait depuis le début. Margo se leva, laissa retomber les bras de Johnny, et alla dans la chambre. Elle sentit le regard de Paul la suivre jusqu'à ce que la porte se referme.

— Tu veux te faire tuer, connard ? dit Paul derrière elle. Baiser la précieuse petite sirène de mon frère quand il dort dans la chambre d'à côté.

Pendant ce temps, Brian s'était débarrassé de son blouson et glissé sous les couvertures. Margo grimpa dans le lit et il lui fit de la place. Il posa sur elle un bras pesant.

*

Un mois plus tard, Brian rentra ivre à nouveau. Il était seul cette fois, et son bateau heurta le ponton avec assez de force pour enfoncer quelques planches. Il entra dans la cabane en jurant. Margo vit le col d'une demi-bouteille de whisky dépasser de la poche de sa veste. D'ordinaire, il se contentait d'une bouteille de vingt-cinq centilitres.

— Qui était là avec toi ? Je sens l'odeur d'un homme.

Son ton était abrupt.

— Personne.

Margo se déplaça en direction de la porte, juste au cas où il lui faudrait courir dehors pour lui échapper. Ce soir, il y avait chez lui quelque chose de différent. Quelque chose qu'elle avait vu chez Crane la fois où il l'avait frappée – c'était un mois environ après l'affaire avec Cal, et Crane avait exigé qu'elle lui parle. Comme elle avait gardé le silence, il l'avait giflée, mais sa main formait déjà un poing lâche. Après cela, il était allé s'asseoir dans son camion et n'était rentré qu'une fois Margo endormie. Le matin, elle avait un vaisseau éclaté au coin de l'œil, une ecchymose qui se répandait sur la cornée, et un bleu sous l'œil. Crane n'avait plus jamais bu de whisky.

— Tu me trompes, Maggie ?

Il vint se planter au milieu de la pièce.

— Non.

Elle regarda la porte. Elle n'hésiterait pas à courir.

— Tu me trompes, salope ? insista Brian, la voix pâteuse.

— Non.

Dans la bouche de Cal, ce mot lui avait fait très mal – il l'avait blessée –, mais à présent, il la mettait en colère.

— Mais pourquoi vous voulez toujours nous traiter de salopes ?

Brian s'assit à la table, et elle s'assit en face de lui. Il alluma une cigarette, puis l'observa. Elle resta là, tranquillement, à tripoter le col de sa veste, pendant que ses doigts tambourinaient. Pour finir, il écrasa son mégot :

— D'accord, Maggie, je ne le dirai plus. C'est que je me faisais du souci. Je t'aime, tu sais.

Elle tendit la main sur la table et caressa les cicatrices sur la sienne.

— Pourquoi es-tu méchant ?

— J'avais peur que tu ne sois pas seule. Quelque chose que Paul a dit. Je ne supporterais pas que quelqu'un d'autre vienne ici et te prenne.

— Quand tu n'es pas là, Brian, je suis seule. Je n'ai personne d'autre. Même pas un chien. Il faut que je retrouve ma mère, mais elle ne veut pas de moi. Pourquoi ne m'a-t-elle pas répondu en me disant de venir, même pour une simple visite ?

— Tu lui as dit que ton père s'était fait tuer ?

— Non.

— Tu devrais peut-être le lui dire. Peut-être qu'elle ne le sait pas.

Margo haussa les épaules. Elle avait essayé, mais elle n'était pas parvenue à écrire les mots.

— Ne t'inquiète pas, Maggie. Je suis là. Je prendrai toujours soin de toi. Maggie, qu'est-ce que tu ferais pour moi ? Tu serais capable de tuer pour moi ?

— Pour toi, j'ai tué ce lapin. Maintenant il est trop cuit.

Elle avait pensé à Brian tout le temps qu'elle avait écorché et vidé l'animal au bord de la rivière, pensé au plaisir qu'il aurait à le manger. Elle avait commencé à confectionner une couverture en peaux de lapin tannées au sel, qu'elle destinait à recouvrir leur lit. Il n'y avait rien de plus doux. Pour le meilleur ou pour le pire, Brian était désormais imbriqué à tout ce qu'elle faisait.

— Tu serais capable de tuer un homme pour moi ?

Il lui serrait le poignet et attendait sa réponse.

— S'il voulait te tuer, je le tuerais.

— Je n'ai jamais connu de femme capable de tuer pour moi. Pour toi, je pourrais tuer un homme, affirma-t-il d'une voix forte, comme s'il cherchait à en convaincre quelqu'un d'absent. Je tuerais mon propre frère s'il s'en prend à toi. Et Cal, si je le revois, je le tuerai.

— Personne ne va tuer qui que ce soit, dit-elle. Tu me fais mal.

— Oh !

Brian la relâcha avec une précaution exagérée.

— Je n'avais pas l'intention de te faire mal.

Maladroitement, il tendit la main pour toucher ses cheveux sur sa tempe, et son geste, à cause de sa lenteur alcoolisée, l'effraya.

— Je me suis promis, quand tu es venue à moi, de ne jamais te faire mal, de toujours te traiter avec douceur. J'ai dit à Dieu, je lui ai dit dans ma tête, *Si elle reste avec moi, je la traiterai bien.* S'il te plaît, ne me quitte pas, Maggie. Promets de ne pas me quitter.

Margo aurait voulu lui dire de ne plus boire de whisky, mais elle savait qu'il n'écoutait pas quand il était ivre à ce point. La meilleure chose à faire était de le convaincre d'aller se coucher.

— Et où irais-je, Brian ? Je n'ai personne d'autre.

— Je n'aurais jamais cru avoir cette chance, avoir une fille comme toi dans ma vie, une belle fille qui me prépare à manger, qui fait l'amour avec moi et qui ne me demande rien.

Il lui fit faire le tour de la table et s'asseoir sur ses genoux, puis l'enveloppa de ses deux bras. Margo aimait d'ordinaire ce sentiment d'être tenue par Brian et reliée à lui – c'était comme d'être attachée à une arme puissante.

Quand Brian sortit pour se soulager, Margo resta assise à la table, les oreilles tendues vers les coassements des grenouilles léopards, derrière les murs. Elle se demanda combien de temps encore elle pourrait rester là.

— Je fais de mon mieux, Papa, chuchota-t-elle, pour le cas où Crane voyait ce qui se passait. Ne t'inquiète pas pour moi.

C'était la première fois qu'elle lui parlait à voix haute. S'il existait un paradis ou un enfer, Margo se demandait comment Crane s'en sortait, dans l'un ou l'autre cas, sans elle.

*

La rivière, cette année-là, ne quitta pas son lit. Les pluies du printemps, un printemps tardif, furent régulières et fines. En juin seulement vinrent les premiers jours à vingt degrés, accompagnés d'un vent du sud. Au deuxième jour de chaleur, Brian revint à nouveau du bar les mains en sang. On lui avait volé sa veste, expliqua-t-il.

— Si tu laisses quelqu'un te voler ta veste, il croit que tu lui appartiens. Après ça, impossible de savoir de quoi il sera capable. Et la minute d'après, il baise ta femme.

Margo le regarda, surprise.

— Toi, tu sais ce que cela signifie, de prendre sa revanche ma belle. Un jour, tu prendras ta revanche contre ton cousin, j'en suis persuadé.

Elle hocha la tête. Elle savait que toute revanche était inutile, mais elle était incapable de renoncer au désir qu'elle en avait. Elle ne dit pas non plus à Brian ce qu'elle ne savait que trop bien : on ne pouvait pas toujours reprendre l'avantage, et à force d'essayer, on risquait de tout perdre.

9.

Un jour, au mois d'août, Brian se rendit en ville et ne rentra pas à la tombée de la nuit, ni le lendemain matin. Plusieurs jours plus tard, il n'était toujours pas revenu. Tous les matins, quand Margo se réveillait seule, elle écoutait longuement une moucherolle pousser son cri sur une branche devant la fenêtre jusqu'à parvenir à l'imiter à la perfection. Tous les soirs au cours de son absence, elle écouta l'orchestre des criquets, des cigales et des grenouilles arboricoles, et écrivit des lettres à sa mère. Tantôt elle s'efforçait de paraître enjouée, tantôt elle exigeait que Luanne lui explique sa *situation délicate*. Dès sa lettre terminée, elle déchirait le papier en mille morceaux et allait sur le ponton de Brian les répandre à la surface de l'eau.

Au cours des derniers mois, elle avait craint que Brian ne revienne ivre ; maintenant elle avait peur qu'il ne revienne plus du tout. Au début, elle eut du mal à dormir sans son grand corps à côté d'elle, mais elle ne tarda pas à s'étaler et à occuper l'espace.

Au crépuscule du huitième jour, Margo vit son bateau descendre le courant. Debout sur le ponton, elle lui fit signe. L'homme à la barre, un barbu aux cheveux noirs, se révéla être Paul. Au bruit du gros moteur hors-bord, le chien jaune de l'autre rive remonta vers sa maison et un grand héron bleu qui devait pêcher sous la cabane s'envola à tire-d'aile. Margo le regarda s'élever dans le ciel. Il y avait un autre type avec Paul, pas Johnny, un homme de plus petite taille. Elle espérait qu'il avait apporté un peu de viande ou des provisions. Elle en avait assez de manger du poisson. Elle avait épuisé ses munitions et n'aurait d'argent pour en racheter qu'au moment où elle aurait le cran d'aller encaisser son mandat. Elle agrippa le garde-fou tandis que Paul s'arrêtait le long du ponton. Le bateau était très enfoncé dans l'eau.

— C'est le bateau de Brian, cria Margo.

Paul coupa le moteur au moment où elle lui demanda : « Où est-il ? »

Margo fut surprise d'entendre sa voix au-dessus des bruits de la rivière. Il y avait un moment qu'elle n'avait parlé à voix haute et, d'une façon générale, elle ne parlait jamais à Paul. Il y avait quelque chose au milieu du bateau, recouvert d'une bâche bleue. D'après sa forme, elle devina qu'il s'agissait d'une cuve en plastique de deux cents litres. Ce qui expliquait pourquoi l'eau remontait au-dessus des flotteurs du bateau et clapotait sur le tapis en plastique.

— Brian est en prison.

— Qu'est-ce qu'il a fait ?

— Il a frappé Cal Murray.

— Quoi ? Il ne lui a pas fait mal ?

— Je t'en foutrais ! Il lui a fait sacrément mal. Pour toi.

— Je ne lui ai rien demandé.

Margo était effrayée par l'intensité de la voix de Paul. Il descendit du bateau et l'attacha.

— Brian aurait dû se méfier, mais il n'a pas supporté que Cal rentre dans le bar en se prenant pour le propriétaire. Cal croit que tout Murrayville lui appartient.

Cal était bien le propriétaire de Murrayville, pensa Margo, non ?

— Que s'est-il passé ?

— C'est pas bon, dit Paul.

Il tourna la tête du côté de son œil valide.

— Arrête de me regarder, putain !

Margo n'avait pas eu conscience de le dévisager. Elle regarda en direction de la cabane. La bâtisse verte, dressée sur ses pilotis, se brouillait à mesure que les larmes lui emplissaient les yeux. Margo s'essuya le visage et indiqua le seau que Paul soulevait du bateau.

— Donne-moi ça.

— Maggie, chérie, ça n'arrangera pas ses affaires si tu pleures. Ce qui pourrait arranger ses affaires, c'est d'avoir le bon avocat qu'il ne peut pas se payer.

La voix de Paul s'était radoucie. Il posa le seau sur le ponton et glissa son bras autour d'elle. Il était un peu plus gros que son frère. Elle lui trouvait une odeur étrange, une odeur d'ammoniaque. Elle eut envie de le repousser et de partir en courant, mais ce serait de la folie de courir dans le bois envahi d'orties et de sumac vénéneux.

Elle se libéra de son étreinte et prit le seau, les éclaboussant, elle et Paul. Deux des trois barbottes brunes qui étaient à l'intérieur avaient la longueur de ses avant-bras et de longs barbillons. Semblables à des algues, ces moustaches caressaient les parois du seau tandis que les poissons glissaient l'un sur l'autre.

— Ils sont gros, ces poissons-chats, dit-elle.

— On les a pêchés en amont, vers Willow Island, dit Paul.

— Qui est avec toi ?

L'autre homme n'avait pas fait mine de débarquer, comme s'il attendait un signe de Paul.

— C'est Charlie. Il travaille avec moi à l'usine.

Paul travaillait depuis longtemps à l'usine pharmaceutique qui fabriquait des médicaments génériques. Brian l'appelait le rat d'usine, mais Paul n'aimait pas cette expression. Charlie était maigre et il avait une joue enfoncée, à l'endroit où il lui manquait des dents.

Paul retira les poissons du seau, l'un après l'autre, et, à l'aide de son couteau, coupa la peau tout autour de leur cou, puis cloua chaque tête au chêne le plus proche ; les trois clous se recourbèrent contre l'écorce. Les hommes restèrent là tandis que Margo en assommait un avec un marteau et, munie de pinces, commençait à lui arracher la peau.

— Raconte-moi ce qui s'est passé.

Manquant de prudence, Margo effleura la nageoire dorsale du poisson-chat et sentit la brûlure à son majeur.

— Eh bien, on avait quitté le pub et on était au Tap Room à Murrayville en train de boire des bières, quand Brian et ce type avec qui il jouait au billard commencent à se disputer. À ce moment-là arrive Cal Murray. C'était comme si mon frère n'attendait que lui, mais Cal fait profil bas. Alors Brian lui dit : « Il paraît qu'on t'a fait exploser la bite d'un coup de fusil. Paraît que tout ce que t'as maintenant c'est un tout petit bout. » Ce qui est drôle, mais personne n'ose rigoler. Cal Murray demande à Brian s'il veut la sucer, et Brian lui dit qu'il n'existe aucun pardon pour ce qu'il a fait à cette fille. Brian le frappe à deux reprises, mais Cal se défend à peine, ce qui paraît bizarre. Je ne sais pas s'il était ivre ou quoi. Brian le fait tomber de l'escalier, sans avoir l'air de remarquer que Cal ne rend pas les coups, alors il se jette sur lui. Il lui a cassé les deux jambes.

— Quoi ?

La peau du poisson se déchira.

— Il lui a brisé les os des jambes. Tu m'as bien entendu.

Margo prit une profonde inspiration et referma les pinces sur la peau.

— Mais qu'est-ce que vous êtes allés faire à Murrayville ?

— On est libres, voilà ce qu'a dit Brian. On peut boire où on veut. Mais tu sais que ça le rongeait, Brian, ce que tu lui as raconté que Cal t'a fait. Il n'avait pas le choix, il fallait qu'il se batte avec lui.

Margo n'avait jamais vu Brian frapper quiconque, mais elle l'imaginait sans peine, ivre au-delà des mots, rouant Cal de coups de poing et de coups de pied. Le doigt de Margo glissa sur la nageoire pectorale du poisson. Cette fois la douleur était si aiguë, qu'elle fut surprise de ne pas voir le sang couler. Brian était une arme, certes, mais plutôt une mine ou une grenade qu'un fusil ou un couteau.

— Et tout à coup, voilà que l'ambulance et les flics sont là et que Brian va en prison. Et maintenant qu'ils le tiennent sous les verrous, ils l'accusent d'avoir tué cet homme.

— Mais Cal n'est pas mort ?

— Non. C'est l'accusation d'homicide involontaire.

— Quel homicide involontaire ?

— C'est leur putain de jargon. À Rapid River, l'été dernier, dans la Péninsule Supérieure. Brian a dû te le dire. Pourquoi crois-tu qu'il est resté là, à se cacher dans les bois ?

Autour d'elle les arbres devenaient plus épais et plus hauts. Elle tira sur la peau du second poisson-chat, en s'efforçant de ne pas la déchirer, mais elle se piqua la main sur l'épine d'une nageoire dorsale et la retira vivement, ce qui n'arrangea rien. Comme elle se remettait à la tâche, le poisson à demi écorché se réveilla. Il tendit la queue et l'arrondit, cherchant encore à nager.

— Hé, Charlie, lance-moi une bière, dit Paul.

Margo leva la tête et vit la canette voler dans les airs avec une vitesse et une précision surprenantes. Paul l'attrapa avec un bruit sourd et, quand il l'ouvrit, la mousse dégoulina sur ses mains.

— Je croyais que tu savais, Maggie.

Lentement, elle s'attaqua au dernier poisson, tirant régulièrement sur le pourtour de la peau avec les pinces, ôtant celle-ci en un seul morceau jusqu'à la queue avant de la couper. Si ce qui s'était passé dans la Péninsule Supérieure était un accident, pourquoi Brian n'avait-il rien dit ?

— Tout ce dont disposait la police sur cette affaire là-haut, c'était un portrait-robot, mais il y avait aussi ces cicatrices de couteau sur sa main. Toujours la même histoire, Brian ivre et ne sachant plus s'arrêter.

— Je peux lui rendre visite ?

— Il vaut mieux pas, ma belle. Sa femme ne va pas apprécier.

— Son ex-femme.

— Il a une ex-femme, sa première épouse. Il avait l'intention de demander le divorce d'avec sa seconde femme, mais ce foutu crétin ne lui en avait pas encore parlé. Il espérait qu'elle se mettrait avec un autre homme, que ça rendrait tout plus facile, et lui ferait obtenir de meilleures conditions pour le divorce. Je ne dis pas qu'ils étaient vraiment ensemble, mais maintenant elle s'est rapprochée de lui et pour l'instant elle peut lui faire plus de bien que toi.

À l'intérieur de la maison, Margo allait et venait, comme engourdie. Elle préleva les filets des poissons-chats et les fit frire comme elle l'aurait fait pour Brian, avec de la semoule de maïs et de la farine, dans les restes de gras de bacon qui commençait à rancir. Une fois le repas terminé, Paul alluma une lampe à piles flambant neuve dont l'ampoule fluorescente bourdonnait. À son grand désarroi, Margo découvrit les murs couverts de cadavres d'insectes, le tapis miteux dans la froide lumière bleutée, et à quel point elle-même s'était laissé envahir par la crasse. Elle ramena sa tresse sur son épaule et vit combien elle était pleine de fourches. Paul et Charlie sortirent en emportant la lampe pour creuser un trou avec des pelles et Margo fut soulagée de ne plus baigner dans sa lumière crue. Elle défit sa natte et se brossa les cheveux. Quand Paul rentra pour prendre une autre bière, elle voulut en savoir plus.

— Il n'y a rien de plus à en dire.

— Cette cabane appartient-elle à Brian ?

— Elle nous appartient à tous les deux, Brian et moi. Tu peux rester là autant que tu veux, Maggie. Ne te fais pas de souci pour ça, ma jolie. Mais je vais apporter un certain nombre de choses ici pour les stocker, et il faut que je te prévienne, ne touche à rien. Crois-moi, je parle sérieusement.

— Il y a quoi dans cette cuve ?

Margo remarqua que les bottillons de Paul étaient tout neufs, ainsi que sa montre.

— Ne pose pas de questions, Maggie. Elle est remplie d'une substance qui a beaucoup de valeur, et il faudra juste que tu n'y touches pas.

Elle hocha la tête.

— Tu sais si Brian a relevé le courrier dans sa boîte ?

— Pas la moindre idée, répondit Paul.

— Ma mère m'a peut-être envoyé une lettre pour me dire de venir.

— Il n'a pas parlé d'une lettre. Je peux lui demander la prochaine fois que j'irai le voir.

Quand Paul ressortit pour recommencer à creuser, Margo lava la vaisselle avec l'eau qu'elle avait apportée et chauffée sur le réchaud à gaz.

Margo ne buvait pas d'ordinaire, mais elle avait besoin de changer de l'ordinaire. C'était sa manière de protester contre cette situation nouvelle. Elle ouvrit une bière et, malgré le dégoût que lui inspira la première gorgée, vida la bouteille. Elle plia la lettre qu'elle était en train d'écrire à sa mère – où elle demandait à Luanne ce qu'elle pensait de la loyauté envers un homme, quelle valeur elle lui attribuait. Toutes les questions qu'elle posait à sa mère se résumaient en une seule : de quelle façon Margo devait-elle vivre ? C'était la voie qu'elle avait suivie jusqu'ici et, en choisissant Brian, elle avait fait de lui son ancre pour s'assurer d'une position stable. À présent elle allait à la dérive. Elle ouvrit une seconde bière et n'en trouva plus le goût si désagréable. Après avoir fini la vaisselle, pendant que les hommes travaillaient toujours dehors, elle relut la vieille lettre de sa mère sur le papier jaune décoré d'abeilles – le parfum de fleurs était passé – et elle but une troisième bière. Après quoi elle gagna la chambre à coucher en chancelant et sombra dans le sommeil.

*

Juste avant le lever du soleil, elle s'éveilla la bouche sèche, avec un mal de crâne et un bras lourd posé sur elle. Elle sursauta en reconnaissant Paul à côté d'elle. Elle s'extirpa difficilement du lit. Après plus d'une semaine sans Brian, elle avait presque oublié l'intensité de la chaleur que dégageait un grand corps d'homme. La chambre à coucher était irrespirable. Elle se félicitait de le voir dormir à poings fermés, et plus encore de constater qu'elle était tout habillée. Elle mit de l'eau à bouillir pour faire du café instantané. Il ne restait plus beaucoup de gaz ; Brian avait prévu d'aller en chercher en ville le jour de sa disparition. Charlie était vautré dans une position bizarre sur l'étroit canapé, à moitié dessus, à moitié à côté.

Elle emporta son café à l'extérieur et, depuis le ponton, elle vit la Jeep s'éloigner de la maison jaune en aval. Elle admira la rectitude des diagonales que l'homme avait tracées en tondant sa pelouse, jusqu'à la rivière, où il coupait l'herbe à l'aide d'une faux dont il se servait comme d'un club de golf. Contrastant avec les buissons retombés à l'état sauvage de son côté, les haies qui entouraient l'autre maison étaient taillées et aussi plates que le dessus d'une table. Elle attendait le soir avec impatience, quand, Paul et Charlie partis, l'homme rentrerait et lâcherait son chien qui viendrait se pencher au-dessus de la rivière. Ce chien était capable d'attraper du poisson entre ses mâchoires ; elle l'avait vu faire une demi-douzaine de fois.

Margo prit un tuyau et siphonna un peu d'essence du bateau dans une bouteille de lait, suffisamment pour le mélanger à du carburant deux-temps et lui permettre de remonter jusqu'à Heart of Pines avec le petit moteur horsbord, ou même d'y aller deux fois si elle rentrait à la rame. Peut-être pourrait-elle aller pêcher à Willow Island, où elle avait un jour vu un héron rapporter un serpent à ses petits nichés dans les arbres.

Margo n'avait jamais donné de détails sur ce qui s'était passé entre elle et Cal, n'avait jamais laissé entendre qu'il devait châtier Cal.

Avec du café, elle se rinça la bouche pour effacer le goût de l'essence, puis recracha dans la rivière. Elle se pensait parfaitement capable de vivre seule ici, avec le lit rien que pour elle, préparant le petit déjeuner dont elle avait envie quand elle en avait envie, sans se demander dans quel état Brian rentrerait du travail ou du bar. Il lui faudrait, pour passer l'hiver, encaisser le mandat et faire rentrer des provisions, bacon, farine et lait en poudre. Peut-être devrait-elle cuire du pain, quelque chose qu'elle n'avait encore jamais fait. La présence de Brian lui manquerait, mais elle pouvait rester là, elle se débrouillerait. Elle se procurerait des munitions et dormirait avec son fusil.

Charlie remuait sur le canapé. Margo tamisa les larves de mites et prit ce qui restait de farine pour préparer des crêpes. Paul et Charlie lui seraient reconnaissants de déguster un petit déjeuner chaud. Elle ouvrit une bière, en versa la moitié dans les ingrédients secs, puis tendit la canette ouverte à Charlie qui se leva pour la prendre. Il la porta à sa bouche et la vida d'une seule longue gorgée.

— Tu as faim, Charlie ? demanda-t-elle. Tu as bien dormi ?

— Il y a des toilettes par ici ?

Elle le conduisit à l'extérieur et lui indiqua le sentier qui menait aux latrines.

Paul l'appela dans la chambre. Elle poussa la porte. Quand elle entra, elle sentit une odeur de fumée qui n'était pas de la fumée de cigarette. Elle vit la pipe à eau sur le rebord de la fenêtre près du lit, et une boîte d'allumettes. Il tourna vers elle son bon œil.

— Je prépare des crêpes, dit-elle. Charlie est allé aux latrines.

— Viens ici, princesse du fleuve.

Il la saisit avant qu'elle ait même pu voir qu'elle se trouvait à portée de ses mains. Il l'attira sur le lit.

— Paul, quoi ?

— Embrasse-moi.

— Non, Paul. Et si Brian…

— Brian n'est pas là. Il ne viendra pas.

— Non. Arrête, dit-elle, mais il l'attira contre lui.

Il semblait sourd à ses protestations. Il fit glisser son jean sans même descendre la fermeture à glissière – elle avait maigri au cours des derniers mois – et remonta son T-shirt sur ses épaules. Elle plia les genoux et tenta de s'asseoir, mais il l'immobilisait d'une main et passait l'autre sur son ventre et sur son sein droit. À l'école, elle parvenait encore à s'arracher à l'emprise de garçons qui s'étaient emparés d'elle dans l'escalier, mais elle n'avait jamais lutté contre un homme de cette taille. Elle s'efforça de repousser Paul, de lever les jambes pour donner des coups de pied. Comme elle levait les genoux, il réussit à écarter l'un d'eux et à se hisser sur elle. Elle avait beau continuer à le repousser, il la retourna avec une facilité sidérante. Ses doigts la maintenaient à plat telles des sangles. Elle s'était toujours sentie forte, mais comparée à Paul, elle n'était rien. Elle hurla et essaya de le pousser.

Emprisonnant ses bras sous elle, il la retourna de force sur le ventre et s'introduisit en elle. Elle cria avec assez de poumons pour que Charlie puisse l'entendre s'il était rentré des latrines, mais aucun bruit ne lui parvenait de la pièce à côté. Écrasée contre le matelas, elle ne parvenait pas à respirer à fond et elle craignit d'étouffer. La fois où elle s'était glissée sous la carcasse du cerf, à Murrayville, elle était parvenue à se calmer, mais il était impossible de se calmer avec Paul sur elle. Elle essaya de se soulever pour le renverser, mais il était plus lourd que le cerf. Elle sentait, dans les draps, l'odeur musquée de Brian et la sueur et l'haleine pourrie de Paul. Elle aurait voulu qu'il soit aussi mort que ce cerf. Quand elle prononça son nom d'une voix rauque en le suppliant encore d'arrêter, il répondit : « Oh, Maggie ! » comme si elle avait prononcé quelque chose de gentil. Elle lutta pour libérer ses bras jusqu'à ce qu'elle fût trop faible pour continuer. Paul resta longtemps sur elle.

Après, il roula de l'autre côté du lit, il la regarda et sourit. Elle avait envie de le cogner et de le rouer de coups, mais elle craignait qu'il ne lui immobilise le poing ou le pied, et, plus que tout, il fallait qu'elle s'éloigne de lui. Elle ramassa ses vêtements par terre et les emporta dans l'autre pièce. Les mains tremblantes, elle s'habilla et regretta de n'avoir pas plus de vêtements à mettre. Son fusil et sa carabine se trouvaient à côté d'elle dans le râtelier, inutiles sans munitions, même si la carabine pouvait lui servir de massue jusqu'au moment où Paul la lui arracherait des mains. Elle avait épuisé toutes ses cartouches en s'entraînant sur des cibles, sûre que Brian lui en rapporterait d'autres. Plus maintenant. Elle ne compterait plus sur quiconque pour l'aider ou la protéger.

Elle laça ses bottines, boutonna sa chemise. Elle songea à s'enfuir dans les bois pour ne pas affronter Paul, mais elle ne voulait pas abandonner sa barque. Elle pouvait monter dedans et quitter la cabane à la rame, mais il n'aurait aucun mal à la rattraper dans son bateau pneumatique. Et à quoi bon partir, maintenant qu'il avait déjà fait d'elle ce qu'il voulait. Une fois habillée, elle prit le couteau de boucher et se dirigea vers la chambre. Debout sur le seuil, elle vérifia le tranchant de la lame en se piquant la peau près du poignet. Une goutte de sang perla. S'il revenait s'en prendre à elle, elle se défendrait.

— Ça fait des siècles que je ne me suis pas servi de latrines, dit Charlie en rentrant dans la maison par la véranda. Qu'est-ce que ça détend !

Margo retourna à sa pâte à crêpes et posa le couteau.

— Tu nous prépares le petit déjeuner ? demanda Charlie. T'es une gentille fille.

— Charlie, tu prends de la drogue ?

— Moi, non, dit-il. Mais Paul dit que celle-là, dehors, va nous rapporter un fameux paquet.

— Et Paul ? Brian a dit qu'il avait arrêté.

Charlie haussa les épaules. Quand il détourna le regard, Margo cracha dans la pâte. Elle vit la douzaine de larves de mites alimentaires encore dans le tamis, elle les jeta dedans et mélangea.

*

Tandis que le bateau à moteur de Paul et Charlie remontait le courant, Margo suivit leur trajet du bout du canon de sa carabine déchargée, prit Paul pour cible et pressa la détente. Avant de partir, Paul lui avait donné la nourriture contenue dans sa glacière – un morceau de fromage avec une face durcie, du saucisson et quelques boîtes de biscuits salés –, et, si elle avait eu envie de renverser tout ce qu'il avait posé sur la table, elle avait trop faim pour gâcher la nourriture. Quand Paul avait essayé de l'embrasser sur la bouche avant d'embarquer dans son bateau, elle s'était écartée et avait craché par terre. Il avait éclaté de rire, comme si elle lui avait dit une blague. Plus tard, Margo trouva deux billets de vingt dollars sous son oreiller.

Elle ressortit, ôta son jean, s'accroupit près de la pompe et se frotta l'entrejambe à l'eau froide jusqu'à en avoir mal.

Elle accrocha sa carabine à l'épaule pour en sentir le poids, et la corde s'enfonça dans sa chair. Elle lui faisait mal depuis un moment. Elle trouva deux ceintures en cuir accrochées à un mur dans la chambre et en coupa les boucles. Elle fit des trous à l'aide d'un marteau et d'un tournevis en croix, les assembla avec du fil de pêche et glissa le cuir dans les émerillons de la bandoulière. Elle fit plusieurs essais pour obtenir la bonne longueur, saisissant sa carabine du côté gauche pour mettre en joue et presser la détente avec l'index droit. Quand elle eut fini, sa courroie artisanale lui parut aussi parfaite et solide que celle de la vieille Remington de son père, l'arme avec laquelle elle avait réussi le miracle de gagner la compétition des clubs de tir 4-H.

Margo se prépara un dîner de fromage, biscuits salés, saucisson et mûres sauvages, heureuse de ne pas manger de poisson.

Sachant pourtant que la vengeance blessait probablement autant qu'elle guérissait, elle espérait pouvoir un jour obliger Paul à regretter ce qu'il avait fait.

*

Des heures plus tard, après que la Jeep fut rentrée à la maison sur l'autre rive, le chien pêcheur apparut à l'endroit habituel au bord de l'eau. Pour alléger la barque, Margo souleva le hors-bord de Brian, le posa soigneusement sur des blocs afin de ne pas tordre les hélices, et traversa à la rame. Elle n'avait jamais touché le chien pêcheur, elle ne l'avait même jamais vu de près, mais quand elle appela, le chien alla jusqu'au ponton et descendit dans sa barque sans hésiter. Margo caressa la tête jaune. « Je vais t'appeler Martin », chuchota-t-elle, en pensant au grand martin-pêcheur qui venait toujours pêcher juste en amont de la maison à Murrayville.

Et puis elle vit que c'était là un chien pêcheur indiscutablement femelle, un martin-pêcheur femelle, un martin femelle.

Elle ne considéra pas que c'était du vol de ramener la chienne à la rame de son côté de la rivière et de la laisser renifler le bord de l'eau. Elle avait l'habitude de faire traverser la rivière à Moe, le chien des Murray, le temps d'une visite. Si cette chienne avait envie de rester et de chasser les ratons-laveurs dans les arbres, à sa guise. Margo suivit la chienne à pied le long de la rive et dans les bois. Avec un compagnon comme ce chien pêcheur, Margo n'aurait pas peur de rester seule ici. Elle entraînerait la chienne à aboyer à l'arrivée d'un intrus. Mais Margo ne tarda pas à entendre la voix d'un homme crier : « Cléo ! Où es-tu ? Viens, Cléo ! » La chienne plongea dans la rivière et descendit le courant à la nage pour regagner l'autre rive. Elle s'ébroua, puis courut sur la pelouse accueillir son maître.

Margo regarda l'endroit que la chienne avait reniflé et elle trouva un champignon étagé, aussi jaune qu'un jaune d'œuf, qui poussait au pied d'un tronc : un poulet-des-bois.

Cette chienne, de toute évidence, lui portait chance. Elle prit un gros morceau du champignon et en chassa quelques fourmis. Elle le ferait cuire demain soir avec ses deux derniers cubes de bouillon de poulet.

*

Une semaine de pluies torrentielles rendit Margo prisonnière de la cabane. Quand Brian était là, ça lui était égal d'être seule sans téléphone ni radio, mais à présent elle avait envie d'entendre une voix humaine. La pluie tambourinait sur le toit de tôle, lui rappelant le bruit de la pluie sur le toit dans la vaste grange des Murray. L'eau monta jusqu'au niveau du ponton. La plupart des jeunes de son âge devaient se préparer à la rentrée dans quelques semaines ; Margo n'avait pas aimé l'école ces dernières années, mais y aller, au moins, l'aurait mise en contact avec d'autres personnes. Elle regrettait que Brian n'eût pas davantage de livres dans la cabane, en dehors des ouvrages destinés à apprendre les nœuds ou à identifier les traces d'animaux, qu'elle avait lus et relus.

Le premier jour où la pluie diminua, Margo traversa la rivière. Elle lança un appel à la chienne, qui courut jusqu'au ponton et sauta dans sa barque. Mais sans laisser à Margo le temps de s'écarter de la berge, l'homme apparut derrière l'appentis et pénétra dans l'eau à hauteur de genoux, en maillot de bain et tennis. Il saisit l'arrière de sa barque. Il était maigre et plus grand que Margo d'au moins dix centimètres.

— Bonsoir, dit-il d'un ton calme. Où emmènes-tu mon chien ?

— De… de… de… l'autre côté. C'est là que j'habite.

Elle jeta un regard en arrière et vit la chienne assise à la proue, la gueule ouverte formant quelque chose qui ressemblait à un sourire. Elle jappa joyeusement.

— Je sais très bien où tu habites, mais pourquoi prends-tu ma chienne ?

Ses biceps étaient tendus sur ses os. Les ligaments de son cou ressortaient d'un côté et il perdait l'équilibre tandis que Margo ramait sur place.

— Tu ne vas pas me répondre, à ce que je vois.

Des moustiques se posaient sur les bras et les jambes de Margo, et ils s'attaquaient aussi à l'homme. Quand il lâcha la barque pour les écraser d'une main, Margo se libéra. L'homme, croisant les bras, resta debout dans l'eau et la regarda s'éloigner, plus perplexe que furieux.

— Cléo, toi et moi, il va falloir qu'on se parle, dit-il d'une voix forte mais sur le ton de la conversation.

Au soulagement de Margo, il ne rappela pas la chienne tout de suite. Sa silhouette rétrécit à mesure qu'elle remontait le courant et se rapprochait de la cabane. Elle s'arrêta au ponton et Martin plongea d'un côté de la barque, nageant vers une eau moins profonde afin de flairer les trous de rats musqués et les racines enchevêtrées. Sur la rive opposée, l'homme disparut, puis revint muni de jumelles. Un peu plus tard il appela : « Cléo ! » et la chienne plongea dans l'eau pour retourner chez elle.

*

Quelques jours plus tard, Margo alla jusqu'à la pompe à essence de Heart of Pines acheter de la nourriture, des munitions, du papier-toilette et une bouteille de gaz avec l'argent que Paul avait laissé. Elle n'avait pas osé prendre son fusil. Elle ne pouvait pas entrer avec dans le magasin, quelqu'un pourrait reconnaître l'arme de Cal, mais elle ne voulait pas non plus le laisser dans la barque et risquer qu'on le vole. Elle attacha sa barque un peu à l'écart des autres bateaux et la recouvrit de sa bâche. À l'intérieur du magasin, elle additionna les prix, calcula mentalement le montant des taxes, et parvint à totaliser 33,82 dollars d'achats. Elle avait l'intention de prendre de l'essence, mais il y avait une longue file d'attente à la pompe et elle n'avait pas envie d'attendre avec la douzaine d'hommes présents. Elle décida de prendre de l'essence une autre fois.

À mi-chemin du retour, juste au-dessus de Willow Island, elle coupa le moteur et, pour économiser le carburant, se laissa dériver au fil du courant, ne ramant que pour corriger sa trajectoire, attentive à la présence de chiens, d'oiseaux et d'enfants – du moindre signe de vie – le long de la rive. Sur des kilomètres, la rivière vide et sombre lui appartenait. Elle glissa le long de la berge, s'imaginant que des gens l'invitaient à partager un repas ou simplement à s'asseoir et écouter des histoires. Au lieu de quoi, au dernier coude en amont de la cabane, elle vit le bateau de Brian arrêté devant le ponton. Une lumière vive et froide brillait à l'intérieur de la maison – la lampe fluorescente de Paul. Elle manœuvra en direction de la rive opposée, espérant que Paul n'aurait pas les yeux sur la rivière au moment où elle passerait. Elle s'arrima à une branche morte juste après la maison jaune, observa la cabane et vit Paul et Johnny sortir. Ils rentrèrent au bout de quelques minutes en ramenant un bocal. Elle regrettait de ne pas avoir pris son fusil coûte que coûte et de l'avoir laissé sous le lit avec son sac à dos. La nuit s'assombrit, elle attendit que les hommes décident de partir, mais ils ne partaient pas. Un croissant de lune apparaissait et disparaissait derrière les arbres. La nuit se rafraîchit. Quand leur lumière s'éteignit, elle déplia la bâche et se pelotonna dessus, couchée à l'arrière, sur le siège. Elle remonta le reste de la bâche sur elle, comme une couverture, et se servit de son gilet de sauvetage en guise d'oreiller.

Margo s'éveilla frissonnante, tirée du sommeil par des jappements. La lumière du soleil levant se diffusait derrière une brume nuageuse. Elle n'était plus dans la barque, mais sur le sable, enveloppée dans la bâche. Elle vit surgir Martin, à côté d'elle, qui se mit à lui lécher la figure. Margo examina les beaux yeux et la truffe noire et parfaite. Elle enfonça les doigts dans le pelage de la chienne, mais quand elle vit l'homme dressé au-dessus, elle se leva, monta dans sa barque et prit les rames.

— Pardon, dit Margo.

— Pourquoi ?

— D'avoir pris votre chien.

Il haussa les épaules.

— Les chiens sont fidèles. Quand vous les nourrissez, ils reviennent toujours.

Il hocha la tête en direction de la cabane :

— Si tu cherches à éviter cet homme, tu peux venir chez moi. Une fois le soleil levé, il risque de te voir si tu restes là.

Avec la lumière dans le dos, le visage de l'homme était impossible à déchiffrer, mais il semblait inoffensif. Il ne lui avait même pas fait de reproches pour son chien. Ne sachant trop quoi faire d'autre, mais sûre de ne pas vouloir que Paul la voie, elle décida de lui faire confiance. Elle vérifia la corde et le nœud qu'elle avait fait autour d'un érable tombé, un nœud de cabestan, d'après le livre de Brian. Elle avait aussi appris le nom du nœud à l'anneau à la proue de sa barque : un nœud de grappin. Le feuillage le long de la branche camouflerait la barque tant qu'on ne l'aurait pas sous le nez. Et tant que Paul n'aurait pas remplacé ses lunettes, elle n'avait pas de souci à se faire. Elle emporta ses rames et le sac contenant ses achats, et suivit l'homme sur le sentier. La rosée qui recouvrait les herbes et le gazon mouilla le bas de son pantalon. Aux endroits où le sumac vénéneux avait grimpé sur les troncs d'arbre en quête de soleil, elle vit que ses feuilles trilobées avaient déjà pris une teinte rouge sang. L'automne approchait.

Margo posa ses rames, sa nourriture et ses munitions à l'extérieur avant de pénétrer dans la maison jaune par la porte latérale. Elle se retrouva dans une cuisine aux murs blancs, avec des plans de travail jaunes tachetés de noir et de blanc et un sol en parquet luisant. Mais il manquait les placards bas, ce qui laissait un vide le long des murs tout autour de la pièce. Mais les plans de travail étaient propres et bien rangés, le sol balayé, la table agréablement envahie de journaux et de livres.

— La salle de bains est là-bas, en cas de besoin. Tu bois du café ? demanda l'homme.

Elle hocha la tête et s'aventura hors de la cuisine dans ce qui aurait dû être une salle de séjour mais qui contenait un grand lit revêtu d'un couvre-lit parfaitement lisse. Elle le contourna et regarda par la porte vitrée. En amont, devant la cabane verte délabrée, dressée sur ses pilotis, elle vit le bateau pneumatique. Elle déverrouilla la porte et tira pour l'ouvrir de quelques centimètres, s'assurant de pouvoir partir si la situation l'exigeait.

Le tiroir supérieur de la commode placée au pied du lit était entrouvert sur un tas de pièces de lingerie blanche. Elle suivit du doigt le bord dentelé d'un soutien-gorge. C'était le genre de lingerie fine que sa mère aimait porter et qu'elle portait sans doute tout le temps à Lake Lynne. Luanne se plaignait de l'eau ferrugineuse, qui tachait ses vêtements de couleur claire, tout comme elle se plaignait de la moisissure verte qui prenait possession de ses souliers de cuir dans le placard.

Quand l'homme apparut sur le seuil, elle referma aussitôt le tiroir.

— Oh, sois sans crainte, il y a longtemps qu'elle est partie. Je suppose qu'elle a laissé ça pour ma prochaine petite amie.

— Je suis désolée.

L'homme tendit à Margo une grande tasse de café léger, à la crème. Elle et Brian prenaient leur café fort et noir, et n'avaient dans la cabane que de l'instantané. Elle respira l'arôme de la tasse si profondément qu'elle dut se tenir à la commode pour garder l'équilibre. Hier, elle avait mangé des chips à la pompe à essence de Heart of Pines, mais rien d'autre depuis.

— Tu veux prendre une douche ? demanda-t-il.

— Non, merci.

— Tu ne peux pas garder ces vêtements mouillés. Prends quelque chose de Danielle.

Margo regarda la coiffeuse, puis l'homme.

Il rit :

— J'allais jeter tous ses vêtements dans la rivière, de toute façon, et les laisser partir avec le courant. Va, choisis ce qui te plaît là-dedans.

Margo garda les yeux rivés sur le chien pêcheur couché sur un tapis au pied du lit, et au bout d'une minute l'homme retourna à la cuisine. Elle but une longue gorgée de café, dont le goût était si délicieux qu'elle avait envie de le garder dans la bouche.

Elle chercha un endroit où poser sa tasse sans risquer de laisser une tache ronde sur la commode. En fait, elle ne voulait laisser aucune trace d'elle. Pour finir, elle posa la tasse par terre, sur le sol en contreplaqué. Dans le tiroir du milieu, elle trouva, soigneusement pliés, des chemisiers rose, blancs, vert menthe. L'autre tiroir contenait les jeans de l'homme. Elle en enfila une paire délavée, serra la taille avec l'une de ses ceintures les plus usées et fit un revers en bas. Dans le même tiroir, elle trouva un T-shirt et un sweat bleu foncé. Elle posa ses vêtements pleins de vase sur le bord de la baignoire, dans la salle de bains attenante.

Elle reprit son café sur le sol en contreplaqué. Une autre pièce donnait sur celle-ci, sans doute la chambre à coucher avant que les murs ne soient démolis, révélant leur ossature. Au milieu de la pièce, en équilibre sur ses chevalets, trônait le squelette en bois d'une barque, plus grande et plus profonde que sa barque à fond plat. De retour dans la cuisine, elle trouva l'homme en train de préparer à manger et elle aurait presque pu se sentir à l'aise si son fusil et son sac à dos étaient posés dans le coin, à côté de ce balai en paille plutôt que cachés sous le lit dans des peaux de lapin, à l'intérieur de la cabane, avec Paul. L'homme s'excusa pour ce qu'il qualifia de « désordre » et posa diverses choses sur la table ronde, l'une après l'autre. En passant, chaque objet brillait dans un rayon de soleil : assiettes, fourchettes, deux bocaux luisants et un morceau de beurre jaune pâle dans un ravier en verre. Perdait-elle le sens des réalités ? Pourquoi le beurre et la confiture lui semblaient-ils de purs miracles ?

— Désolé que la maison soit un vrai chantier, dit-il. J'ai décidé de travailler de mes propres mains, d'économiser. Je veux apprendre à tout réparer et à tout construire. C'est l'un des buts que je me suis assignés.

Elle hocha la tête.

— Tu dois avoir faim.

Il tendit la main, elle la prit.

— Je m'appelle Michael. Mike Appel.

L'accent portait sur la dernière syllabe, comme dans le verbe *rappelle*.

— J'habite seul ici depuis quatre mois et tu es la première personne du voisinage à venir dans ma maison. J'aurais cru qu'au long d'une même rivière les gens établiraient des liens.

Il fit un geste avec sa spatule :

— Tu ne m'as pas dit comment tu t'appelais.

Elle faillit répondre *Maggie.*

— Margaret, dit-elle, et comme elle n'était pas entièrement satisfaite, elle ajouta : Louise.

— Joli nom.

Il le répéta, rêveusement : « Margaret Louise. »

C'était ainsi que sa mère l'appelait, comme si un seul nom ne suffisait pas.

— Aujourd'hui, les gens ont rarement deux prénoms, s'esclaffa-t-il.

— Ou simplement Margo, suggéra-t-elle.

— Quel est ton nom de famille ?

— Crane.

— Margaret Louise Crane. Très joli.

Il écarta quelques livres ouverts sur la table et posa devant elle un verre de jus d'orange et une demi-omelette. L'un des livres, avec une étiquette de bibliothèque, s'appelait *Construire des étagères.*

— Merci, dit Margo.

— Je ne devrais pas laisser autant de désordre sur cette table, dit Michael. Et toi, que fais-tu donc, là-bas, dans cette petite maison ?

— Je pêche.

L'omelette au goût de fromage était crémeuse.

— Je n'ai jamais pêché. Je ne sais même pas comment m'y prendre, mais je construis un bateau. J'aimerais ne dépendre de personne, comme toi.

— C'est facile de pêcher.

Margo souleva le bord de l'omelette et admira les minuscules morceaux de poivrons verts, d'oignons et de champignons à l'intérieur.

— En gros, tout ce qu'on a à faire, c'est rester assis et attendre.

— Tu pourrais me donner une leçon, me dire ce qui est bon à prendre dans la rivière. Nom de Dieu, je ne sais même pas ce qu'il faut accrocher à l'hameçon.

— Je mets des vers et des petits poissons. Parfois des écrevisses.

Elle bougea ses jambes pour laisser de la place au chien qui voulait se coucher sous la table, près d'un tas de journaux parfaitement empilés.

— Je travaille pour la centrale électrique, alors je sais que tu n'as pas l'électricité là-bas. Tu as un générateur ? Un émetteur-récepteur ou quelque chose ?

Margo secoua la tête. Elle glissa les pieds sous le corps lourd du chien pêcheur. Ses bottines et ses chaussettes gisaient à côté de sa chaise.

— C'est incroyable de vivre comme ça. Et tu n'as pas de travail, tu ne vas pas à l'école ?

— J'ai dix-neuf ans, répondit Margo, comme si cela expliquait tout.

Elle regarda la maison sur l'autre rive. Elle avait très envie d'ouvrir sa boîte de munitions et de charger sa Marlin. Elle espérait que Paul n'irait pas fouiner sous le lit.

— Ta maison ressemble à une planque, tu sais, comme dans les films où les criminels se cachent de la police. Tu serais pas la fille du gangster ?

Il haussa un sourcil :

— Ou sa petite amie, peut-être ?

Un nœud commença à se former dans l'estomac de Margo. Il voulait sans doute plaisanter, mais elle craignait, en répondant à ses questions, de se retrouver dans le pétrin.

— Tu ne parles pas beaucoup. Danielle, en voilà une qui parlait !

Il pointa une fourchette sur Margo :

— Mais elle n'a jamais jugé utile de parler du fait qu'elle couchait avec un de mes très bons amis. Étrange. Bien sûr, il n'a rien dit non plus. Mais maintenant, ils sont amoureux, alors tout va bien.

Margo s'accrocha à son silence. Elle regarda son visage, ses yeux clairs, aussi longtemps qu'elle en eut l'audace. C'était un homme solitaire, peut-être aussi solitaire qu'elle. Elle extirpa ses pieds de sous le chien pêcheur et enfila ses chaussettes humides puis ses bottines. Elle rentra le jean de Michael dans ses bottines avant de les lacer, au cas où il lui faudrait s'asseoir dehors et se protéger des moustiques. À nouveau elle chercha son fusil du regard, mais, naturellement, il était resté dans la maison.

— J'ai quitté l'Indiana il y a trois ans pour m'installer ici pour mon travail, dit-il. Avec Danielle. Je n'avais pas encore pris la mesure de son côté bourgeois. Tu viens d'où ?

Elle vit qu'il attendait sa réponse :

— Murrayville.

— C'est à une quarantaine de kilomètres en amont, à mi-chemin du barrage.

Elle hocha la tête et regarda par la fenêtre. Paul bidouillait quelque chose sur le ponton.

— Quand Danielle était là, c'est à peine si je remarquais la rivière, et encore, comme toile de fond. À présent, je ne pense à rien d'autre. Je la regarde couler pendant des heures.

Lorsque Margo eut fini son omelette, Paul était monté sur son bateau et reparti en amont. Dès qu'il fut hors de vue, elle laissa tomber sa fourchette sur son assiette et le bruit la fit sursauter.

— Je dois y aller, dit-elle.

— Tu ne peux pas rester encore quelques minutes ? Je te promets d'arrêter de critiquer les femmes. Tiens, je vais te préparer un autre toast.

Elle se rassit, prête à bondir.

— Tu es comme ces enfants qui sont élevés par des loups.

Il glissa deux tranches de pain dans le grille-pain chromé. Elle le regarda en plissant les yeux.

— Je me suis mal exprimé. Je ne voulais pas dire que tu ressembles à un animal.

Il enclencha le grille-pain et aussitôt lui parvint l'odeur des toasts. Elle eut alors la nostalgie des arômes qui régnaient dans la cuisine de Joanna le matin, celui des tranches de jambon frit et du pain à la cannelle grillé. Michael continuait à parler.

— On a raconté des histoires d'enfants perdus recueillis par des loups. Une fois sauvés, ils ne supportaient pas de rester dans des lieux fermés. Ils voulaient toujours être dehors. Voilà ce que je voulais dire.

Margo n'était pas obligée d'écouter. Elle n'était venue ici que pour échapper à Paul.

— Merci pour la nourriture.

Elle se leva et quitta aussitôt la cuisine, laissant derrière elle le pain grillé s'éjecter. Elle ramassa ses affaires et se dirigea vers sa barque. Une fois au milieu de la rivière, elle eut un sentiment de liberté fugace mais, parvenue au ponton, elle vit les têtes de poissons-chats restées clouées au grand chêne, en train de pourrir. Elle ouvrit le verrou en se servant de sa clé, s'accroupit près du lit et sortit son fusil et son sac à dos. Ils étaient intacts. Et puis elle constata qu'elle avait oublié d'acheter des allumettes – il ne lui en restait que deux dans la boîte.

Elle froissa les dernières lettres qu'elle avait écrites à sa mère au revers de cibles usagées et les jeta dans le poêle. Par-dessus, elle empila du petit bois. Elle alluma un feu pour chasser l'humidité de la cabane et s'endormit. À son réveil, le feu était éteint mais elle préféra économiser sa dernière allumette plutôt que de le ranimer. Le ciel était maintenant parfaitement clair, et elle alla sur le ponton chercher la chaleur du soleil. Baissant les yeux, elle eut la surprise de se voir dans les habits de Michael. Quand, sur l'autre rive, celui-ci s'éloigna au volant de sa Jeep, elle enfouit son visage dans le sweat-shirt propre.

10.

Quand la nuit eut tout envahi, Margo gratta sa dernière allumette pour allumer la lampe. Il ne restait plus beaucoup de pétrole, et l'obscurité gagnait encore en épaisseur dans la maigre lumière vacillante. La pluie tambourinait sur le toit et il lui vint à l'esprit, comme pour la première fois, que Brian ne rentrerait probablement pas, au contraire de Paul. Elle pensa à la ferme des Murray, aux tas de bois à hauteur d'épaule qu'Oncle Cal et les garçons avaient déjà sûrement coupé, fendu et mis en réserve pour l'hiver. Sa propre réserve se limitait à un traîneau rempli de chêne fendu et deux brassées de bois mort. L'hiver dernier, Brian avait constitué une bonne provision de nourriture et d'essence, mais Margo ne possédait pas les mêmes ressources. Elle n'avait même pas de tronçonneuse, puisqu'il l'avait emportée avec lui le jour où il s'était fait arrêter. Peut-être lui fallait-il partir tant qu'il en était encore temps, gagner l'autre rive, camoufler son bateau quelque part et aller à Lake Lynne en auto-stop. Si seulement sa mère voulait bien la laisser venir.

Il ne lui restait plus d'allumettes ; si le poêle et la lampe s'éteignaient au cours de la nuit, elle n'aurait aucun moyen de les rallumer, ni de faire marcher le fourneau à gaz. Et Paul pouvait arriver d'une minute à l'autre. Bien qu'il fût tard, il lui fallait quitter la maison, au moins jusqu'au moment où elle aurait la certitude que Paul ne reviendrait pas de la nuit. La pompe à essence restait ouverte jusqu'à dix heures. Elle enfila l'un des pulls en laine de Brian par-dessus le sweat-shirt propre de Michael et emporta le sac de couchage dans la barque pour le cas où elle serait obligée de dormir dehors. Elle enveloppa sa Marlin dans le sac de couchage et la plaça sur le banc arrière, à côté d'elle. Elle ne pouvait rien caser sous la banquette parce qu'elle n'avait pas écopé l'eau des dernières pluies. Une fois passé Willow Island, le moteur, manquant d'essence, se mit à crachoter et mourut. Margo prit les rames et avança de quelques centaines de mètres avant de s'arrêter. Dans sa poche, elle chercha à tâtons les billets et la monnaie qu'elle y avait glissés la veille, mais elle était vide. Elle portait le pantalon de Michael. Elle avait son portefeuille, mais il ne contenait pas d'argent. Elle avait laissé son argent et son jean chez Michael, sur le rebord de la baignoire. Elle souleva ses rames hors de l'eau et se laissa dériver. Nulle étoile ne brillait ce soir, et une pluie froide commença à tomber.

L'eau de pluie forma une flaque autour de ses pieds. Lorsqu'elle prit le dernier coude, au lieu de se diriger de son côté de la rivière, elle manœuvra jusqu'au ponton de Michael. Elle pouvait récupérer son argent et sûrement lui emprunter des allumettes. Il y aurait peut-être même un peu d'essence dans sa tondeuse à gazon dont elle pourrait se servir pour alimenter son moteur et remonter la rivière. Elle attacha sa barque, alla voir l'appentis qu'elle trouva verrouillé. Le fusil dans une main, l'autre main serrant le sac de couchage autour d'elle, elle s'approcha de la maison et regarda à travers la baie vitrée coulissante. Elle ne vit d'abord que les chiffres luisants d'un réveil digital. Comme ses yeux s'habituaient aux ténèbres, elle vit Martin se redresser au pied du lit.

À peine Martin commença-t-il à aboyer que Michael était debout de l'autre côté du panneau de verre, en caleçon et torse nu.

Il alluma l'éclairage extérieur et fit glisser la porte.

— Margaret Louise ? Tu ne dors donc jamais dans un lit ?

— Je suis désolée.

— Eh bien, entre. Sois désolée à l'intérieur. Pardon de me présenter ainsi habillé. Je n'attendais pas de visite.

Quand elle entra, Michael vit les flaques qui se formaient sur le contreplaqué.

— Mince, il faut vraiment que je termine ce parquet. C'est dans mon programme.

Il prit le sac de couchage mouillé accroché à ses épaules, lui indiqua l'endroit où elle pouvait laisser ses chaussures et alla chercher une serviette dans la salle de bains pour nettoyer.

Margo ne s'était pas rendu compte à quel point elle avait froid jusqu'au moment où elle pénétra dans la chaleur de la maison.

— Alors cette fois, tu es venue armée et dangereuse, dit-il. Laisse ton fusil là dans le coin avec tes chaussures, je te promets que personne n'y touchera.

— Vous savez tirer ?

— Je suis le seul homme de la famille à ne pas tirer. Mon père dit que je suis une aberration.

— Qu'est-ce que c'est ?

— Quoi ?

— Une *aberration*.

— Une bizarrerie, je suppose. Un dingue.

— Comme les filles élevées par les loups ?

Il sourit.

— Ta couverture est trempée – je vais la mettre dans le séchoir. Je vais y mettre aussi tes vêtements de ce matin. Je les ai déjà lavés. Hé, dis quelque chose, Margaret Louise.

Elle balbutia : « Merci pour l'omelette. »

Michael éclata de rire :

— Va prendre une douche, et demain tu pourras me remercier pour l'eau.

Margo posa son fusil dans le coin à côté de la porte. C'était la première fois depuis longtemps qu'elle avait eu envie d'ôter cet objet de son épaule. Elle suivit Michael dans la salle de bains. Il était en train de lui expliquer que l'eau mettait un certain temps à chauffer et lui montrait comment faire passer le jet du bain à la douche. Elle ôta ses trois couches de vêtements sans prendre conscience qu'elle se déshabillait devant un étranger. Détournant la tête, Michael quitta brusquement la pièce. Margo eut le plus grand mal à reconnaître cette créature maigre et sale qu'elle voyait dans la glace. Son corps semblait dépourvu de la force nécessaire pour accomplir quoi que ce fût. Elle avait les épaules voûtées à cause du froid. Ses mèches couleur de boue étaient emmêlées et son visage couvert de griffures, de piqûres d'insectes et de plaies provoquées par le sumac vénéneux. Ses petits seins semblaient desséchés. Sa mère aurait dit qu'elle ressemblait à une Slocum. Elle dut se laver la tête trois fois avant que l'eau de rinçage soit propre.

Bien qu'elle fût sous la douche d'un étranger, elle se sentait en sécurité. L'eau coulait, elle pouvait s'autoriser à pleurer, et quand l'eau chaude finit par s'épuiser, elle s'encouragea en pensant aux photos sereines d'Annie Oakley, le fusil en joue, se préparant à tirer, sûre de toujours toucher sa cible. Margo aimait particulièrement le portrait d'Annie Oakley jeune, debout avec son nouveau mari, Frank Butler, et leur grand chien blanc, George.

Margo enfila le peignoir en éponge de couleur sombre accroché au dos de la porte et, à pas feutrés, traversa le couloir pour aller dans la pièce où trônait le squelette du bateau. Il paraissait trop grand pour pouvoir passer par la porte. La pièce ne donnait même pas sur la rivière, il n'était donc pas étonnant qu'il n'y dormît pas. Une demi-douzaine d'outils étaient alignés avec soin sur une chaise en bois. Elle regagna la chambre à la baie vitrée coulissante et se pelotonna par terre avec Martin. Michael entra et s'assit au pied du lit, une expression amusée sur le visage.

— Tu es une enfant-loup ? Ou peut-être une enfant-chien ?

— Je regarde toujours Martin depuis ma maison.

— Pourquoi l'appelles-tu Martin ?

— À cause du martin-pêcheur. Il a une grosse tête, comme elle.

— Avant d'acheter cette maison, je n'avais pas de chien, dit Michael en s'accroupissant et en caressant la tête de l'animal. C'était une folie. Quand j'ai signé, l'ancien propriétaire m'a demandé si j'acceptais de la garder parce qu'elle adorait la rivière et ne serait pas heureuse ailleurs. Mais il l'avait appelée Renégate. Cléopâtre lui va mieux. Cléopâtre, reine du Nil, un chien de rivière. Cléo pour les intimes.

Il tira doucement l'oreille de la chienne qui étira la gueule en un sourire.

— Dors dans mon lit, je dors par terre. Tu as remarqué que je n'ai pas de canapé.

— On peut dormir dans le lit tous les deux, dit Margo. Il est immense.

Toujours vêtue du peignoir, elle grimpa côté rivière. Michael resta assis un long moment au pied du lit, puis, haussant les épaules, il vint la rejoindre.

— Quelle est cette mystérieuse lumière dans ta maison ?

— Une lampe à pétrole.

Elle l'avait laissée allumée, pensant qu'elle s'éteindrait d'elle-même, mais elle brûlait toujours.

— Est-ce que tu vas m'apprendre à pêcher ?

— J'ai besoin d'allumettes. Et je suis en panne d'essence. Si vous m'en prêtez un peu, je vous rembourserai.

— Tu as vu mon bateau là-dedans ?

Michael attendit qu'elle hoche la tête.

— Après le départ de Danielle, j'ai pensé refaire cette chambre, et puis je me suis dit que je préférais avoir un bateau. Dès qu'il sera terminé, j'irai à la rame jusqu'à cette île où il y a des saules noirs.

— C'est mon grand-père qui m'a donné ma barque.

Michael hocha la tête.

— J'ai construit ce lit en chêne rouge. Quand Danielle est partie, j'ai dormi sur un matelas par terre pendant deux mois jusqu'à ce qu'il soit terminé. Ulysse s'est construit son propre lit, tu sais. Je veux construire de mes mains les choses importantes.

— Et une voiture ?

— Les voitures ne sont pas importantes. Et ta barque, elle est faite dans quelle essence de bois ?

— En teck. La seule barque en teck de toute la rivière, a dit mon grand-père.

Margo n'avait pas assez d'énergie pour demander qui était Ulysse. Elle fit courir sa main sur la tête de lit au-dessus d'elle. Elle était constituée de planches solides, rien de sophistiqué. C'était le genre de lit que Margo aurait aimé posséder, mais elle n'aurait pas l'utilité d'un lit qui occupait presque la totalité de la chambre, comme celui-ci.

— Elle doit être lourde, dit Michael. J'ai une planche à découper en teck. Aussi lourde qu'une brique.

— C'est parfait une fois sur l'eau. Mais je ne peux pas descendre plus bas que Confluence, parce qu'elle est trop lourde à transporter de l'autre côté du barrage. Mon grand-père disait qu'il était *enlisé sur la Stark.*

— Tu pourrais peut-être m'emmener faire un tour un de ces jours, dit Michael, dressé sur un coude. *La River Rose.* J'aime bien que le nom de ta barque soit une expression complète.

Margo n'avait jamais ramé avec un homme à l'intérieur de la barque et elle trouva que c'était une bonne idée d'emmener ce beau Michael, coiffé avec une raie au milieu, jusqu'à Willow Island. Elle regarda Michael, le prit dans son viseur. Elle s'approcha de lui et l'embrassa. Le baiser qu'elle obtint en retour fut si léger qu'elle doutait même qu'il eût existé. Les baisers de Brian, eux, ne laissaient aucun doute.

— Parle-moi, dit-il en riant. Je n'embrasse pas la première fille qui passe.

Elle l'embrassa à nouveau et, cette fois, il s'écarta moins vite. Elle fut surprise de constater à quel point elle avait envie de continuer à l'embrasser, alors qu'il était pratiquement un étranger. Elle ressentait le même besoin irrépressible que lorsqu'elle tenait un cerf en joue. À la différence qu'elle n'avait pas envie de tirer sur Michael.

— Pourquoi étais-tu dehors dans la pluie ? chuchota-t-il.

La façon dont il posait des questions laissait entendre à Margo que des problèmes pouvaient être l'objet de discussions, puis résolus, que rien n'était jamais désespéré. Elle ne pouvait pas encore lui répondre, mais elle lui raconterait volontiers autre chose, quelque chose d'intéressant – peut-être qu'elle avait un jour vu un héron s'envoler vers son nid avec un serpent – mais alors il voudrait qu'elle lui parle encore, et elle avait envie de rester silencieuse avec lui. Elle avait envie de connaître son torse lisse, ses côtes, ses épaules solides, son cou délicat. Son bras reposait sur les couvertures, maigre comparé à ceux de Brian ou de Paul. Ce bras-là ne pouvait pas la plaquer de force, l'obliger à rester là où elle ne voulait pas. Avec un homme comme Michael, une fille pouvait résister, au lieu de fuir. Elle ne ferait avec lui que ce qu'elle avait envie de faire. Sur l'autre rive, la lampe à pétrole faiblit, vacilla et s'éteignit.

— Qu'est-ce qui te fait peur, là-bas ? demanda Michael.

— Je n'ai peur de rien, chuchota-t-elle.

C'était un mensonge, mais ça lui plaisait, de le dire. Elle glissa son bras autour du cou de Michael et l'embrassa longuement, comme si elle pressait la détente d'une carabine et la gardait enclenchée pendant tout le tir. Elle glissa ses doigts dans ses cheveux et les fit courir sur son épaule. Elle avait le désir de toucher autant de peau que possible d'un seul geste, d'avoir sous ses mains toute son enveloppe. Elle se pencha sur lui, passa sa main dans le creux de son dos, sur sa fesse, et descendit sur sa jambe jusqu'au moment où elle le sentit frémir et aller vers elle. Un courant d'air frais soufflait d'une fenêtre mal fermée. La chienne soupira par terre. Au bout du couloir, elle entendait les vêtements et le sac de couchage dans le séchoir. Michael glissa la main entre ses jambes et sa respiration se transforma en rire – ce qui ne s'était encore jamais produit. Il roula sur elle avec l'aisance des vagues sur le sable.

Plus tard, quand elle ferma les yeux, elle sentit sur elle son regard affectueux. En se laissant gagner par le sommeil, elle pensa qu'avec Paul, elle avait dû se noyer et qu'elle revenait à présent à la vie.

Elle s'éveilla, seule, baignée dans la lumière filtrée par les fins rideaux qui couvraient la vitre coulissante ; elle sentait la tiédeur du soleil sur sa peau propre. La maison de Brian n'était pas exposée au sud et elle dormait le plus souvent habillée. Margo s'assit et vit son sac de couchage replié sur le coin du lit. Par-dessus, il y avait son jean, son col roulé bleu foncé, sa chemise en flanelle et son pull. Les billets, pliés, étaient posés dessus. Son cœur s'affola puis elle se rappela qu'il devait s'agir des billets et de la monnaie restés dans la poche de son pantalon. Sa Marlin était toujours debout dans le coin où elle l'avait posée hier soir. Elle s'habilla et trouva Michael dans la cuisine, vêtu d'une chemise boutonnée et d'une veste de sport. Elle posa son fusil près du balai dans le coin et s'assit à la table.

— Je vais à l'église, annonça Michael. Après ça, j'ai une réunion avec un groupe d'études. Nous allons réfléchir aux différentes compétences en mesure d'aider les défavorisés. Tu as envie de venir ? Tu pourrais parler de la pêche.

Il s'appuya sur l'évier, bras croisés, une tasse de café à la main. Elle s'efforça de se rappeler qu'elle avait été enveloppée dans ses bras, étroitement serrée contre son torse, mais son corps, ce matin, semblait raide sous la chemise et la veste, et elle ne parvenait pas à l'imaginer dévêtu.

— J'aimerais que tu viennes. C'est une église très libre. Certains ici l'appellent l'église hippie.

— Je rentre chez moi, dit-elle sans réfléchir.

Il lui tendit une tasse de café déjà allongé de lait.

— Quel âge as-tu, Margaret Louise ? Moi, j'ai vingt-huit ans.

— J'en aurai dix-neuf au mois de novembre.

Et puis elle se rappela lui avoir dit qu'elle les avait déjà. En réalité elle aurait dix-sept ans dans deux mois.

— Tu sais, je n'avais pas l'intention de faire ça, hier soir. Je ne te connais même pas.

Il dévisageait Margo d'une façon qui lui parut brutale. Sans le regarder elle but son café et caressa la tête de Martin. Le silence dans la pièce devint pesant, et Margo le laissa grandir. Le silence, c'était un jeu qu'elle connaissait.

— Et je n'ai pas utilisé de préservatif. Mais ne crains rien, tu ne risques pas d'être enceinte – je me suis fait faire une vasectomie. Mais tout de même, nous n'aurions pas dû. Y a-t-il quelque chose que tu souhaites me dire ?

Elle examina son visage. Ses yeux avaient l'air un peu fous, mais ils exprimaient la bonté.

— Je te demande pardon, dit Michael pour finir, allant s'asseoir en face d'elle, un peu plus détendu. C'est juste que je ne sais rien de toi. Par exemple, tu pourrais être une héritière perdue ou une fille qui vient d'abattre tous les membres de sa famille et les a enterrés dans le jardin.

— Ou une fille élevée par des loups ?

— Ou peut-être es-tu un rêve.

Sa voix devint plus douce.

— Parce que, crois-moi, si je rêvais d'une fille, elle serait exactement comme toi. Elle aurait de beaux bras, comme toi. Elle serait intelligente, elle aurait aussi la même odeur que toi. Elle m'apprendrait à vivre des richesses de la nature.

Il se leva, prit un torchon et essuya le plan de travail.

Quelle pouvait bien être son odeur ? se demanda Margo. Elle venait juste de prendre une douche.

— Sauf que cette fille parlerait.

Il replia le torchon et le reposa.

— Elle me répondrait. Et avec un peu de chance, elle serait réellement une héritière avec une île sur la rivière.

Margo entendait ses mots en surface. Elle n'était ni une enfant-loup, ni une meurtrière, ni une héritière. Ni un rêve. Elle était une fille qui avait besoin d'allumettes et d'essence pour son moteur hors-bord. Martin poussa sa tête sous la main de Margo jusqu'à ce qu'elle reprît ses caresses.

— Mais peut-être ce grand type avec lequel tu vis va-t-il revenir et faire de moi un appât.

Margo se dit que c'était la première chose intelligente qu'il disait. Elle sourit.

— Tu vis avec lui depuis le mois de décembre, et maintenant tu as peur de lui.

Margo regarda sa cabane, soulagée de ne voir aucun bateau amarré devant. Après cette nuit, elle avait conscience de vouloir couper tout lien avec Paul ou Brian. Elle avait apprécié le foyer que Brian lui avait offert, mais elle ne voulait plus vivre avec lui, même s'il était libéré de prison. Grâce à lui, elle avait beaucoup appris, mais la nuit dernière, elle avait trouvé si beau de se sentir l'égale d'un homme, en sécurité et à l'abri.

Michael but une gorgée de café.

— Tu vas passer tout l'hiver dans cette cabane ? Te chauffer avec un poêle à bois ? Il y a un radiateur à gaz ou à pétrole ?

— Il est possible que j'aille habiter chez ma mère, dit-elle, pour entendre l'effet produit par sa réponse.

— Oh, bien sûr, tu as une mère ! Où habite-t-elle ?

— Lake Lynne.

— Tu reviens ce soir ? demanda Michael, les yeux aussi bruns et aussi pleins d'espoir que Martin. Nous pourrions dîner ensemble. Je peux venir te chercher avec la Jeep.

— La route la plus proche se trouve à un peu moins d'un kilomètre, dit-elle en accrochant sa Marlin à l'épaule. Ensuite c'est juste un sentier.

— Et je n'ai pas encore de bateau, alors ça dépend de toi, Margaret Louise.

Il la regarda se lever, vider son café et se diriger vers la porte, tout comme il l'avait regardée s'éloigner à la rame avec son chien le jour où ils avaient fait connaissance.

Une demi-heure plus tard, Margo était de retour à la cabane, assise en tailleur sur le ponton, profitant d'un vent tiède qui soufflait de la rivière et regardant Michael s'éloigner dans l'allée au volant de sa Jeep. Elle regrettait de ne pas avoir accepté son invitation à dîner. S'il la renouvelait, elle dirait oui tout de suite et proposerait d'apporter quelque chose – des filets de poisson, peut-être. Elle regarda la Jeep s'engager sur la route qui remontait en direction de Heart of Pines, bordée de centaines de maisons comme celle du jeune homme. Elle allait écrire à sa mère et lui demander si elle vivait une vie normale à Lake Lynne ou si elle était une aberration dans sa nouvelle ville. Un héron plongea du ciel et se posa en aval, hors de vue. Deux colverts s'approchèrent de la rive. À en juger par l'ombre rousse sur les plumes de leur jabot, ce devaient être des mâles âgés d'un an. Elle se demanda s'ils étaient les seuls survivants parmi la douzaine de poussins que la mère avait couvés au printemps. Margo fit *coin-coin*, et ils répondirent par un bruit doux et léger, sans cesser de nager.

Ce soir-là, alors que Michael était encore absent, une voiture gris métallisé s'arrêta dans son allée. Margo ne reconnut pas la voiture, mais la conductrice était indiscutablement Danielle, la femme qui l'avait quitté. Elle disparut du côté de la route et, peu après, Martin apparut et bondit dans l'eau. Margo songea que la femme était peut-être venue récupérer le chien de Michael. Elle remonta sa ligne et retira le moteur de la barque sans prendre soin de protéger l'hélice. Elle s'éloigna de la rive et, en quelques minutes, filant sur le courant, elle se retrouva de l'autre côté. Martin courut jusqu'au ponton pour la saluer, baissa la tête avec espièglerie et l'agita au lieu de grimper dans la barque. « Martin ! Viens ! aboya Margo. Martin ! Viens ! » Quand le chien se décida enfin à grimper, la femme sortit de la maison. Elle portait un chemisier blanc sous un fin gilet blanc également. Elle tenait un verre de quelque chose avec des glaçons et transportait une chaise longue. Elle posa son verre dans l'herbe, déplia la chaise, puis s'installa et étendit ses jambes.

— Hé ! Que faites-vous avec Cléo ? cria-t-elle quand elle vit Margo et la chienne dans la barque.

La femme avait une chevelure couleur caramel.

— Ce n'est pas votre chien ! cria Margo.

Mais elle commençait à douter que la femme fût venue jusqu'ici pour reprendre l'animal. Au contraire, la femme s'installait confortablement, projetant probablement de reprendre la vie qu'elle avait quittée. Michael devait savoir qu'elle reviendrait, c'est pourquoi il ne s'était pas débarrassé de ses affaires.

— Je vais appeler la police, espèce de dingue, dit Danielle sans insister et en buvant une longue gorgée de son verre.

Elle croisa les chevilles.

Margo avait les cheveux propres et elle en avait fait une jolie tresse. Était-ce à cause de son jean usé que cette femme l'avait traitée de *dingue* ? De son vieux blouson Carhartt ? Était-ce sa vieille barque au bois foncé et lourd et aux rames couvertes d'éclats ? Ou son fusil visible sur le banc arrière ? Ou bien était-elle une dingue pour de bon, une enfant-loup, une aberration ? Sa mère la verrait-elle ainsi quand elles se retrouveraient enfin ? Était-ce la raison pour laquelle Margo n'avait jamais pu se faire de nouveaux amis à Murrayville ?

— Vous êtes partie et vous avez laissé le chien, dit Margo d'une voix inaudible pour Danielle. *Et vous avez quitté Michael*, pensa-t-elle. *Et vous avez quitté la rivière.* Margo pouvait être tout ce qu'on voudrait, cette femme-là était une imbécile. Margo se dit qu'elle revenait parce qu'elle avait compris la leçon.

Comme Margo remontait le courant à la rame en direction de la cabane, la Jeep de Michael apparut et se gara près de la voiture gris métallisé. La femme se leva et le rejoignit à mi-chemin dans l'allée. Quand Margo les vit tous deux debout côte à côte, elle eut un peu la nausée. Ils allaient bien ensemble.

— Cléo ! Reviens ! cria Michael.

À son appel, Martin tourna autour de Margo pour s'installer sur le banc arrière. Elle descendit de la barque, ce qui la fit pencher sur le côté. C'était arrivé si vite qu'elle ne put compenser le poids du chien et une gerbe d'eau s'écrasa dans la barque.

— Margaret Louise ! Reviens ! cria Michael avant de se lancer dans une conversation animée avec Danielle.

Et en amont, se dirigeant vers la cabane, Margo vit le bateau pneumatique.

Sa barque commença à se retourner dans le courant et sa proue ne tarda pas à pointer vers l'aval. Avec une seule rame, pour ne pas attirer l'attention de Paul, elle manœuvra en direction de la berge.

Lentement, elle glissa hors de vue de la cabane et de la maison de Michael, passa devant un pêcheur solitaire qui tenait une bouteille dans un sac marron entortillé. Les branches vertes des saules retombaient non loin. À son approche, des tortues peintes et des couleuvres agiles bleues qui se réchauffaient au soleil glissèrent dans l'eau. Un grand héron bleu pêchait sans bruit sur son perchoir de racines, un œil saillant, souligné d'un trait de pinceau, méfiant mais rassuré tant que Margo dérivait avec le courant. Elle fut tentée de prendre les rames et de s'approcher de l'oiseau, mais elle décida de le laisser en paix. Elle sentait la fatigue de ce long voyage entrepris sur la rivière depuis dix mois, cette quête absurde et inutile pour retrouver sa mère. Elle avait besoin de s'asseoir, pour laisser les événements traverser son esprit comme si son existence n'était qu'une histoire qu'elle pouvait lire ou écouter.

Un homme la contourna dans son bateau en aluminium. Elle ballotta dans son sillage puis se mit à tournoyer.

Elle n'avait plus nagé depuis bien longtemps, avant même d'être partie de la maison, et elle avait oublié ce sentiment de liberté qui la gagnait quand elle laissait la rivière l'emporter à sa guise. Elle passa devant une douzaine de bécasseaux sur un banc de sable, puis elle vit un héron bleu s'éloigner furtivement dans les sumacs vénéneux le long de la berge. Elle savait qu'elle aurait dû s'arrêter et reprendre les choses en main, mais un arbre qui ressemblait à Paul lui apparut alors, les bras levés. Un autre avait le visage soucieux de son père. Elle vit les longs bras maigres et bronzés de sa mère comme des branches reflétées, mais le courant, rapide à cet endroit, n'offrait pas de lieu où se reposer. Elle ne voulait pas rentrer à Murrayville, mais elle ne pouvait pas non plus revenir à sa cabane. Elle grimpa sur le banc arrière près de son fusil et se pelotonna là, en pensant au plaisir de se laisser flotter, guidée par la rivière, et au plaisir d'avoir dormi avec Michael hier soir, dans son grand lit.

Quand elle reprit conscience, elle n'avançait plus. L'air était plus froid et il lui semblait pencher à tribord. Au-dessus d'elle il y avait un ponton branlant auquel il manquait un poteau, mais ce n'était pas la maison de la marijuana à Murrayville, comme elle avait cru un court moment dans sa confusion. Sa proue était encastrée dans un banc de sable, près d'une cabane incendiée qu'elle avait aperçue en descendant la rivière avec Brian. Le soleil déclinait mais il ne s'était pas passé plus d'une demi-heure depuis qu'elle avait fermé les yeux. Elle crut d'abord halluciner en voyant un grand héron bleu debout devant elle, à moins d'un mètre, sur la banquette centrale de la barque. Margo ne remua pas un muscle, s'efforçant de ne pas ciller. Elle observa l'œil clair et sauvage surmonté d'un trait, le bec en poignard, et se demanda si l'animal allait l'attaquer. Des gouttes d'eau perlaient sur la crête hérissée de l'oiseau.

Elle demeura parfaitement immobile quand le héron sauta du banc dans le fond mouillé de la barque, s'approchant de Margo comme d'une proie. Elle avait déjà vu des hérons harponner des poissons dans les enchevêtrements de racines inondées, et nourrir leurs poussins en haut des arbres, mais elle n'avait jamais espéré se trouver assez près pour pouvoir en toucher un. Margo suivit le regard de l'oiseau et vit qu'il n'était pas vraiment posé sur elle ; il était à l'affût de quelque chose dans la mince couche d'eau au fond de la barque, un reflet doré, un petit poisson peut-être. Brusquement, le bec en poignard plongea et s'empara de l'objet. C'était une cartouche dorée de carabine .22 long rifle. L'oiseau plongea son regard dans celui de Margo et prit son envol. À l'instant où il ouvrait les ailes, ses plumes frôlèrent les genoux de Margo et, comme s'il prenait conscience de son erreur, il lâcha la cartouche qui tomba sur la hanche de Margo. Elle retint son souffle tandis que l'oiseau s'élevait dans les airs et remontait la rivière. Elle examina la cartouche et se demanda si c'était là un message.

Assise, elle revit dans sa tête le battement des ailes, le bruissement de l'air ; elle pensa à Michael dans son lit, le courant d'air nocturne qui soufflait par la fenêtre, la peau de ses bras au contact de la sienne. Elle allait remonter le courant et suivre le héron. Elle n'était pas certaine de la distance qu'elle avait parcourue à la dérive, mais en admettant qu'elle ait fait près de cinq kilomètres, il lui faudrait environ trois heures pour revenir à son point de départ. Pour amoindrir l'effet du courant, elle longea la rive aussi près que possible sans toucher le fond avec ses rames. Elle se retourna en direction d'un soleil rouge-orange, et quand la couleur se délava, ses yeux s'habituèrent à l'obscurité. Elle rama régulièrement, passa devant les maisonnettes et les cabanes sans lumière, devant les arbres séculaires. Le cri obsédant d'un engoulevent bois-pourri lui donna la chair de poule. Un autre prit son envol et l'accompagna un moment de son battement d'ailes incessant. La silhouette d'une grosse chouette rayée se découpa sur un arbre. Des rats musqués et d'autres prédateurs nocturnes glissaient dans l'eau, remontaient à côté de sa barque et replongeaient tandis qu'elle ramait à contre-courant. Quand apparut un quartier de lune, Margo manœuvra vers une branche morte pour se reposer. Les muscles de ses bras brûlaient et elle ressentait la douleur cuisante provoquée par le frottement des rames à l'intérieur de ses mains. Il lui semblait que la nuit entraînait sa barque, l'attirant dans le flot noir du courant. Elle repartit.

La rivière formait un coude, rétrécissant légèrement, et elle reconnut une pompe d'irrigation et des garages à bateaux sur la rive nord. Elle suivit la direction des étoiles les plus brillantes jusqu'au moment où elles disparurent derrière les arbres.

Mais lorsqu'elle approcha de la cabane, elle vit que le bateau pneumatique était toujours amarré. Une fois parvenue au ponton de Michael, elle mésestima la distance qui la séparait du rivage et tomba dans l'eau à mi-cuisses. Elle attacha la barque sous la passerelle, entre le ponton et la rive, où elle espérait être moins visible. Le bruit avait dû réveiller Michael ou Martin. Une lumière s'alluma dans la chambre à coucher et Martin sortit, gambada jusqu'à la passerelle et au ponton. Margo caressa la chienne en maintenant prudemment la Marlin hors de l'eau.

Elle vit s'allumer la cuisine et elle se hissa sur le rivage.

Michael ouvrit la porte sans lui laisser le temps de frapper.

— Margaret !

— Je peux avoir des allumettes ?

Ce fut tout ce qu'elle trouva à dire, ne sachant pas si son invitation à dîner tenait toujours. Avant d'aller jusqu'à la porte, elle aurait dû regarder dans l'allée si la voiture de Danielle s'y trouvait encore.

— Margaret, entre, dit Michael.

Elle vit la pendule derrière lui. Il était dix heures et demie.

— Il fait froid dehors. Ça sent l'automne.

— Est-ce que Danielle est là ?

Margo serra les dents. Martin se tenait derrière elle.

— Non. Je suis tout seul.

— J'ai ramené Martin. Elle est venue me chercher.

Michael observait Margo :

— Tu as envie de parler de ce qui se passe ?

Margo arrondit les épaules pour s'empêcher de trembler.

— Cette île, en amont, avec les saules. Je t'y emmène en barque si tu veux. Demain.

— Entre, dit Michael. Et nous pourrons en parler.

Il s'appuya contre l'embrasure.

— Parle-moi de cet homme dans la cabane.

— Est-ce que tu aimes les grands hérons bleus ? demanda Margo, qui se sentait ivre, prise de vertige.

— Qui ne les aime pas ?

— Il y a des hérons sur Willow Island. Un campement de hérons. Ils perchent dans les arbres.

Elle posa la main sur le chambranle de la porte.

— Par douzaines. L'un d'entre eux est venu si près que son aile m'a frôlé la jambe.

— Je suppose que tu ne connais pas l'histoire de Léda et du cygne.

Margo se rappela le mot.

— Héronnières, dit-elle. Les hérons vivent dans une héronnière.

— J'aime aussi les grues. Pas très fréquentes dans ces régions, naturellement. Les femelles sont très solitaires. À présent, il est temps de rentrer te sécher.

Il la tira par le poignet mais s'arrêta, sentant qu'elle résistait. Il lui prit la main.

— Si vraiment tu ne veux pas entrer, je te donne juste un peu d'essence pour ta barque, d'accord ? Et j'ai une boîte d'allumettes, elle est pour toi.

— Merci, dit-elle. Tu sais, mon père me manque. Et ma mère. Elle ne veut pas que je vienne la voir.

— Entre, Margaret. Nous pourrons parler de ça.

— Je veux dire… ils me manquent tellement.

Elle ne pouvait même pas imaginer que Michael ou quiconque pût comprendre à quel point il lui avait été difficile de perdre même Brian.

Michael hocha la tête. Doucement, il lui prit les deux mains.

— Cléo va avoir froid dehors à force de t'attendre. On va lui laisser ses deux noms, comme à toi. *Martin Cléo.* Viens, je vais te préparer une omelette. Demain après-midi tu pourras me remercier.

Avant de franchir le seuil, Margo regarda derrière elle, sur l'autre rive, en direction de la petite cabane obscure. Demain, après le départ de Paul, elle pourrait aller à la rame chercher ses affaires – si tout allait bien, son sac à dos se trouverait encore sous le lit. Martin la suivit à l'intérieur, au chaud et à l'abri.

Deuxième partie

11.

Margo apporta le courrier qu'elle avait trouvé dans la boîte. On était au mois d'avril et elle habitait avec Michael depuis la fin du mois de septembre. Les dangers du gel et des inondations étaient loin et, hier, ils avaient replacé le ponton flottant sur ses fûts. Margo avait traversé la passerelle au moins une vingtaine de fois dans la journée, heureuse de le sentir ployer sous son poids. L'arrivée d'une lettre adressée à *Margaret Louise Crane* lui donna l'espoir d'avoir des nouvelles de sa mère, à qui elle avait écrit en donnant l'adresse de Michael. Elle avait reçu une carte de Noël de Luanne qui répétait que ce n'était pas le bon moment pour lui rendre visite, mais qu'elle ne tarderait pas à lui écrire à nouveau. À l'intérieur, elle avait glissé un billet de vingt dollars. Mais l'enveloppe provenait du Secrétariat d'État et contenait la carte d'identité de l'État du Michigan qu'elle avait demandée trois semaines auparavant. Avec ça, elle pourrait obtenir son permis de chasse et de pêche.

Ce soir-là, à son retour, il entra dans la maison comme à l'accoutumée. Puis il ressortit par la porte de derrière et se dirigea vers Margo qui était occupée à ôter la peau d'un poisson-chat au bord de la rive qui longeait sa propriété. Par sensiblerie et aussi un peu par dégoût, il évitait d'ordinaire de venir la regarder préparer le poisson ou le gibier qu'elle avait attrapés.

— Ta carte dit que tu es née en 1963.

Il semblait s'étouffer sur ses mots.

— Je l'ai trouvée sur la table.

— Et alors ?

— Tu as eu dix-sept ans au mois de novembre, après t'être installée ici avec moi. Bon Dieu, Margaret !

La queue du poisson-chat se recroquevilla sur le tronc. Le poisson cambrait son corps à demi écorché, tirant sur le clou qui lui assujettissait la tête à l'arbre. L'après-midi avait été agréable et Margo avait oublié que son âge pouvait avoir de l'importance..

— Bon sang, Margaret, tu ne peux pas l'assommer ?

— Quoi ?

— Ça te fait vraiment plaisir de l'écorcher vif ? Ce foutu poisson. Il souffre. Tu ne peux pas le tuer d'abord ?

— Mon grand-père m'a appris…

— Il t'a appris à dépecer des créatures vivantes ?

— Il m'a dit, c'est-à-dire… les poissons ne ressentent pas la douleur.

— Bon Dieu, Margo, regarde comme il se tord – si ça n'est pas de la douleur…

Margo prit son couteau et trancha l'épine dorsale du poisson-chat. Son corps tomba sur le sol.

— Pardonne-moi, ce n'est pas ce que je voulais dire. C'est juste que je n'en avais jamais vu se débattre comme ça. Ça va, je t'assure.

— En fait, je les assomme toujours, mais parfois ils se réveillent.

Il tenait sa carte d'identité entre le pouce et l'index.

— Tu as même une magnifique photo d'identité. Seigneur, Margaret.

Elle resta silencieuse, le poisson décapité dans une main, le couteau dans l'autre. Le silence avait toujours constitué sa seule réponse en cas de contrariété.

— Tu m'as dit que tu allais avoir dix-neuf ans quand nous nous sommes rencontrés. Tu en avais seize. J'ai couché avec une fille de seize ans. Et maintenant je suis avec une fille de dix-sept ans. Arrête de me regarder comme ça. Ça me rend fou quand tu me dévisages.

Margo regarda au loin, vers la rivière.

— Quel est l'âge de la majorité sexuelle dans cet État ? Je n'aurais jamais pensé avoir besoin de le savoir un jour.

Margo le regarda traverser le jardin et disparaître à l'intérieur de la maison. D'ordinaire, quand il était fâché, il ne le restait pas longtemps. Elle ne savait pas si, cette fois, les choses seraient différentes ou ce que cela pourrait alors signifier. Elle finit d'arracher la peau du poisson, en ne se piquant qu'une seule fois.

L'hiver avait été long et, depuis l'arrivée du printemps, des centaines de jonquilles fleurissaient le long de la maison de Michael. À une quarantaine de kilomètres en aval, Joanna plantait des centaines de jonquilles tout autour de la maison et dans le jardin, certaines qu'elle appelait jonquilles, d'autres narcisses et trompettes, certaines soulignées d'orange, si bien que tous les mois d'avril, la maison des Murray ressemblait à une féerie. Il arrivait que Margo décidât de tirer sur leurs corolles avec un fusil à grenaille, mais c'était seulement pour faire jaillir les pétales tels des feux d'artifice, pour créer une autre sorte de beauté. La grenaille, c'était ce dont se servait Annie Oakley pour faire exploser des boules en verre lors de ses spectacles.

Margo aimait la vie qu'elle menait auprès de Michael, mais après tous ces mois, elle n'osait pas encore défaire ses bagages. Elle lavait ses vêtements dans sa machine à laver et les remettait dans son sac. Elle piaffait quand elle passait trop de temps à l'intérieur, mais elle savait qu'il lui serait difficile de vivre privée des conforts qu'offrait la maison de Michael, sans chaudière, sans eau chaude et sans provisions. Elle avait recomposé sa vie autour du rythme et des habitudes judicieuses de Michael, à tel point qu'elle pouvait passer des heures sans penser à son père ou à son ancienne vie, ni même à Brian et Paul, en dépit de la cabane juste sur l'autre rive. Le soir, Margo l'aidant, il travaillait patiemment à ses projets, finissant d'installer les planchers et les plinthes dans toutes les pièces, s'efforçant de maîtriser tous les savoir-faire nécessaires pour rendre sa maison parfaite. À la pensée qu'il puisse achever la rénovation, elle ressentait un certain malaise – elle craignait qu'une fois la maison à son goût, il ne se décide à la transformer, elle. Fort heureusement, il était loin d'avoir terminé le bateau, qui l'occuperait sans doute encore longtemps.

Margo avait beaucoup appris sur Annie Oakley depuis que Michael lui avait offert un exemplaire d'*Annie Oakley, Vie et Légende*. Le livre racontait qu'Annie, née Phoebe Ann Mosey, avait changé de nom une fois adulte. À la mort de son père, sa mère avait envoyé la petite Phoebe, alors âgée de treize ans, vivre avec un couple sans enfants. Ils lui confiaient des travaux harassants, la battaient et ne la nourrissaient pas suffisamment. Elle les appelait les Loups. Dès qu'elle avait pu s'échapper du grenier où ils l'enfermaient, elle avait couru se réfugier chez sa mère. C'est seulement alors qu'elle avait pris le vieux fusil de la famille posé sur la cheminée et commencé à chasser pour payer son écot.

Quand, au bout de vingt minutes, Michael fut de retour, il n'était toujours pas calmé. Margo s'essuya les mains sur son jean.

— L'âge de la majorité sexuelle est dix-sept ans dans cet État, dit-il. Mais dix-sept ans. C'est si jeune. Devrions-nous parler à quelqu'un de ta famille à Murrayville ? Il est peut-être temps de retrouver ta mère. Et puis, c'est quoi son problème ?

Margo secoua la tête. Elle n'était pas désespérée au point d'aller là où elle n'était pas la bienvenue.

— Tu viendras nager avec moi quand il fera chaud ? demanda-t-elle, d'une voix calme.

Elle avait envie de changer de sujet.

— Je ne suis pas un très bon nageur. Peut-être qu'on devrait se marier.

Il la regarda droit dans les yeux.

— Pourquoi ?

— Pourquoi ? Pour toutes les raisons habituelles. L'amour. Je t'aime, Margaret Louise, dit Michael. Et je crains peut-être, à moins de t'épouser, de faire quelque chose de mal.

— Il faudrait que j'aille à l'église ? Ou à l'école ?

Tous les dimanches, Michael tentait de la convaincre de l'accompagner à son église hippie. Elle y était allée une fois, elle avait écouté le prêtre. L'homme était de bonne volonté, elle n'en doutait pas, mais il était aussi ennuyeux qu'un maître d'école. Elle avait aimé la guitare, mais pas la façon dont les gens voulaient ensuite lui serrer la main et lui parler. Les gens ne lui déplaisaient pas, expliqua-t-elle à Michael, mais à l'église il y en avait trop d'un coup. Il dit qu'il n'y avait pas de problème si elle ne venait pas, mais il était déçu qu'elle ne veuille pas être membre de sa communauté. Et il était déçu également qu'elle ne montrât aucun intérêt pour l'école. Selon lui, Margo avait besoin d'avoir des projets d'avenir, il ne suffisait pas de vivre une vie merveilleuse au bord de la rivière, à pêcher, chasser, ramasser des baies, des noix et des champignons.

— Tu ne serais pas obligée de faire quoi que ce soit que tu n'aies pas envie de faire. Bon, oublie tout ça.

Il s'écarta.

— Ce n'était pas la bonne façon de te le demander. Ni le bon moment, je suis trop énervé.

Margo regarda couler la rivière. Les gens disaient que Joanna et Cal formaient un couple solide et Margo était sûre que Joanna dirait qu'elle était heureuse d'avoir épousé Cal. Son père et sa mère, c'était une autre histoire.

— Mais si je te le demandais, que dirais-tu ?

Michael s'agenouilla dans l'herbe et lui prit la main. Elle était encore toute poisseuse.

— Voilà qui est un peu mieux. Veux-tu m'épouser ?

Elle baissa les yeux sur lui. Il portait encore son pantalon de travail. Il avait ôté sa cravate dans la maison, mais sa chemise blanche était restée boutonnée jusqu'en haut.

Depuis qu'elle vivait avec Michael, elle parlait davantage, elle disait même des choses qu'elle n'aurait probablement pas dû dire, à propos de son père, de sa mère et de certains Murray, mais elle ne lui avait pas parlé de Cal, de Paul ou de Brian.

Michael semblait généralement heureux de l'écouter. Ils menaient une vie agréable. Ils faisaient l'amour presque tous les soirs, sans s'inquiéter d'une grossesse éventuelle. En dépit de la façon dont elle connaissait et dont elle aimait Michael, le mariage ne lui avait jamais traversé l'esprit.

— Pourquoi me regardes-tu de cette façon étrange ? Là d'où tu viens, on ne se marie pas ?

— D'accord, dit Margo.

— *D'accord* quoi ?

— Je vais t'épouser.

— La réponse est oui ou non, dit Michael en souriant. *D'accord*, c'est un peu moins enthousiaste que je ne l'espérais.

— D'accord, *oui*.

— Tu es sûre ? Je n'aurais pas dû te poser la question de cette façon. Et je n'ai même pas de bague, Margaret. Un homme ne fait pas de demande en mariage sans bague.

— Annie Oakley a épousé Frank Butler à l'âge de dix-sept ans, dit Margo. Il avait vingt-huit ans. Comme nous. Ils ont passé le reste de leur vie ensemble. Avec des chiens.

— Pas d'enfants ?

— Non.

— Entendu, si c'est bon pour Annie Oakley, c'est bon pour nous. Bon, qu'est-ce qui pourrait nous servir de bague par ici ?

D'après ses lectures, Margo savait qu'il flottait une incertitude sur l'âge réel d'Annie Oakley. Le Wild West Show avait intérêt à ce qu'on la croie aussi jeune que possible. Elle savait également qu'Annie voulait des enfants, mais qu'elle n'avait pas pu en avoir.

— Mon Dieu, il y a quelques minutes, j'étais écrasé de culpabilité et maintenant je suis le plus heureux des hommes.

Il cueillit un unique pissenlit parmi le petit nombre qui avait fleuri jusque-là, et il lui demanda s'il pouvait lui emprunter son couteau. Il fit une entaille dans la tige du pissenlit et le passa à son doigt, de telle façon que le dos de la main de Margo était orné d'une grosse fleur jaune.

— Nous faisions pareil ! s'écria Margo, ravie. C'est ma tante Joanna qui me l'a appris.

— Tu veux te marier à l'église ?

Il croisa les mains.

— Je crois que je connais la réponse. Nous nous marierons au bord de la rivière.

Elle était bouleversée. Elle ne quittait pas des yeux le pissenlit à son doigt.

— Nous ferons une petite fête, juste nous et quelques amis. Peut-être ta mère montrera-t-elle le bout de son nez ?

Ils s'embrassèrent sur la berge avec, au-dessus d'eux, le tremble qui frémissait et faisait bruire ses feuilles argentées. Le vent se chargea de la fraîcheur du dégel et souffla sur eux dans l'air chaud.

— Est-ce qu'on devrait attendre que tu aies dix-huit ans ? Jusqu'à la fin du mois de novembre ? C'est dans sept mois.

Elle hocha la tête. Michael s'assit en tailleur dans l'herbe et l'attira près de lui.

— Pardonne-moi d'avoir crié tout à l'heure, dit-il en lui prenant les deux mains dans les siennes. Je pète les plombs parfois.

12.

Margo, assise en face de Michael à la table, déjeunait distraitement, surveillant l'activité en amont, sur l'autre rive. Paul était dans la cabane depuis le milieu de la matinée avec Charlie et Johnny, et Margo avait l'intention de rester à l'intérieur jusqu'à ce qu'ils repartent à bord du bateau pneumatique. D'ordinaire, ils ne s'attardaient que le temps nécessaire pour remplir des bouteilles de verre dans la cuve bleue enfouie derrière la maison, mais comme Charlie était en train de balayer la véranda, Margo craignait que l'un d'eux n'eût l'intention de rester. Elle tentait de se tranquilliser en se répétant que la vue de Paul était mauvaise et la maison de Michael, située en retrait du rivage.

— Il va faire chaud, dit Michael en mordant dans son hamburger au fromage grillé.

— Peut-être Martin et moi irons-nous pêcher aujourd'hui, dit Margo, reportant son attention sur Michael et leur repas.

Le mercredi, il rentrait tard, il partait travailler à midi et n'était jamais de retour avant huit heures et demie ou neuf heures.

— Tu as envie de manger de la truite ce soir ? Je pourrais peut-être essayer d'en attraper dans l'après-midi avec des vers de terre.

— Tu n'as donc jamais envie de faire autre chose que pêcher et chasser ? dit Michael d'une voix hésitante.

— Oh, tu sais, Grand-Père m'a appris à écorcher les lapins et les rats musqués. Il disait que c'était une bonne chose pour une fille. Et tu sais que je sais faire la cuisine.

— Ton grand-père, rit Michael, pensait peut-être que tu saurais aussi d'autres choses, les maths et l'histoire par exemple, en plus de savoir écorcher des animaux.

— Il n'est pas allé plus loin que le cours moyen. Annie Oakley n'est pas allée plus loin que le cours moyen.

— C'était une autre époque. Maintenant, il faut faire des études pour aller quelque part.

— Je pourrais participer à des concours de tir, dit Margo.

— Ils disent dans le journal que l'usine métallurgique Murray licencie encore dix-huit employés. Les temps sont durs pour l'industrie. Tu es sûre de ne pas vouloir aller rendre visite aux Murray ? J'irai avec toi. D'après le journal, Cal Murray est dans un fauteuil roulant depuis qu'il a été victime d'une agression, l'an dernier, dans un bar.

— Je te l'ai déjà dit, nous ne nous entendons pas. Pas depuis la mort de mon grand-père.

— Je regrette de ne pas avoir connu ton grand-père. Certes, c'était un homme des bois, mais également un excellent homme d'affaires.

— C'est son père qui a fondé l'entreprise. Grand-Père disait qu'il n'avait jamais vraiment voulu être président. Mais il l'a bien développée.

— Parfois, dans la vie, les gens sont obligés de faire des choses qu'ils n'ont pas envie de faire.

— Tu veux que je gagne de l'argent ? demanda Margo.

D'après le livre qu'il lui avait donné, Annie Oakley faisait vivre sa famille en chassant. Elle tuait des animaux et des oiseaux pour se nourrir mais aussi pour les revendre en ville. C'est bien après qu'elle s'était servie de son talent pour monter des shows.

— Non, je veux que tu connaisses la joie d'apprendre de nouvelles choses. Et parfois, cela vaut la peine d'en passer par ce qui te déplaît si cela te permet d'atteindre tes objectifs. Tu n'as pas besoin de finir le lycée. Je crois que tu peux obtenir un certificat d'études secondaires et aller à l'université publique. Tu peux préparer un diplôme de biologie en deux ans ou quelque chose dans ce goût-là, qui pourrait te permettre de travailler au grand air.

— Tu disais que, pour apprendre, je n'avais pas besoin d'aller à l'école. Je peux lire des livres.

— Tu n'aimes aucun des livres que je t'ai apportés, sauf celui sur Annie Oakley. Dis-moi ce que tu as envie de lire d'autre.

— J'aime bien le livre sur le chasseur indien, le type qui vivait dans une grotte dans le Nord. Et j'aimerais lire d'autres livres sur le tir. Sur les concours de tir.

Elle regarda en direction de la rivière. Paul semblait être occupé à nettoyer les sièges du bateau de Brian avec un seau d'eau et un chiffon ; malgré la chaleur, il avait gardé son jean et ses bottes. Elle regardait encore lorsque Johnny ôta son short et ses tennis, posant nu au bord du ponton. Il avait les bras bronzés jusqu'aux biceps mais son torse, pâle à partir du cou, la fit sourire. Il plongea en soulevant une grande gerbe d'eau. Pourquoi attendait-elle encore pour nager ? se demanda Margo. On était déjà en juillet. Pourquoi ne nageait-elle plus du tout depuis qu'elle avait quitté Murrayville ? Johnny émergea de l'eau.

— Que dirais-tu de partir un peu en vacances ? demanda Michael. Où aimerais-tu aller ?

— On pourrait remonter la rivière et camper à Willow Island ?

— On devrait aller voir quelque chose de nouveau.

Elle haussa les épaules. Johnny hissa son corps hors de l'eau et grimpa sur le ponton. Il souriait, cela ne faisait aucun doute, et criait quelque chose à Paul. Ses fesses blanches luisaient comme une lune contre le feuillage luxuriant qui entourait la cabane.

— Je vais peut-être aller nager aujourd'hui, dit Margo.

— Après le mariage, nous irons en voyage de noces.

— Tu veux dire dans les cabanes de Heart of Pines ?

— En hiver, les hérons vont en Floride, dit Michael. J'ai entendu dire qu'on peut en voir des centaines par endroits. Et peut-être des grues aussi. Vous n'aimeriez pas voir des grues du Canada, mademoiselle Crane ? Pour travailler votre imitation des grues ?

Margo ne parvenait pas à croire que Michael ne se soit pas aperçu de la présence des deux hommes dans la cabane sur l'autre rive.

Dès qu'il partit pour son travail, quelques minutes avant midi, elle alla dans la salle de bains observer par la baie vitrée coulissante. Elle ne se sentit pas menacée lorsqu'elle vit Paul regarder en direction de la rive opposée, mais il ne bougeait pas et elle s'aperçut qu'il tenait des jumelles. Elle s'éloigna de la baie vitrée, regrettant d'être restée là, telle une cible, si longtemps.

La maison était sans doute son abri le plus sûr, mais si Paul venait accompagné des deux autres, elle serait piégée à l'intérieur. Malgré la chaleur, elle laissa les portes ouvertes pendant qu'elle faisait la vaisselle et nettoyait la cuisine, frottant les plans de travail pourtant déjà propres, comme l'aurait fait Michael. Son inquiétude subsista, même après que les trois hommes eurent fermé la cabane et disparu vers l'amont. Voulant faire quelque chose pour Michael, elle tondit une partie de la pelouse avec la vieille tondeuse à bras, mais elle ne dessina pas les lignes aussi droites qu'elle les avait imaginées. Cet après-midi-là, le vent souffla une odeur de goudron qu'elle n'avait encore jamais remarquée. Des colverts et quelques canards noirs se posèrent sur la rivière entre elle et la cabane et, sans répondre à ses *coin-coin*, se laissèrent dériver dans le courant. D'ordinaire, elle était heureuse de passer quelques heures à contempler l'eau en compagnie du chien pêcheur, mais elle se demandait à présent si elle devait faire quelque chose de plus productif. Il y avait quelques jours de cela, elle avait repêché des courges qui flottaient dans le courant. Elles étaient grosses, plus grosses et plus longues que tous les poissons qu'elle avait pêchés jusqu'alors, et elle avait trouvé amusant de courir et de les arracher au courant. Cet après-midi, elle les emporta avec elle dans les bois et s'en servit de cibles. Cela faisait des mois qu'elle n'avait pas utilisé le fusil que Brian lui avait donné. Elle emporta le calibre .12 et mit les protège-tympans que Michael lui avait offerts pour Noël. Elle avait une demi-douzaine de cartouches pour petit gibier dans la poche, ainsi qu'une demi-douzaine de grosses cartouches de chevrotine. Elle n'aimait pas enfermer Cléo quand elle tirait, mais elle l'avait promis à Michael le jour où celui-ci l'avait vue examiner la photo d'Annie Oakley avec son chien, Dave ; dans cette photo, Annie se préparait à tirer sur une pomme placée sur le crâne de Dave.

Margo s'en fut alors dans les bois, imaginant que les courges n'étaient autres que Paul et Billy, ou bien d'obscurs violeurs et assassins, et les réduisit en bouillie l'une après l'autre. Si seulement Michael acceptait de tirer avec elle, ils pourraient tous les deux installer un lanceur de ball-trap, mais quand elle l'avait évoqué récemment, il lui avait conseillé de s'inscrire au club de tir. L'idée était surprenante. Cal et ses fils appartenaient au club de chasse et de pêche entre Murrayville et Confluence, mais elle n'avait jamais entendu parler de membres féminins.

Margo tira sur des morceaux de courge jusqu'au moment où la lumière prit une coloration dorée. Elle ôta ses protège-tympans et, assise en tailleur contre un arbre, attendit le retour des oiseaux. Le volume du chant des cigales monta jusqu'au rugissement crissant, puis faiblit peu à peu. Margo imita le *yank-yank* nasal d'une sitelle à poitrine blanche, puis la plainte d'un oiseau jardinier perché entre elle et l'eau. Quand elle entendit la voiture de Michael dans l'allée, elle sourit et lança son cri d'oiseau dans sa direction, bien qu'il ne pût ni la voir ni l'entendre. Quelques minutes plus tard, tandis qu'elle regagnait la maison avec son fusil, elle vit un bateau pneumatique s'attacher au ponton. Margo se baissa et regarda Michael aller jusqu'à la passerelle et sur le ponton pour parler au visiteur. Comme elle s'approchait sans faire de bruit, ses craintes se confirmèrent : Michael parlait avec Paul. Toujours cachée, elle se rapprocha encore pour entendre leurs voix.

— Eh bien, où est-elle dans ce cas ? dit Paul, dont le visage était hébété. Je voudrais lui parler.

— Je crois qu'elle veut vous éviter.

— Elle ne vous appartient pas. Dites-lui que je dois lui parler.

Margo s'accroupit en faisant si peu de bruit qu'un foulque continua à se laisser dériver sur le courant sans s'inquiéter d'elle.

— Bien sûr qu'elle ne m'appartient pas. Elle n'appartient qu'à elle-même.

— C'est elle, dans la maison ? demanda Paul.

Margo vit que Cléo se dressait, aussi haute qu'une petite personne, les pattes contre la moustiquaire. Elle se cacha derrière le tronc d'un saule. Le chant des cigales monta à nouveau en puissance.

— C'est mon chien, dit Michael.

— Je l'ai déjà vue, depuis l'autre rive. Je sais qu'elle est là.

Comme répondant à un ordre, le chien pêcheur se mit à aboyer.

— Vous lui avez fait quelque chose ? demanda Michael.

— Ça lui est égal ce que fait un homme. Elle ne dit jamais non.

Paul sortit du bateau et posa le pied sur le ponton qui s'enfonça sous son poids. Il marcha jusqu'au milieu et s'arrêta à quelques dizaines de centimètres de Michael. Il n'y avait personne d'autre dans le bateau. Margo regarda, sur l'autre rive, la maison sombre et vide. Quand il avait remonté la rivière quelques heures auparavant, Paul avait dû ramener Charlie et Johnny à Heart of Pines.

— Qu'est-ce que vous lui voulez ?

— Je veux lui dire que mon frère Brian a écopé de huit ans de prison pour coups et blessures et de six autres pour homicide involontaire. Son putain d'avocat l'a convaincu de plaider coupable. Il a dit qu'il aurait quelques années de remise de peine pour bonne conduite. Le problème, c'est que mon frère oublie la notion de bonne conduite dès qu'il doit faire le dur devant une bande.

— Qui est Brian pour elle ?

— Elle ne vous raconte pas tout, hein ? Mon frère est en prison parce qu'il a dû faire un sale boulot pour elle.

— C'est encore une enfant. Elle n'est pas responsable de ce que font les hommes.

— Et elle a pris des choses qui nous appartiennent, à Brian et moi. Un fusil, pour commencer.

Margo eut envie de hurler par-dessus le cri des cigales que Brian le lui avait donné, mais elle resta immobile.

— Je vais peut-être prendre sa barque à la place. En échange.

— Si vous partiez, maintenant ? dit Michael. Sortez de ma propriété.

— Ça me fait rigoler, les menaces d'un petit minus comme vous.

Paul recula, faisant pencher le ponton qui se balança quand il passa d'un pied sur l'autre. Le courant repoussait le bateau pneumatique contre le ponton et son flanc battait contre les planches.

— J'appelle la police si vous refusez de partir, dit Michael.

Il s'efforçait de garder l'équilibre. Margo avait envie de lui dire que menacer Paul de la police n'aurait pas pour effet de le calmer.

— Vous croyez sérieusement que la police aura le temps d'arriver si j'avais envie de vous amocher ?

Paul saisit Michael par le col de la chemise et l'attira à lui. Margo se rappela avec quelle force il s'était saisi d'elle dans la chambre de Brian. Michael se raidit, repoussa Paul et manqua tomber en arrière dans l'eau. Mais il se rétablit et campa sur sa position.

— Dis-lui de venir, fit Paul.

Margo se rapprocha. Le visage de Paul lui était presque aussi familier que celui de Michael. À cette distance, elle voyait même combien son bon œil semblait étrange, les bords rougis et gras.

— Et ne crois pas avoir ramassé un petit fruit innocent, dit Paul. Moi-même j'en ai pris un morceau.

Margo sentit son pouls grimper. Son père l'avait suppliée, *Réfléchis avant d'agir*, et elle réfléchissait, mais c'est alors que Paul enfonça son doigt dans la poitrine de Michael :

— La prochaine fois que vous êtes au pieu tous les deux, demande-lui si elle se souvient...

— Laisse-le tranquille ! cria Margo.

Sa voix résonna sur la rivière. Elle s'accroupit à nouveau derrière un cornouiller.

— C'est toi, Maggie ? Si tu venais me parler, ma belle ?

La voix de Paul semblait étrangement intense. Il était défoncé.

Margo ne bougea pas.

— Non, Margaret Louise, lança Michael. Ne fais rien.

— Oh, c'est *Margaret* maintenant ? *Margaret Louise.* Très joli. Viens donc ici nous parler. Je vais te raconter comment tu as détruit la vie de mon frère.

Elle pouvait courir jusqu'à la maison, prendre son sac à dos et partir, en laissant Michael et Paul se débrouiller entre eux. Mais elle n'avait aucun mal à imaginer Paul assommant Michael et le jetant à l'eau.

Comme s'il lisait dans ses pensées, Paul saisit Michael par le col, l'attirant vers lui. Puis il le repoussa et cette fois Michael tomba en arrière sur le ponton. Sa tête cogna le bois avec un bruit creux.

— Mais qu'est-ce que tu lui veux, à cette petite pute ? fit Paul en lui posant une botte sur la poitrine. Tu m'as l'air d'un type respectable. Jolie maison. Une foutue cravate pour aller au travail.

Le bout de sa botte écrasait maintenant la cravate de Michael, et celui-ci ne se défendait plus.

Michael s'étrangla.

— Lâche-le ! cria Margo qui s'était arrêtée à une vingtaine de pas.

— Non, Margaret ! hurla Michael. Rentre dans la maison, appelle les flics !

— Tu sais bien que tu finiras par me parler, Maggie. Et ton petit ami doit aller travailler de temps en temps et te laisser toute seule.

— Va-t'en maintenant, s'il te plaît.

Margo leva son fusil et visa les genoux de Paul, son entre-jambe, son ventre, son cœur et ses poumons, comme pour un cerf.

— Donne-moi ce fusil, ma princesse. Tu ne vas tirer sur personne.

Paul enfonçait la pointe de sa botte dans le cou de Michael. Margo connaissait ses os délicats et sa pomme d'Adam pointue. Avec ces grosses bottes de chantier, Paul pourrait bien lui écraser la gorge.

— Lâche-moi, vieux, cracha Michael.

— Tu n'es pas en position de me dire ce que je dois faire.

Il bougea le pied et Michael s'étouffa. Margo se rappela cette sensation d'écrasement, la respiration coupée, la chaleur du souffle de Paul sur elle. Elle ajusta la crosse du fusil dans le creux de son épaule, prit le bon œil de Paul dans son viseur.

— Tu me fais mal, cria Michael.

— Je vais te faire encore plus mal, dit Paul. Et à elle aussi.

Margo pressa la détente.

À vingt pieds, le calibre .12 cribla le visage de Paul d'une pluie serrée de chevrotines qui l'atteignirent avant même, semblait-il, qu'elle eût fini de presser la détente. Margo était plantée si solidement qu'elle sentit à peine le recul. Paul vola en arrière, retomba sur le flanc de son bateau qui dansa violemment sous l'impact, tout comme le ponton une fois libéré de son poids. Les pieds de Paul touchaient à peine le bord, et ses épaules et ses bras étaient renversés sur le bastin-gage du bateau pneumatique. Son dos était tordu de façon anormale. Le sang qui jaillissait de son visage se répandait sur son corps, inondait le bâbord et devenait un ruisseau rouge qui coulait dans la Stark. Margo se demanda quelle quantité de sang son corps pouvait contenir. Michael n'était pas parvenu à se relever, bien qu'il fût apparemment indemne. Il s'accrocha aux planches.

Margo dirigea le canon du fusil vers le bas, et marcha jusqu'à lui. Elle examina le corps de Paul, figé sur place, la tête renversée, le torse pointant vers le ciel. Le corps de Paul paraissait aussi peu naturel que son propre corps quand elle avait été sous lui. Elle entendit un avion au-dessus de sa tête, traversant lentement le ciel.

— Margaret, qu'est-il arrivé ? demanda Michael.

Il tenta à nouveau de se relever, mais se rassit.

— Appelle une ambulance. Il saigne beaucoup.

Quelque part, une mouette lança un cri ; une autre mouette lui répondit. Margo s'efforça de se ressaisir.

— Je vais appeler. Je vais leur dire de se dépêcher.

Michael réussit enfin à se lever. Il regarda le corps. Il tendit la main vers Margo et la laissa retomber.

— Il n'est pas mort, n'est-ce pas ?

— Il fallait que je te protège.

— Quoi ? Oh, mon Dieu. Il est mort ?

— Il t'aurait tué. Il avait son pied sur ta gorge. Tu as une marque, là, de sa botte.

— Margaret, s'il te plaît, pose ce fusil, dit Michael d'une voix où perçait la peur. J'aurais préféré que tu ailles dans la maison et que tu appelles la police.

— Je ne pouvais pas te laisser avec lui. Il était défoncé. Tu as vu ses yeux ?

— Il faut appeler la police tout de suite. On y va ensemble.

— Il m'a violée, cracha-t-elle.

— Oh, Seigneur ! J'aurais dû le savoir. Pourquoi ne pas me l'avoir dit ? Nous aurions pu obtenir une mesure d'éloignement. Ou quelque chose.

— Ça ne l'aurait pas arrêté.

Margo ne supportait pas l'expression de Michael, son visage décomposé. Il voulut s'emparer de son fusil. Elle recula d'un bond et jeta l'arme entre eux, sur les planches de bois.

— Tout est arrivé si vite, dit-elle. Mais tu ne te rends pas compte. Il allait vraiment te faire du mal.

— Nous étions les plus heureux du monde. C'est ce que nous étions à midi, les êtres plus heureux du monde. Tu te souviens ?

Sa voix montait dans les aigus, devenant aussi perçante que les cris des cigales.

Margo gardait les yeux fixés sur le fusil. Oui, elle se souvenait. Elle se souvenait d'avoir pris le petit déjeuner aujourd'hui. Du soleil sur la table, des assiettes à motifs jaunes et blancs parsemées de miettes de pain.

— Il n'y a pas de sang sur le ponton. Personne n'a rien vu, dit Margo.

Le sang continuait à couler en longs rubans rouges sur le flanc du bateau, mais pas une goutte n'avait éclaboussé les planches. Elle regarda en amont et en aval de la rivière, ne vit personne approcher ou s'éloigner, personne ne traînait près de l'eau. Chez le voisin le plus proche, l'allée était déserte. Demain, si elle faisait bien les choses, ils prendraient leur petit déjeuner comme d'habitude, avec des œufs et des toasts, du beurre et de la confiture. La surface de la rivière ondoyait sous la lumière dorée du soleil couchant. Sa première pensée fut de pousser Paul entièrement dans le bateau, de le détacher du ponton et de le laisser voguer au fil du courant, mais il risquait de ne pas aller assez loin avant d'être découvert en train de dériver ou échoué sur le rivage, comme sa barque quand elle s'était endormie à son bord.

— Il faut appeler la police.

— Personne n'a rien vu, Michael. Poussons-le dans le bateau.

Elle n'avait qu'un filet de voix. Elle regretta d'avoir parlé. Ce n'était pas le moment.

— C'est la scène du crime. On n'a pas le droit de toucher au corps, dit Michael, secouant la tête. Il faut que je réfléchisse, Margaret. Laisse-moi réfléchir une minute.

Margo repensa au cerf qu'elle avait tué sur l'autre rive à Murrayville. Elle avait lutté avec le grand corps avant d'avoir l'idée de se glisser sous la carcasse et de la soulever à la force de ses jambes. Elle aurait dû être capable de faire la même chose quand Paul était sur elle dans le lit de Brian, capable de le soulever à la force de l'épaule et de le renverser. Elle lui aurait alors mis un couteau sous la gorge et l'aurait empêché d'aller plus loin. Elle n'aurait pas été forcée de le tuer sous les yeux de Michael. Tandis que celui-ci reculait lentement, Margo se positionna sous les jambes de Paul et poussa. Le corps glissa sur le côté, roula au-dessus du bastingage sur la banquette et se renversa sur le revêtement, où Johnny était tombé sur le cerf recouvert par la bâche. La chemise de travail de Paul remonta, révélant son ventre pâle. Margo lança de l'eau sur le flanc du bateau, rinçant sans relâche jusqu'à ce qu'il n'y eût plus de sang sur la fibre de verre. Le courant emporta les résidus. Elle-même portait un T-shirt noir, sur lequel le sang ne se remarquerait pas. Elle se pencha, se rinça les mains dans l'eau et se lissa les cheveux. Puis elle ramassa le fusil.

— Margaret, c'est une scène de crime. Toucher quoi que ce soit est aussi un crime. Tu ne comprends pas. Tu dois arrêter maintenant et faire ce qu'il convient. Il faut que tu comprennes la gravité des événements.

Il recula encore, jusqu'au moment où il heurta le bord de la passerelle. Il trébucha et faillit tomber.

Margo sortit une bâche bleue pliée dans un coffre sous le banc à l'arrière. Elle la déplia sur le corps de Paul, couvrit la flaque de sang qui se formait autour de lui et imbibait le revêtement qui tapissait le fond du bateau.

— Parle-moi, dit Michael. Dis-moi que tu comprends ce que tu viens de faire à un autre être humain.

Le seul regret de Margo, à cet instant précis, c'était la réaction de Michael, sa manière de s'éloigner d'elle au moment où elle avait besoin de lui.

— Personne ne saura rien.

— Margaret. Tu ne penses pas clairement. Il faut aller le signaler. Les autorités comprendront que tu as voulu me protéger.

Margo fit tourner la clef du moteur qui s'élança aussitôt. Elle vérifia le réservoir, dont la jauge indiquait qu'il était plus qu'à moitié plein. Elle éteignit le moteur et regarda autour d'elle, satisfaite de ne voir personne ni aucune lumière dans les maisons voisines. Elle chercha des gants dans le coffre à outils et en enfila une paire en coton marron. Elle frotta le fusil soigneusement pour en ôter toute trace d'empreintes. Elle recouvrit le corps et le fusil sous la bâche.

— Margaret, chérie, nous leur dirons qu'il t'a violée. Nous leur dirons qu'il menaçait de me tuer. Tu as dit que j'avais une marque sur la gorge.

Il porta la main à son cou.

— On va les appeler tout de suite.

— Et j'irai en prison, c'est ça ?

— Je ne sais pas. Mon Dieu, tu es si jeune, trop jeune pour ça. Trop jeune pour connaître un homme comme lui. Quand j'ai su quel âge tu avais réellement, j'aurais dû te renvoyer chez toi.

Margo pensa à Billy, à la façon dont la police l'avait emmené, lui, un Murray. Les Murray qui pouvaient pratiquement tout faire sans en payer le prix.

— Ils voudront t'interroger, dit Michael. Et moi aussi. Tous les deux. On prend la Jeep tout de suite et on va au commissariat. On leur raconte toute l'histoire.

Margo regardait la rivière les yeux plissés en direction du soleil couchant. L'obscurité descendait souvent sans qu'elle s'en aperçût, jusqu'au moment où, brusquement, les berges devenaient noires. À présent, elle était soulagée de sentir l'approche de la nuit.

— Margaret, dis quelque chose. Tu me fais peur.

— Tu n'as rien à craindre.

— Tu n'as encore jamais fait une chose pareille. Ils ne seront pas trop sévères. Même si je redoute ce qu'ils vont penser de moi quand ils découvriront que je vis avec une fille de dix-sept ans.

Margo voulut entrer dans la maison pour y prendre sa carabine, mais elle résista à cette pulsion, de crainte de changer d'avis ou de ne plus croire en ce qu'elle projetait de faire. Elle n'avait pas envie de remonter la rivière avec Paul ; ce qu'elle voulait vraiment, c'était rester avec Michael, le calmer, essayer de lui faire comprendre que Paul avait été un homme dangereux, qu'il n'était pas comme les autres. Elle lui avait sauvé la vie, mais il ne l'écoutait pas.

Elle prit quelques inspirations, absorba les mouvements de la rivière par les pieds et les jambes. Les poissons, les tortues et les oiseaux aquatiques étaient sa famille, songea-t-elle, pas les humains, en dépit du réconfort qu'elle pouvait tirer de la nourriture et des lits, des douches chaudes et de l'amour physique. Même quand elle vivait dans la maison de son père, chaque matin, été comme hiver, la rivière lui parlait plus clairement que lui.

Elle s'assit aux commandes, mit le moteur en marche et étudia le tableau de bord. L'essence se dispersait dans l'eau dans le sillage du bateau, en couleurs chamarrées qui devenaient psychédéliques sous la lumière déclinante.

Tandis qu'elle remontait le courant dans la nuit qui s'épaississait, elle entendit un craquement derrière elle. Cléo avait déchiré le grillage de la double porte en aluminium. Elle bondit à travers le trou et courut vers le rivage, jusqu'au ponton. La dernière fois que Margo regarda en arrière, elle vit Michael, assis en tailleur, serrant dans ses bras le chien pêcheur.

*

Quand elle revint, à pied, juste avant cinq heures, Michael était sous la douche. Elle sortit un T-shirt de son sac à dos, l'enfila, et s'assura que son jean était sec avant de s'asseoir au bord du lit. Elle caressa la tête de Martin Cléo et attendit. Quand Michael entra dans la chambre et la vit, il lâcha la serviette qu'il resserrait autour de sa taille.

— Je dois aller au commissariat, dit-il, ramassant sa serviette pour s'en couvrir. J'y ai pensé toute la soirée.

— Le bateau est à Heart of Pines, chuchota-t-elle. Il est attaché à l'endroit habituel, juste au-dessus de la station-service. Ils ne le retrouveront peut-être pas avant plusieurs jours. Voire plusieurs semaines.

Elle tendit la main à Michael, qui la prit machinalement.

— Ne me dis plus rien, fit-il en lâchant sa main.

— Je n'ai laissé aucune empreinte. Je me suis cachée jusqu'à la nuit et ensuite j'ai attaché le bateau. Personne ne m'a vue.

Après quoi elle était revenue à pied en suivant la route qui longeait la rivière. Elle avait enveloppé une pierre de son T-shirt ensanglanté. Elle avait rempli les gants de boue et les avait plongés dans l'eau.

— Tu ne peux pas tuer quelqu'un sans en assumer les conséquences.

Elle replaça sa main sur ses genoux. Elle ignorait si c'était vrai ou si les règles auxquelles Michael obéissait étaient bancales. Après tout, Brian s'en était bien tiré après avoir tué un homme là-haut, dans le nord, du moins avant d'avoir stupidement agressé Cal. Peut-être lui faudrait-il payer un prix différent de celui qu'estimait Michael.

Elle savait qu'il détestait son silence. Elle avait espéré qu'il changerait d'avis au cours de la nuit, mais il semblait au contraire plus déterminé que jamais à appeler la police.

— Toute cette année, j'ai cru que tu avais changé, dit-il en fermant les yeux.

— Changé comment ? Je croyais que tu m'aimais telle que j'étais.

— Mais tu n'as rien appris.

— Que veux-tu que j'apprenne ?

— Que tu ne peux pas vivre comme une enfant-loup. Que les lois existent pour de bonnes raisons, qu'elles nous permettent de vivre ensemble. Même terminer l'école – il y a des raisons pour ça, comme faire de toi une bonne citoyenne. Voilà ce que je crois. Si tu vas te livrer ce matin, je ferai tout pour toi. Je prendrai le meilleur avocat. Je dépenserai jusqu'à mon dernier sou pour te faire libérer. Peut-être n'iras-tu pas en prison. Je peux leur expliquer qu'il m'écrasait la gorge, comme tu l'as dit toi-même.

Elle examina son visage, essayant de deviner s'il était réellement capable de la dénoncer, s'il pourrait mentir pour elle. C'était un homme honnête, et elle ne voulait pas l'obliger à mentir.

— Arrête, dit Michael. Ne reste pas assise là comme une vierge indienne qu'on aurait kidnappée. Je ne t'ai pas enlevée, Margaret Louise. Tu es venue à moi. Souviens-toi. Tu es venue à moi.

Il secoua la tête.

— Tu es venue à moi, tu étais sans foyer, et je t'ai prise avec moi.

Elle recommença à caresser le chien pêcheur. Peut-être Michael l'avait-il considérée comme il avait considéré Cléo, comme une créature agréable à qui il pouvait offrir un foyer.

— J'essaie, Margaret, mais j'ai peur. Dis-moi que tu n'as jamais rien fait de tel auparavant. Dis-moi que tu n'as jamais tué personne.

Il enfouit son visage entre ses mains.

— Oh mon Dieu ! Tu as déjà tué quelqu'un.

— Non. J'ai juste tiré. Je ne l'ai pas tué. Il avait fait quelque chose. Je voulais seulement lui rendre la monnaie de sa pièce pour ne pas avoir à l'envoyer, lui, en prison. La prison, pour certains, c'est pire que d'être tué.

Margo regarda par la baie vitrée, posa les yeux sur le reflet de l'éclairage de sécurité à la surface de la rivière obscure.

Michael restait assis au bord du lit à côté d'elle.

— Pourquoi a-t-il fallu que cela arrive ? Dis-moi ce que tu ressens, Margaret.

— Il aurait pu te tuer.

Elle ne savait pas ce qu'elle ressentait, hormis la peur.

— Tu as sans doute raison, il aurait pu me faire du mal. C'était son fusil ?

— Son frère me l'a donné. Je ne l'ai pas volé.

— Peut-être qu'ils ne t'enverraient pas longtemps en prison. Un établissement pour mineurs, probablement, avec d'autres jeunes.

— Je ne tiendrais pas une seule journée, dit-elle. Tu me dénoncerais ?

— Il faudra bien. Ou alors j'irai en prison, pour complicité. Mais tu vas te livrer à la police, n'est-ce pas ?

— Si on attendait de voir ce qui va se passer ?

— Je ne peux pas vivre ainsi, dans la crainte de ce qui pourrait arriver. Sachant que je suis coupable d'un crime. Une épée de Damoclès au-dessus de la tête.

Margo elle-même avait vécu avec la peur, comme toutes les créatures sauvages. La peur de perdre quelque chose, ou de rencontrer quelqu'un ce jour-là, quelqu'un qui aurait envie de lui faire du mal.

— Tu ne peux pas rester ici si tu ne te dénonces pas, dit Michael.

Ces mots, prononcés aussi crûment, la firent tressaillir, mais ils avaient une logique. Elle avait toujours su que cet endroit, si ordonné et douillet, n'était pas à elle. Michael lui avait donné des vêtements et des livres, mais il ne l'avait pas changée, elle.

— Je ne veux plus rien avoir à faire avec toi si tu ne te dénonces pas.

Le chien leva la tête de la cuisse de Margo et la regarda.

Margo se leva et sortit son sac à dos de l'armoire. Si elle se livrait à la police, non seulement elle serait enfermée mais Michael pourrait bien dépenser tout son argent et détruire sa vie afin de la défendre. Elle n'avait pas le choix. Elle préférait abandonner ce confort et retourner à sa vie réelle, sur la rivière.

— Oh, Margaret, quel gâchis tout ça.

Margo attrapa sa brosse à cheveux sur la commode. Elle agissait aussi posément que possible, plaçant ses quelques affaires dans le sac, déjà rangé, comme il l'avait été tout le temps qu'elle était restée là. Elle prit son fusil sur le râtelier que Michael avait fabriqué. Elle le glissa à son épaule gauche, mit les quatre boîtes de .22 dans son sac et chercha autour d'elle la moindre trace de sa présence. Elle n'avait pas apporté grand-chose dans la maison, hormis ce qu'ils avaient mangé. Sur la table de chevet, elle saisit le nouveau livre sur Annie Oakley. Elle aurait voulu emporter le livre sur le chasseur indien, mais Michael ne lui avait pas donné. Sans les regarder ni l'un ni l'autre, elle fit ses adieux au chien pêcheur et à Michael, et prit la direction de la rivière.

13.

Quand Margo parvint à la maison de la marijuana, les criquets de minuit étaient assourdissants. Au cours de sa descente, une cinquantaine de kilomètres qu'elle parcourut en douze heures, elle était passée devant des marécages d'où s'élevaient les coassements des grenouilles mugissantes, mais ici les grenouilles arboricoles piaillaient comme des insectes. À coups de rames, Margo amena sa barque jusqu'à la rive sableuse et grimpa sur la berge. Envahi par la végétation, depuis longtemps laissé à l'abandon, l'endroit était sinistre. On avait hissé le ponton hors de l'eau, l'herbe avait poussé entre les lattes, des planches de contreplaqué étaient clouées à plusieurs fenêtres et, par terre, des débris de verre reflétaient la lumière de la lune. Les deux portes étaient cadenassées. Elle alluma la lampe à pétrole qu'elle avait prise dans la cabane de Brian avant de descendre la rivière. Elle leva la lampe et lut les panneaux collés aux deux portes : DÉFENSE D'ENTRER, sur lesquels on avait ajouté ET À VOUS AUSSI à la bombe. La peinture recouvrait la feuille de marijuana de Junior. Comme aucune des fenêtres non condamnées ne s'ouvrait, elle s'attaqua à l'une des planches de contreplaqué.

Avant de venir jusqu'ici, elle s'était attardée quelques jours en aval de la maison de Michael, mais elle n'avait pas vu de policiers. Elle savait qu'ils finiraient par retrouver Paul et il était pratiquement certain qu'ils viendraient inspecter la cabane sur pilotis. Elle s'était glissée à l'intérieur pour prendre des objets nécessaires à son voyage : la lampe, une petite pelle militaire téléscopique dont elle se servait à présent pour forcer le contreplaqué, une canne à pêche, un flacon de lotion insecticide et un bidon d'eau. Elle avait nettoyé toutes les surfaces qui pourraient livrer des empreintes digitales, mais si la police venait avec des chiens dressés à flairer la drogue, ils la flaireraient, elle. Elle espérait que Michael n'avait pas contacté la police. Elle s'en voulait de lui avoir fait du mal.

Elle s'escrima longtemps sur le contreplaqué de six millimètres, extirpant un clou après l'autre jusqu'à ce qu'il s'écarte suffisamment pour qu'elle puisse se glisser par en dessous et passer par la fenêtre dépourvue de carreaux. Elle prit la lampe avec elle. Le coin cuisine était resté dans le même état, avec ses bougies dont la cire avait coulé sur la table en Formica. Le matelas sur lequel Junior et ses copains s'asseyaient pour fumer de l'herbe dans la pièce principale avait été remplacé par un canapé pliable à carreaux. Elle jeta un coup d'œil à la chambre, un véritable dépotoir avec des morceaux de rembourrage de matelas et des bouts de bois répandus par terre. Du cadre de lit où Margo avait pour la première fois flirté avec un garçon, il ne restait que des morceaux cassés. Elle referma la porte.

Elle fouilla les placards vides. Dans une boîte à pain, elle trouva un mélange pour brownies tout préparé et, dans le tiroir sous le four, une poêle à crêpes en fer-blanc. Dans un sac, elle ramassa du papier et du bois pour allumer un feu et passa par la fenêtre en les emportant avec elle. Elle s'aventura un peu vers l'aval jusqu'au jardin des Slocum. Margo savait que cueillir des légumes, c'était du vol, mais se rappelant tous les services que son père leur avait rendus, comme quand il avait réparé un appareil de chauffage d'extérieur qui s'était éteint par une nuit froide, elle prit quatre tomates et une grosse poignée de haricots. Elle fit un feu juste en amont de l'endroit où était cachée sa barque. Elle ajouta de l'eau dans la préparation pour brownies, plaça la poêle en équilibre sur trois pierres, et pendant qu'elle cuisait, elle mangea les légumes crus. Les brownies brûlèrent un peu par en dessous, mais elle leur trouva tout de même un bon goût sucré.

Quand elle eut le ventre plein, pour la première fois depuis des jours, elle remarqua que la lune elle aussi était pleine. Se retrouver à Murrayville lui donnait l'occasion de penser à ces dix-huit derniers mois, à son périple sur la Stark. En remontant la rivière, elle ne s'était pas rapprochée de sa mère, mais elle avait obtenu l'adresse de Luanne et une réponse à sa lettre. Margo n'était pas prête encore à penser à Paul et elle refoula les idées qui l'assaillaient. Elle voulait à présent se concentrer sur la manière de survivre jour après jour, d'échapper à la police si elle se présentait, et réfléchir à l'endroit où aller pour que sa mère puisse entrer en contact avec elle. Et elle voulait aussi retrouver Junior. Peut-être avec lui pourrait-elle parler des événements qui s'étaient produits. Junior avait dû terminer le lycée le mois dernier et elle pensait qu'il viendrait traîner par ici.

Margo se passa encore un peu de lotion insecticide. Elle s'allongea sur le dos dans le vieux sac de couchage militaire de son père, écoutant les criquets et regardant le ciel nocturne. Trois étoiles en ligne formaient une ceinture d'homme, avait dit son grand-père, mais elle ne parvint pas à les trouver. Il avait affirmé qu'elle pouvait s'orienter grâce aux étoiles, mais à quoi bon ? La rivière n'allait que dans deux directions, en amont ou en aval. Un petit duc hua doucement, et Margo hua en retour une réponse si endeuillée qu'elle se donna des frissons.

Junior ne vint pas le jour suivant, ni de toute la semaine. Elle crut le voir un jour au volant sur la route, mais Joanna était sur le siège passager et elle resta cachée derrière les rudbeckia. Si Junior ou ses amis venaient à la maison de la marijuana, elle leur proposerait de leur préparer du poisson ou d'attraper une tortue serpentine et d'en faire frire la chair. Comme ce serait agréable de préparer à manger à quelqu'un, d'avoir de la compagnie. Au bout de la deuxième semaine, elle décida que si Junior tardait encore à venir, elle irait lancer des cailloux à la fenêtre de sa chambre.

Margo volait assez de nourriture pour s'alimenter, jamais en trop grande quantité dans le même jardin, et elle buvait l'eau de la source. Elle voyait certains des enfants Slocum, dont Julie, venir à la source remplir leurs bidons et leur seaux. Margo aurait voulu parler à Julie, mais si elle était restée la commère de toujours, elle irait raconter à tout le monde que sa cousine était là. Elle regrettait de ne pas avoir fait l'effort de lui parler, l'année dernière à Murrayville, incapable à cette époque de se débarrasser de sa colère à l'égard de la jeune fille qui avait rapporté à Crane la scène surprise dans l'appentis.

Tandis que juillet s'épanchait dans le mois d'août, Margo écoutait les colonies de jeunes rouges-gorges picorer dans les taillis en si grand nombre que les sous-bois semblaient vivants. Elle observait les sitelles qui s'élançaient des arbres et tombaient en spirale tête la première, touchant le sol pour remonter aussitôt. Elle observait les vautours aura voler en cercles hauts dans le ciel, chassant à l'odeur les créatures ayant survécu à l'été. Et Margo n'avait pas encore vu les bateaux de police fouiller la rivière à sa recherche.

Elle redécouvrit ses endroits favoris dans les bois des Murray, les espaces moussus où poussaient les lichens,

les fougères tête de violon et les champignons – aux
chapeaux parfois colorés. Elle partit en quête de vesses-
de-loup géantes et de poulet-des-bois et, tous les soirs, au
crépuscule, elle regardait des myriades de lucioles se charger
et se décharger. Elle restait cachée du mieux qu'elle pouvait
et, malgré son étonnement, se félicitait que nul ne vînt
examiner le modeste feu qu'elle allumait chaque soir et étei-
gnait chaque matin. Elle conservait ses affaires dans la
barque qu'elle recouvrait de sa vieille bâche verte et de branchages. Quand il ne pleuvait pas, elle restait dehors. Elle
ramassa des aiguilles de pin pour se faire un lit moelleux
près de son feu de camp et remplit un sac en plastique de
rembourrage provenant du matelas pour se confectionner
un oreiller. Elle découvrit que les nuits où elle se sentait en
sécurité et confortable sous les étoiles, les nuits où elle avait
mangé à sa faim, étaient celles où elle souffrait particulièrement de la solitude. Aimer quelqu'un comme elle avait aimé
Michael était quelque chose qu'elle ne pouvait pas chasser
de ses pensées sous prétexte que c'était fini. Même la perte
de Brian la rendait triste ; elle était parvenue à le connaître
si bien et avait tant appris de lui, mais cette part d'elle qui
avait été la compagne de Brian était désormais inutile.

Michael lui avait donné une carte de la région où figurait
Lake Lynne, et ils avaient découvert que la route où habitait sa mère courait le long du grand lac d'un kilomètre et
demi de large sur sept kilomètres et demi de long. Peut-
être existait-il un moyen de s'y rendre en barque, si seulement Margo trouvait le moyen de contourner le barrage à
Confluence avec sa lourde embarcation. Si seulement elle
n'était pas, selon les termes de son grand-père, *enlisée sur la
Stark*. Margo rangeait toujours la carte dans son livre sur
Annie Oakley, mais un soir, assise devant son feu, elle
déchira la région autour de l'adresse de sa mère et glissa ce

bout de carte dans son portefeuille, pour l'avoir toujours sous la main.

Après la tombée de la nuit, quand le temps était doux, Margo descendait à la rame les quelques kilomètres qui la séparaient de la ville, restait sur la passerelle en fer dépourvue d'éclairage qui enjambait la cascade dans le parc, où une retenue d'eau s'écoulait dans le ruisseau qui rejoignait la rivière. Elle longeait le petit lycée en brique rouge qu'elle avait, jour après jour, été si impatiente de quitter et se demandait si elle n'aurait pas dû s'efforcer davantage de ressembler aux autres enfants. Elle avait du mal à s'imaginer très différente de qui elle était, mais peut-être, à l'avenir, quand elle aurait l'occasion de se faire des amis, essaierait-elle de faire mieux.

Margo, parfois, mangeait les restes de pizza qu'elle ramassait dans les poubelles de la pizzeria de Murrayville. Un soir qu'elle était assise devant, sur le haut trottoir, en lisant des journaux abandonnés à la lumière du lampadaire, elle tomba sur un fait divers ayant eu lieu à Heart of Pines. L'article racontait en détail qu'un homme tué par balles, Paul Daniel Leroux, avait été découvert dans un bateau pneumatique amarré à Heart of Pines, deux semaines après avoir été abattu. Sous une bâche, on avait trouvé un fusil près de son corps. Les seules empreintes digitales étaient celles de la victime, mais les autorités ne croyaient pas à un suicide. Il y avait dans le bateau un bidon de quatre litres contenant la matière première nécessaire à la fabrication d'amphétamines, qui faisait l'objet d'une enquête de police. Le meurtre, semblait-il, était lié à la drogue. Nulle part il n'était question d'une cabane ou d'un témoin vivant sur la rivière. La victime laissait une femme et trois enfants, âgés de cinq, sept et neuf ans. Margo reposa sa tranche de pizza saucisse-champignons dans sa boîte. Elle relut le dernier paragraphe. Elle n'avait pas pensé, en pressant la détente, à la femme de Paul, ni à ses trois enfants qui allaient grandir sans père.

*

De loin, sur la rivière obscure, elle observait parfois la maison de son père et l'étrangère qui y habitait, une grande femme voûtée aux cheveux gris que Margo avait déjà vue lors d'une fête de Thanksgiving quelques années auparavant. La femme fumait la pipe comme un homme. Margo la voyait jeter des choses dans un grand trou creusé derrière la maison. Elle n'osait approcher à cause du pitbull blanc qu'elle gardait enchaîné au cadre de la balançoire dont Margo se servait pour attacher ses cerfs. Elle se rendait compte à présent qu'elle vidait et écorchait ses prises à l'endroit le plus visible de tous, si bien que les Murray devaient forcément savoir qu'elle chassait. Son père avait eu raison de dire qu'elle était imprudente. Elle avait pitié du chien blanc enchaîné, mais la seule fois où elle s'était approchée de lui, il s'était mis à aboyer d'une voix aiguë et démente en tirant sur sa chaîne comme s'il voulait l'attaquer. La vieille femme était sortie armée d'un pistolet en criant dans le noir : « Qui est là ? » Mais Margo était déjà sur l'eau et s'éloignait à la rame.

Le lendemain après-midi, Margo fourrageait dans les bois en amont lorsqu'elle vit un camion blanc de l'usine métallurgique Murray s'engager dans l'allée de la maison de la marijuana. Il en sortit un homme de grande taille qui prit appui sur le jambage de la portière, le temps d'attraper des béquilles. Margo était trop loin pour distinguer ses traits, mais elle savait de qui il s'agissait. Il ouvrit la porte et entra dans la petite bâtisse. Margo espéra qu'elle avait bien replacé la plaque de contreplaqué contre la fenêtre pour qu'il ne remarque pas qu'elle avait été forcée. Au bout de quelques minutes, une fille brune arriva en courant et regarda à droite et à gauche avant d'entrer. Julie Slocum. Margo, préférant rester à l'écart, remonta la rivière en direction de son bivouac. Elle avait été stupide et méchante d'avoir éprouvé toute cette rage contre la pauvre Julie.

Cette nuit-là, Margo regagna la propriété des Murray et grimpa sur le rivage pour inspecter la grange près de laquelle elle avait fait du tir au pigeon avec Billy et Junior. Un porc solitaire couinait sous un toit en tôle. Grand-Père entretenait toujours la peinture de la grange, mais à présent le rouge s'écaillait sur toute la longueur du mur côté rivière. L'appentis chaulé était cadenassé de l'extérieur. La lumière dorée des ampoules à incandescence brillait aux fenêtres de la grande maison, dégageant une impression de sécurité et de chaleur. Malgré la crainte de faire aboyer les beagles, Margo réunit assez de courage pour approcher de la maison, et n'entendit aucun jappement. La niche était vide. Et pas trace de Moe. Margo s'arrêta sous la fenêtre de la chambre de Junior, et écouta les cris des écureuils volants. Elle s'apprêtait à lancer un caillou quand elle vit la silhouette d'un autre enfant, plus jeune, Toby ou Tommy, regardant par la fenêtre. Elle faillit aller frapper à la porte de la cuisine, mais eut la frousse, et alla plutôt derrière la maison voler des haricots et des tomates cœur-de-bœuf du jardin. Les haricots durcissaient en plus grand nombre sur leurs tiges, ainsi que les tomates, qui pourrissaient, laissant deviner que les conserves de Joanna avaient pris du retard.

Margo revint la nuit suivante et fit le tour de la maison en essayant de regarder à l'intérieur. La maison était bâtie sur des fondations en béton qui l'élevaient au-dessus du niveau de la crue centennale, et, pour voir dans la salle de séjour, elle dut grimper dans un vieux pommier. Occupée à coudre, Joanna était assise dans son fauteuil, à un mètre d'elle, vêtue d'une robe bleue imprimée et, comme toujours, les cheveux remontés en chignon. Ses épaules paraissaient un peu plus affaissées, son visage légèrement plus ridé, ses mains un peu plus marquées par l'arthrose qu'il y a un an et demi, mais Cal, assis un peu plus loin, avait beaucoup changé. Il avait les cheveux blancs à présent, alors qu'il n'avait sans doute pas plus de quarante ans, et son visage était pincé et sévère. Ses bras et ses épaules paraissaient plus forts qu'auparavant, sans doute à force de pousser les roues de son fauteuil et de se servir des béquilles posées par terre à côté de lui. Ses jambes, recouvertes d'un plaid, étaient allongées devant lui sur un repose-pieds. Il regardait l'écran de la télévision. Une silhouette endormie, que Margo supposa être Junior, était étendue par terre, sur le dos, un corps incroyablement long, les bras repliés sous la nuque, une paire d'écouteurs aux oreilles. Robert Murray, qui devait avoir dans les onze ans maintenant, était assis en tailleur sur le canapé et ne quittait pas la télévision du regard. Elle reconnut Toby et Tommy, âgés de sept ans, assis de dos. Le plus étonnant pour Margo était l'absence de mouvement dans la pièce en dehors de ceux des mains de Joanna qui faisaient courir l'aiguille et le fil. Quelle différence avec ce vieux paradis animé au bord de la rivière dont ils avaient tous, jadis, été les hôtes.

Elle se pencha dans l'arbre, plus près de la fenêtre, sûre d'être bien cachée par l'obscurité et le feuillage. Elle aurait tant voulu attirer l'attention de Junior. Mais Joanna regarda par la fenêtre. Son visage trahissait une telle tristesse que Margo en eut la gorge serrée. Elle avait été naïve de s'imaginer qu'après toutes ces épreuves, les Murray seraient restés la même famille, pleine de rires, d'histoires d'aventure et de chasse. Margo se demanda s'il arrivait à Joanna de s'inquiéter d'elle. Joanna avait beaucoup d'autres soucis. Billy, bien sûr, et Cal, en premier lieu. Margo comprenait la tristesse et l'épuisement qui se lisaient sur son visage. Pour se lever tous les matins, elle-même devait secouer cette tristesse et trouver la force de chercher de quoi se nourrir chaque jour.

Un écureuil volant passa au-dessus d'elle – son grand-père les comparait à des elfes quand il les apercevait le soir, et c'est ainsi qu'il l'appelait aussi parfois. Margo changea de position et glissa un peu. Elle se rattrapa à une branche et, quand elle regarda à nouveau dans la pièce, elle vit Joanna qui l'observait. Margo leva lentement la main pour lui faire signe, mais esquissa plutôt le geste de paix que le chasseur indien de Michael aurait pu faire en cherchant à cacher son cœur de carcajou. Joanna regarda en direction de Cal et de ses fils. Elle posa son raccommodage – c'était le blouson de Junior, avec la feuille de marijuana brodée au dos. Margo glissa au pied de l'arbre, suivit la direction que prenait Joanna, grimpa les marches de bois et attendit dans le nuage de moustiques devant la porte de la cuisine, côté rivière. Elle fit glisser la Marlin qu'elle avait accrochée à son épaule et la posa contre la maison à un endroit où Joanna ne pourrait pas la voir. Joanna ouvrit la porte et s'appuya sur la poignée pour rester en équilibre.

— Margaret ? chuchota-t-elle. C'est toi ?

Margo hocha la tête.

— Que viens-tu faire ici ?

Margo prit une inspiration, voulut parler, mais rien ne sortit. Peut-être Joanna lut-elle la douleur sur son visage parce que sa voix s'adoucit.

— Comme tu es maigre. Et tes cheveux. Tes beaux cheveux. Ils…

Margo porta la main à sa tête, en ôta quelques aiguilles de pin. Elle ne s'était pas lavé les cheveux depuis qu'elle avait quitté Michael, trois semaines auparavant.

— J'ai besoin d'une douche.

— Oh, Elfe, c'est toi, n'est-ce pas ?

Joanna se pencha vers Margo comme pour la prendre dans ses bras ou l'examiner, mais elle se ravisa et regarda, derrière elle, la porte qui donnait dans la salle de séjour.

— Oh mon Dieu, tu vas bien ?

— Ça va. J'étais dans les bois. Je ramassais des champignons.

Margo chuchotait parce que Joanna chuchotait. Elle sentait l'odeur du pain à la cannelle que sa tante avait dû préparer pour le petit déjeuner du lendemain, et aussi celle d'une viande grasse.

— Elfe, je te croyais avec ta mère. Tu nous as laissé ce mot. Ton oncle Cal était furieux contre toi. Il l'est toujours.

— Je sais.

D'entendre Joanna l'appeler par son ancien surnom lui donna toute la mesure de sa perte.

— Tu lui as volé son plus beau fusil.

Margo hocha la tête et regarda la Marlin posée contre le mur. Elle aurait voulu demander la permission d'entrer, de se laver, de s'asseoir tranquillement dans la cuisine quelques minutes, mais elle s'étrangla :

— Est-ce que je peux…

Et s'arrêta.

— Que viens-tu chercher ici ?

Joanna pleurait et Margo eut conscience qu'elle pleurait, elle aussi.

— … revenir un peu, dit-elle, jusqu'à ce que je puisse aller chez maman.

Annie Oakley avait supplié sa mère de la laisser revenir.

— Oh, Margaret. Dieu sait que, dans cette maison, je trouverais bien à employer tes mains habiles.

Joanna regarda une fois encore la porte de la salle de séjour.

— Je ne veux pas qu'on nous entende. Tu connaissais l'homme qui a brisé les jambes de ton oncle Cal ? Il a dit à tout le monde au tribunal qu'il avait agi ainsi à cause de ce que Cal avait fait « à une certaine jeune fille ». Ç'a été terrible pour Oncle Cal, que tout le monde pense les pires choses de lui.

— Je n'ai jamais voulu qu'il fasse du mal à Oncle Cal, dit Margo.

Elle regarda les jambes nues de Joanna et ses pieds, chaussés de ces souliers en cuir usé qu'elle se rappelait encore. Dieu soit loué, Joanna était restée la même. Margo sentait les piqûres de moustiques sur son visage, mais elle ne fit rien pour les écraser. L'un d'eux se posa sur la joue de Joanna et Margo pria pour qu'elle ne referme pas déjà la porte.

— Cal recommence à marcher avec ces béquilles. Nous reprenons espoir.

— Je l'ai vu, dit Margo. Avec Julie.

Joanna ferma étroitement les paupières.

Margo reconnaissait la robe que Joanna avait cousue elle-même. Le tissu imprimé de fleurs bleues s'était délavé depuis la dernière fois qu'elle l'avait vue. À présent, Margo aimait cette robe comme elle n'en avait jamais aimé aucune. Joanna ouvrit les yeux et secoua la tête.

— Tu sais, un mariage solide est une chose étrange. Il te donne confiance en ton mari en dépit des apparences.

Margo ne cessait de regarder le visage las de Joanna. Celle-ci, à son tour, semblait examiner Margo dans l'espoir de trouver une explication à ce qui leur était à tous arrivé. Elle avait toujours été le contraire de la mère de Margo, stricte quand Luanne était permissive, sans grâce alors que sa mère était jolie, travaillant dur alors que sa mère était d'une paresse crasse, modeste et pieuse quand sa mère était narcissique et aimait le mélodrame. Elles étaient aussi différentes que l'étaient Brian et Michael.

— J'en veux à ta mère, dit Joanna. Elle aurait dû te prendre avec elle. Je suis désolée si j'ai joué un quelconque rôle dans son départ.

Margot ne comprenait pas ce qu'elle voulait dire.

— Où habites-tu ? Chez des amis ?

Margo hésita, mais à cause de l'expression inquiète de Joanna, elle hocha la tête et dit :

— Avec un ami.

— Cal a demandé à quelqu'un de l'école de te chercher dans tous les établissements du comté et tu n'es inscrite nulle part. Ce n'est pas une façon de grandir, sans aller à l'école, en rôdant dans la nuit. Laisse-moi réfléchir. Laisse-moi voir si je peux trouver une possibilité pour que tu vives avec nous jusqu'à ce que nous retrouvions ta mère.

Margo ne voulait pas contredire Joanna, ni à propos de sa mère, ni à propos de l'endroit où elle devait habiter, ni à propos de l'école. Elle se demanda si ce serait plus facile d'aller à l'école après deux ans d'absence. Elle serait avec des nouveaux, des élèves plus jeunes. Elle avait entendu parler d'élèves à temps partiel.

— J'ai son adresse, dit Margo. Elle m'a écrit. Elle a dit qu'elle n'était pas encore prête à me recevoir.

— Je ne sais pas ce que tu sais, mais les affaires de ton Oncle Cal et de l'usine métallurgique ne vont pas bien.

Joanna regarda en arrière. Margo hocha la tête.

— Si quelqu'un vient dans la cuisine, il ne faut pas qu'on te voie. Billy en fera toute une histoire. Il est toujours furieux à cause de la barque de son grand-père, tu sais.

— Billy n'est pas en prison ?

Margo sentit son cœur se serrer.

— Bien sûr que non. Enfin, il a eu des ennuis, mais il est libre à présent. Tu n'en as pas entendu parler ?

— La police était venue l'arrêter quand il a tué mon père.

— Oui, pour l'interrogatoire et l'enquête préliminaire.

Joanna la contemplait d'un air étrange.

— C'est tout. C'était de la légitime défense, il défendait son papa. C'est ce que toi et Billy avez dit à la police. Et Oncle Cal a dit la même chose.

— Oh, fit Margo, troublée. J'aurais aimé dire bonjour à Junior.

— Junior est en Alaska.

— En Alaska ? Avec Loring ?

— Il a fini l'école militaire. Il était revenu vivre à la maison, mais Cal et lui se disputaient tout le temps, alors il est parti avec un camarade d'école. En ce moment, il travaille dans un bateau de pêche. Il dit qu'il adore ça.

Joanna sourit.

— Mais je viens de le voir dans la salle de séjour. Tu étais en train de recoudre son blouson.

— C'est Billy que tu as vu. Il est devenu plus grand que Junior et que son père. Les médecins lui ont donné un traitement pour réguler son humeur et ses crises. Junior m'a demandé de lui envoyer son blouson et j'essaie de lui coudre une doublure en laine, pour lui faire la surprise. Attends une minute.

Joanna revint aussitôt, et fourra un sac de nourriture dans les bras de Margo.

— Quelques tranches de mon pain que tu as toujours aimé. Et un petit pot de ta confiture de pêches favorite. Tu peux partager avec ton ami.

— Merci, dit Margo.

Le sac était tiède et sentait la cannelle. Elle regarda à l'intérieur et vit que Joanna lui avait donné au moins un tiers de la brioche à la cannelle du petit déjeuner. Demain, certains garçons allaient être obligés de manger du pain ordinaire.

— Tu es sûre d'avoir un endroit où dormir ? demanda Joanna. Tu peux dormir dans la grange, si tu veux. Les enfants ont passé la nuit là la semaine dernière. Ils ont probablement laissé des couvertures.

Margo ne voulait pas prendre le risque de dormir dans la grange, si loin de l'endroit où elle pouvait cacher sa barque. Et tant qu'il ne pleuvait pas, elle préférait dormir dehors, où elle pouvait courir si elle entendait des pas.

De l'intérieur, là-haut, Margo entendit une plainte.

— C'est Randy qui pleure, dit Joanna.

Margo devait avoir l'air perplexe.

— Tu n'es pas au courant ? dit Joanna et ses yeux se mouillèrent de larmes. Mais bien sûr. Comment le saurais-tu ? J'ai eu un bébé.

— Un bébé ? C'est merveilleux !

Margo espéra que c'était la chose à dire. Ce que Margo avait fait à Cal ne l'avait donc pas empêché d'avoir un autre enfant. C'était exactement le but recherché – ne pas le rendre infirme de façon permanente, seulement le faire souffrir. Sa vengeance avait été parfaite, et pourtant tout était allé de travers.

— Un garçon ?

— Un garçon. Oui.

La voix de Joanna se brisa.

— J'étais tellement sûre que ce serait une fille cette fois. J'allais l'appeler Rachel, comme ma sœur.

— Comment est-il ? J'aimerais tellement le voir.

— Ton nouveau cousin est trisomique, dit Joanna en déglutissant comme si elle redoutait l'explication. C'est pourquoi nous avons dû nous débarrasser des chiens. Les aboiements le faisaient hurler et pleurer. *Trisomique*, c'est ce qu'on dit aujourd'hui, pas *mongolien*.

— Trisomique, dit Margo avec un signe d'acquiescement.

Joanna secoua la tête.

— Je l'aime, mais je suis si fatiguée. J'ai payé Julie pour m'aider un peu mais… Oh, Elfe, tu as toujours été la seule vraiment serviable.

— J'ai toujours aimé aider, chuchota Margo.

— Tu sais, Cal a été furieux que tu disparaisses en laissant cette lettre. Pourquoi n'es-tu pas restée pour l'enterrement ?

— Quel enterrement ? Papa a été incinéré.

— Mais nous avons inhumé ses cendres dans le cimetière, dans la partie nord. Cal a obligé tous les garçons à venir.

— Je ne savais pas qu'on mettait les cendres au cimetière.

Margo pensait que lorsqu'une personne était incinérée, elle disparaissait, purement et simplement.

— Billy y est allé ?

Joanna hocha la tête.

— Pendant trois mois, Cal n'a pas voulu dire à la police que tu étais partie. Jusqu'au moment où ils ont eu besoin de ta signature. Alors il leur a dit que tu étais allée chez ta mère, dans un autre État.

Margo fit un signe de dénégation. Elle vivait avec Brian à ce moment-là.

— Ils ont cherché ta mère, reprit Joanna, mais ils ont dit qu'ils ne l'avaient pas trouvée. Comment l'as-tu retrouvée, toi ?

— Je me suis renseignée et j'ai envoyé des lettres.

Margo regrettait de n'avoir pas été là, à l'enterrement de son père, en dépit de la présence de Billy. Elle commença à sentir un poids sur le cœur à la pensée de ce garçon vivant confortablement avec sa famille, comme s'il n'avait rien fait de mal.

— J'entends quelqu'un. Reviens me parler demain matin, si tu peux. Les garçons seront au centre de loisirs et Billy suit les cours d'été. Je te ferai quelque chose de bon à manger.

Joanna referma la porte.

14.

De retour à la maison de la marijuana, Margo dévora le pain de Joanna avec la confiture et vida le pot jusqu'à la dernière goutte. Enfants, sur leurs toasts, Margo et Junior mettaient une couche de cette confiture de pêches en morceaux aussi épaisse qu'une garniture de tarte. Cette nourriture avait allumé quelque chose en elle et elle fut longue à s'endormir. Margo dormit tard dans la matinée brumeuse du lendemain. Elle avait encore envie de pain et de confiture, et ce désir était si puissant qu'elle ne put manger les légumes de sa cueillette. Elle avait faim. En ramassant ses affaires, elle se sentit groggy et, à cause de la brume, impossible d'avoir une idée de l'heure. Elle amarra sa barque en aval de la maison des Murray, près de l'appentis, et se glissa assez près pour pouvoir espionner, couchée à plat ventre. Elle vit Joanna à la fenêtre de la cuisine, au-dessus de l'évier. Au bout d'une vingtaine de minutes, Joanna sortit en s'essuyant les mains à son tablier et scruta l'horizon. Margo fut heureuse de voir qu'elle la cherchait. Dans quelques instants elle se mettrait debout, irait jusqu'à la maison et poserait la Marlin d'Annie Oakley sur le râtelier de la véranda, mais, pour l'instant elle avait envie de regarder encore un peu la bâtisse, de se pénétrer de l'idée qu'elle rentrait à la maison, ne fût-ce que le temps d'une visite. Joanna pencha la tête comme si elle avait entendu un bruit, les pleurs du bébé peut-être, et elle rentra à la hâte. Margo savait combien Joanna avait besoin de son aide, et pensait qu'elle trouverait sans doute le moyen de la ramener dans la famille. Après l'école, Margo rentrerait et s'occuperait du bébé trisomique ; elle aiderait à faire cuire le pain et les tourtes pour les hommes et les fils Murray, et Joanna lui apprendrait à préparer la soupe et les ragoûts de l'hiver, ceux que Margo n'avait encore jamais essayés. Joanna savait tout préparer. Peut-être Margo apprendrait-elle auprès d'Oncle Sam à fumer le porc et à faire du bacon.

Elle resta longtemps dans l'herbe froide et humide, attendant d'apercevoir Joanna de nouveau. Si celle-ci se rendait dans le potager négligé pour ramasser des tomates, Margo irait la rejoindre et l'aiderait à les cueillir. Au bout d'un moment, Margo vit que le devant de son sweat-shirt était trempé. Elle se releva et pointa sa carabine en direction de la porte de la cuisine. Elle crut sentir de loin l'odeur de la cannelle, peut-être une tarte ou le pain pour le lendemain. Elle reposa la carabine sur ses genoux. C'était l'époque de l'année où Joanna aurait pu faire d'autres confitures de pêches. Les pommes ne tarderaient pas à mûrir, les golden à croquer et les Jonathan acides pour confectionner des tartes. Certaines années, Joanna préparait du beurre de pommes, cuisant les fruits jusqu'à obtenir un goût de caramel fumé, puis y ajoutait des épices. Margo ne se lassait jamais de peler les pommes dans la cuisine des Murray.

Si elle pouvait revenir chez les Murray, Margo aurait toujours de quoi manger et ne souffrirait plus de solitude. Hélas, Junior ne serait pas là pour faire des blagues et partager ses peines, et elle ne pourrait plus non plus caresser les chiens. Peut-être n'aurait-elle plus de fusil. Mais Margo salivait malgré tout à l'idée des plats délicieux qu'elle ferait cuire et dont elle se régalerait, et elle aurait la compagnie de Joanna dans la cuisine. Margo imaginait déjà, au dîner, les conversations et les chahuts qu'elle avait toujours adorés.

— Nympho ! cria une voix depuis la rivière, une voix d'homme.

Margo se dirigea vers l'appentis et sa barque en rasant le sol. Là, debout à la proue de *La River Rose*, un fusil à canon long dans une main, elle vit Billy. Joanna disait vrai, il avait dépassé Junior. Il attendait une réponse sans bouger, mais ne voyait pas Margo, à une vingtaine de mètres. Elle s'aplatit sur le sol à la manière du chasseur indien. Elle mit Billy en joue et ralentit sa respiration. Elle allait lui tirer dans la nuque, lui sectionner l'épine dorsale sans même qu'il l'ait vue. Elle savait que le brouillard au-dessus de l'eau ou la faim qu'elle avait de pain et de confiture lui provoquaient sans doute des hallucinations, mais elle crut voir plusieurs autres Murray debout aux côtés de Billy. Les vrais Murray ne restaient jamais seuls.

— Bang ! chuchota-t-elle, espérant relâcher un peu de sa tension.

Elle avait été tellement distraite dans sa hâte de voir Joanna ce matin qu'elle avait laissé les rames posées sur le siège, ainsi que son sac à dos avec le nom CRANE tracé au pochoir. Elle n'avait même pas placé les branchages sur la barque pour la camoufler.

Billy s'accroupit sur le rivage. Il toucha la proue, posa la main à l'endroit où les mots *La River Rose* étaient gravés dans le bois. Les gens croyaient que les .22 étaient destinés à tirer des écureuils, mais à cette distance, une balle de calibre .22 tirée dans sa tempe pénétrerait dans le crâne de Billy, rebondirait, lui réduirait la cervelle en bouillie, et alors plus personne ne le craindrait plus. Quelque chose lui irritait la gorge. Il lui fallut un tel effort de volonté pour résister à l'envie de tousser qu'elle en eut les larmes aux yeux.

Billy regarda de l'autre côté de la proue et vit probablement les contours décolorés des chiffres qu'elle avait ôtés – une barque sans moteur n'avait pas besoin d'immatriculation et, depuis qu'elle avait laissé celui de Brian, elle n'avait pas eu de moteur.

— Nympho ! cria-t-il.

Il se leva et regarda alentour.

— Où es-tu ?

Margo détestait la manière dont ce surnom se répétait en écho sur la rivière. Il risquait de déranger Joanna et le bébé. Ne savait-il donc pas combien il était parfois difficile d'endormir un bébé ? Comme il se tournait plus ou moins dans sa direction, elle vit ce qu'il portait sous son blouson en jean, un T-shirt noir avec un transfert rock-and-roll évoquant une cible et lui indiquant de tirer juste au-dessus du plexus solaire. Le soleil étant au zénith derrière la brume, la lumière avait donc atteint son maximum d'intensité. Il cria de nouveau, pas aussi fort ni avec autant d'assurance.

— Nympho ?

— Éloigne-toi de ma barque, dit-elle en se mettant debout.

Sous cet angle, elle s'aperçut que ce qu'il tenait à la main, c'était cette vieille carabine à air comprimé qu'il avait reçue pour ses quatorze ans. Avec un peu de chance, il pouvait crever un œil, mais il ne tuerait rien de plus gros qu'un oiseau ou un écureuil.

— Tu devrais être à tes cours d'été, dit Margo.

Tous les muscles de son corps étaient tendus en vue de glisser la Marlin à son épaule et de presser la détente. Si seulement ses yeux cessaient de larmoyer. Elle déglutit de nouveau pour se débarrasser de ce qui lui irritait la gorge.

— Ce matin, maman m'a demandé ce que je pensais de l'idée que tu restes un peu chez nous. J'ai dit *pas question.* J'en ai déduit que tu étais dans les parages. Du coup j'ai séché l'école aujourd'hui.

Margo regretta de n'avoir ni anticipé la situation, ni pris tous ses aspects en considération, car elle aurait eu l'esprit moins embrouillé.

— Ce bateau appartient aux Murray, dit Billy. Tu sais très bien qu'il ne t'était pas destiné. Et à cause de toi, papa est handicapé. Tout le monde sait que tu as demandé à ce type de le passer à tabac.

Elle voulut protester, dire qu'elle aussi était une Murray et qu'elle n'avait jamais voulu que Cal soit passé à tabac. Au lieu de quoi, elle dit :

— Je pourrais te tirer dessus sans problème.

— Vas-y, tue-moi. Tu pourriras en prison. Je suis allé en centre fermé. Je sais ce que c'est.

— Ta mère a dit que tu n'étais pas allé en prison.

— Je suis allé en centre fermé cette année, deux mois.

— Pourquoi ?

— Un petit problème avec un feu qui a dégénéré, dit-il avec un sourire qui semblait forcé. On essayait juste de se réchauffer, mais personne n'a voulu nous croire.

— Pourquoi est-ce que tu as abattu mon père ?

— Tu sais pourquoi, Nympho. C'est pas une façon de faire, de tirer sur mon père comme ça. Ça se fait pas de viser un homme à la bite.

Il cracha dans la rivière.

Margo se demanda de nouveau si elle gagnerait quelque chose à dire la vérité.

— Et tu peux me tirer dessus, ça m'est égal. Vas-y. De toute façon, ça vaut plus rien, de vivre ici. On est pauvres maintenant. Junior est parti en Alaska et le bébé est débile.

Margo visa et tira, touchant le canon de son fusil qui lui échappa des mains. Il poussa un petit cri et le fusil rebondit sur la proue de la barque avant de tomber dans la vase sablonneuse. Elle crut qu'il allait courir, ou du moins la supplier de ne pas le tuer, mais il ne fit pas mine de reculer. Quand il se baissa pour ramasser le fusil, elle tira de nouveau sur le canon, envoyant cette fois l'arme dans la barque. Billy ramena sa main comme s'il avait été piqué par une guêpe. Margo sentait sa peur, mais il ne la manifestait pas. Il laissa l'arme sur le siège, se redressa et croisa les bras.

— T'étais avec ta mère ? Vous devriez rester ensemble, entre putes.

— Tu ne sais pas qui est ma mère.

— Junior l'a vue un jour avec papa. Dans la grange. Il a dit de ne pas te le dire, mais je m'en fous.

— La ferme.

— Je sais qu'elle est partie avec un homme et que tu étais le dernier de ses soucis. C'est ce qu'a dit ma mère.

Margo tira de nouveau à côté de lui, pour qu'il sente la balle passer à cinquante centimètres de son oreille avant de tomber dans l'eau. Elle espérait qu'il la bouclerait et partirait en courant, mais c'est à peine s'il tressaillit.

— Tu n'éprouves pas le moindre remords d'avoir tué mon père ?

Margo se surprit à poser la question, la même que celle de Michael à propos de Paul. Elle sentait les muscles de son bras tressauter.

— Je n'avais pas le choix. Il allait tuer papa.

Comme son bras tressautait à nouveau, elle baissa son arme.

— Tu étais là, dit-il. Il avait déjà tiré une fois sur papa et il m'avait mis en joue, et mis papa en joue. Tu l'as vu, Nympho. Tu as dit la même chose à la police.

— Il n'allait pas tuer ton père. Il n'y avait même pas de balle dans ce fusil. Il essayait juste de me protéger. C'est moi qui ai tiré sur ton père.

Margo entendit le vacarme d'un couple de geais, et l'un d'entre eux lança un cri semblable à celui d'un corbeau. Elle sentit l'odeur du feu de bois dans la maison des Murray. Elle se demanda si Joanna était en train de calmer son bébé. Elle se rappela de ne pas détourner son attention de Billy.

— Tu mens, Nympho. Ton père est venu et il a tiré sur les pneus de mon père. Il était fou. On l'a tous vu de là-haut. On a tous eu peur de descendre parce qu'on croyait qu'il voulait nous tuer.

— Oui, il a tiré sur les pneus, mais c'est tout. Il n'a pas tiré sur quelqu'un.

Margo voulait convaincre Billy qu'il se trompait, qu'ils se trompaient tous à propos de son père, mais ses forces l'abandonnaient. L'idée lui traversa l'esprit qu'elle aussi avait pu se tromper à propos de la menace que Paul représentait pour Michael.

— Il a tiré sur la bite de papa, dit Billy dont la voix se chargeait d'une furieuse intensité. Quel genre d'homme peut faire ça, Nympho ? Un fou, voilà. Je ne voulais tuer personne. Il a bien fallu.

Margo commençait à être fatiguée, trop fatiguée pour tenir sa carabine. Billy était un crétin, il avait toujours été un crétin, à coup sûr doublé d'un assassin, mais pas un assassin de sang-froid. Elle repensa au jour où son père avait été abattu. Crane était armé du fusil quand il l'avait aidée à descendre de l'arbre, et ensuite il s'était tourné brusquement vers Billy. Billy aurait dû savoir que Crane n'avait pas l'intention de tuer quiconque, que le fusil n'était même pas chargé, mais tout s'était passé si vite. Billy avait tiré, croyant sauver sa vie et celle de son père, tout comme Margo croyait sauver la vie de Michael. Billy était un minable, mais il ne méritait pas de mourir parce qu'il pensait avoir fait ce qu'il devait faire. Et Margo ne voulait pas tuer son cousin. Quand elle avait tiré sur Cal, près de l'appentis, elle avait éprouvé un grand calme et pas la moindre cellule de son corps ne doutait qu'elle faisait ce que son devoir lui dictait. Avant de tirer sur Paul, elle avait ressenti la même certitude. À présent, elle ne ressentait plus ni calme ni certitude.

— Vas-y, tue-moi si tu veux. Mais moi, je reste ici. Dans le centre fermé, j'ai laissé des mecs me brûler avec des cigarettes pour un pari et je n'ai jamais bougé. L'odeur leur a donné des haut-le-cœur avant que je fasse le moindre bruit.

Elle désarma le chien et pressa lentement la détente pour mettre la Marlin au cran de sûreté, puis la laissa pendre à son côté. Elle pensa à Cal et à Joanna, à leur tristesse si elle tuait Billy, à l'horreur de Toby ou de Tommy s'ils découvraient le corps de leur frère en cherchant des vers ou en pêchant dans les racines immergées. Elle ressentait un soulagement immense à l'idée que Billy ne soit pas mort. Le monde en aurait été entièrement changé, aussi profondément qu'il l'avait été quand son propre père était mort ou quand elle avait tué Paul. Et si elle avait tué Billy pour le punir de ce qu'il avait fait, quelqu'un alors serait peut-être obligé de la tuer pour la punir de ce qu'elle aurait fait à Billy. Elle prit une autre profonde inspiration et exhala.

— Je prends la barque, dit Billy.

Il avait toujours voulu posséder *La River Rose*. Peu après la mort de Grand-Père Murray, Billy lui avait pris le bateau et Cal l'avait obligé à le lui rendre.

— Grand-Père me l'a donnée.

— Grand-Père avait perdu la boule et tu l'as piégé. Il faudra me tuer pour m'en empêcher, et si tu me tues, tu iras en prison parce que tu as dix-sept ans. Maman t'a sûrement entendu tirer. Elle serait sortie si le débile n'était pas en train de pleurer.

Margo crut voir de nouveau ces fantômes Murray, debout à côté de Billy, lui apportant leur soutien, quoi qu'il fît.

— S'il te plaît, Billy, ne la prends pas.

— Trop tard, Nympho. Elle est à moi maintenant.

Il poussa la barque et sauta à bord tandis qu'elle s'éloignait. Margo posa sa carabine dans l'herbe, courut jusqu'à la berge et s'enfonça dans l'eau. Elle réussit à se saisir de l'arrière de la barque et fut entraînée plus loin par la force des coups de rame de Billy. Elle le ralentissait, elle allait l'arrêter, mais des deux pieds, Billy lança son sac à dos par-dessus bord, sur elle, et elle dut lâcher prise pour l'attraper. Il rama à toute vitesse vers le milieu de la rivière.

— Je viendrai la reprendre, dit-elle, enfoncée dans l'eau jusqu'aux hanches, en s'efforçant de maintenir son sac de couchage hors du courant. Tu ne pourras cacher cette barque nulle part, Billy. Je connais toutes les cachettes de la rivière. Si tu l'attaches à un arbre, je le scierai.

— Tu ne toucheras plus cette barque, cria-t-il. Comment as-tu osé me tirer dessus avec la carabine de papa ?

— Oncle Cal t'obligera à me la rendre, et tu le sais très bien.

Elle n'était pas aussi sûre d'elle-même qu'elle s'efforçait de le paraître – Cal pourrait bien, cette fois, ne pas la défendre contre son fils. À l'époque, lorsque Cal l'avait obligé à lui rendre la barque, Billy la lui avait rendue avec quatre serpents dedans, dont une couleuvre faux-corail, blanche et orange, qui avait déjà à demi englouti l'un des trois serpents rubans plus petits. Margo s'était contentée de soulever le nœud de serpents avec une rame et de les jeter dans l'eau, mais ce souvenir lui donnait la nausée à présent.

Margo grimpa sur la berge et jeta son paquet humide composé de la bâche pliée, du sac de couchage et de la petite pelle. Elle ramassa sa carabine, arma le chien et reprit Billy dans son viseur. Elle l'observait et sa rage redoublait, triplait, il fallait qu'elle tire sur quelque chose. Elle visa et tira sur la proue de la barque entre les mots *River* et *Rose*.

— Tout ce qui compte pour moi, Nympho, c'est que tu ne l'aies plus, cria-t-il. Et si tu me tues, tu ne l'auras pas non plus en prison, ta précieuse barque.

Elle devait reconnaître que Billy avait du cran. Elle n'aurait jamais pu se laisser brûler avec des cigarettes pour faire ses preuves. Il se laissa glisser vers l'aval, emportant son matériel de pêche, sa lampe à pétrole et son bidon d'eau.

— Tu pourras toujours cacher *La River Rose*, je la retrouverai, cria Margo.

Mais Billy était trop loin pour l'entendre. Elle essuya ses larmes et regarda en direction de la maison des Murray. Si elle allait se présenter à cette porte, Joanna lui ouvrirait et lui préparerait quelque chose de délicieux à manger, elle l'inviterait peut-être même à rester. Margo imagina Joanna l'accueillant et la prenant dans ses bras, de la même manière qu'elle avait toujours pris ses garçons dans ses bras après leurs bêtises. Mais Joanna n'était pas sa mère. Dans cette maison, Margo ne pouvait qu'être un fantôme, une élève de troisième trop vieille et sans fusil, à la merci des sautes d'humeur de Billy, obéissant aux règles que Cal et Joanna édicteraient. Tenter de vivre chez les Murray reviendrait à vouloir remonter le courant de la rivière, à recueillir l'eau qui avait déjà coulé dans le barrage, dans la Kalamazoo et dans le lac Michigan, et la reverser dans la Stark. Margo n'aurait pas la force de revoir Joanna, ni même de lui dire au revoir. Plus jamais elle n'aiderait Joanna à la cuisine. Au lieu de quoi, une dernière fois, elle avait aidé Joanna d'une manière dont elle ne se douterait jamais. Elle n'avait pas tué

Billy, et c'était le présent qu'elle lui offrait, ainsi qu'à la famille qui l'avait un jour prise en affection.

Margo voulut marcher le long de la rive pour rejoindre Billy, mais elle se ravisa. Si elle ne venait pas, Joanna serait assez inquiète pour prévenir la police ou envoyer quelqu'un à sa recherche. Margo sortit un stylo de son sac et écrivit au dos de sa dernière cible en papier. *Chère Joanna. Tu as raison. Il faut que j'aille chez ma mère. Mon ami va m'y emmener. Merci pour le pain et la confiture. Je t'embrasse, MLC.* Elle accrocha le mot à la corde à linge près d'une rangée de petits T-shirts.

Chargée de son sac à dos et de son sac de couchage mouillé, elle marcha en progressant lentement. Billy avait disparu mais elle était sûre d'apercevoir la barque quand il l'attacherait ou quand il remonterait la rivière pour regagner la maison des Murray. Personne n'allait charger un bateau aussi lourd sur une remorque et elle le verrait forcément passer sur l'eau.

Cela faisait près de quatre ans maintenant que le vieux Murray, malade, lui avait donné la barque, et Margo ne l'avait pas quittée des yeux un seul jour. Quand la rivière avait menacé de geler, elle et son père l'avaient sortie de l'eau et enchaînée à un arbre devant la fenêtre de sa chambre pour attendre le printemps. Les nouvelles rames que Michael lui avait achetées étaient couvertes d'une protection brillante, elles entraient et sortaient de l'eau, lisses comme du verre, sans jamais s'écailler. Avec elles, elle fendait l'eau sans faire de bruit, comme le chasseur indien au cœur de carcajou rôdait dans les bois, silencieux.

Bien qu'il fût à quelques kilomètres en aval, il fallut à Margo marcher jusqu'au soir pour parvenir au cimetière de Murrayville. Elle avait, le long de son parcours, scruté les deux côtés de la rivière et elle était certaine que Billy n'était pas remonté en bateau.

Le cimetière se trouvait juste en face de l'usine métallurgique Murray, et dominé par la pierre commémorative de Grand-Père Murray, haute de près de deux mètres, ornée de bas-reliefs, représentant à l'avant deux truites bondissantes et une tête de cerf et, à l'arrière, un loup et un carcajou. Elle avait vu l'ours que son grand-père avait rapporté du Nord – l'arrière de son pick-up en était presque entièrement rempli. Elle l'avait aidé à le dépecer et, une fois la peau retirée, elle s'était sentie à la fois excitée et nerveuse car le corps de l'animal ressemblait à celui d'un homme.

Margo posa la main sur le carcajou sculpté qui montrait ses dents pointues. « Grand-Père, il s'est passé tant de choses depuis que tu es parti, tu trouverais ça incroyable », dit-elle. Quel plaisir elle aurait éprouvé à entendre encore la voix du vieil homme. « J'ai tellement appris. Je t'assure. »

Elle aurait dû lui parler davantage avant sa mort, lui poser des questions sur la chasse, sur les loups, sur le carcajou qui, lui avait-il raconté, était entré dans son campement, là-haut dans le Nord, et l'avait dévasté. Le glouton, comme il l'avait appelé, était le genre d'animal qu'aucun homme ne pouvait voir, encore moins attraper. Elle avait envie de demander à son grand-père si un cerf était capable de manger un oiseau. Et pourquoi un héron volerait-il une cartouche de .22 ?

Elle accrocha son sac de couchage sur la stèle du vieux Murray pour le faire sécher à la lumière déclinante de ce jour brumeux, puis chercha et trouva, à plat sur le sol, une petite pierre gravée. Elle suivit le contour des lettres en répétant son nom, *Bernard Crane, Bernard Crane, Bernard Crane*, à la manière d'une prière que récitait Joanna. C'était le seul Crane dans le cimetière. Sa mère, Dorothy Crane, était partie vivre en Floride avec un cousin, et elle était morte de ce que son père appelait un *cancer féminin*, puis avait été enterrée là-bas, sans que Margo l'eût jamais vue.

— Je vais bien, papa, chuchota-t-elle. Ne crains rien pour moi. Mais je ne peux tout simplement pas retourner vivre avec les Murray. Sois sans inquiétude. Je ne tuerai plus jamais personne.

Margo examina l'herbe autour de la pierre tombale en se demandant où pouvait se trouver l'urne contenant les cendres. À un peu plus d'un mètre devant la pierre sculptée, elle distingua les contours d'un rectangle légèrement affaissé. Prenant la petite pelle de Brian dans son sac, elle la déplia et creusa sur une trentaine de centimètres, jusqu'au moment où elle sentit une résistance. Elle continua à creuser et à ôter les pelletées de terre. Elle vit enfin une surface de métal terni. Elle creusa encore jusqu'à ce qu'apparaissent les coins de la boîte, qui avait la même taille que celle qu'elle avait tirée de sous le lit de Crane. Elle la dégagea, puis ôta la terre qui recouvrait la plaque en bronze marquée BERNARD CRANE, 1947-1979, comme sur la pierre.

La boîte était étonnamment lourde, peut-être entre trois et cinq kilos, et Margo était pratiquement sûre qu'elle avait été fabriquée par quelqu'un qui avait de l'affection pour son père à l'usine métallurgique Murray. Les soudures avaient été polies avec beaucoup de soin. Elle était recouverte d'une couche d'émail gris foncé. Cal avait obéi aux volontés de Crane. Elle enleva ce qui restait de terre et posa sa joue sur le métal froid. Ayant tenu l'urne dans ses mains, elle ne put se résoudre à l'enfouir à nouveau. Elle combla le trou avec la terre qu'elle avait creusée et un peu d'argile de la rivière, retira la terre qui restait dans l'herbe et replaça la motte du mieux qu'elle put.

Cette nuit-là, elle dormit dans le cimetière, près de la rivière. Peu après s'être endormie, elle fut réveillée par des cris et il lui fallut un certain temps pour comprendre que ce n'étaient ni des humains ni des fantômes, mais des ratons-laveurs. Le lendemain matin, elle s'éveilla trempée de rosée devant le tableau de la grosse usine bleue crachant une fumée orange au-dessus de la rivière. Un semi-remorque reculait vers un quai de chargement. Le parking était à moitié plein, de pickups pour la plupart. Elle mit à sécher sa bâche, son sac de couchage et ses vêtements mouillés sur des pierres tombales et contempla la rivière, ce dont elle ne se lassait jamais.

Lorsqu'enfin elle reprit sa marche, elle glissa les cendres sous son bras. L'urne allait la ralentir encore, mais elle savait qu'elle ne pourrait pas abandonner son père cette fois. Elle parcourut quelques kilomètres vers l'aval avant de s'arrêter dans un brise-vent près d'un champ. Elle commençait à craindre d'avoir laissé passer Billy sans le voir en dormant plus profondément qu'elle n'aurait dû. Ou peut-être avait-il dissimulé la barque quelque part sur la rive opposée, encore qu'il n'y eût là-bas aucun bras mort. Peut-être se trouvait-elle derrière un ponton, mais elle avait regardé avec beaucoup d'attention. Elle marcha encore jusqu'au moment où elle entendit le grattement et le ronronnement d'une grosse moissonneuse. Quelqu'un coupait la luzerne. Elle campa au bord de l'eau.

Les deux jours suivants, elle suivit encore le cours inférieur de la rivière, parcourant deux kilomètres environ entre deux arrêts, et parvint au parc national, dans l'aire de camping de Pokagon Mound. À son arrivée, elle ne prit conscience qu'il faisait nuit qu'en voyant un feu de camp briller dans l'obscurité. Elle se trouvait à environ trente-six kilomètres de chez les Murray, mais elle avait l'impression d'être allée beaucoup plus loin, dans un autre pays.

Elle s'approcha sans bruit, aussi près que possible sans être vue des jeunes assis autour du feu. Deux d'entre eux fumaient des cigarettes, un couple se pelotait, et les deux autres semblaient très occupés à dessiner au crayon. Elle en reconnut certains qui étaient dans sa classe ; leurs noms ne lui revenaient pas, mais elle était sûre que c'étaient des amis de Billy. Il s'était passé une éternité, semblait-il, depuis ces vingt et un derniers mois, depuis l'époque où elle aurait pu les croiser dans le couloir de l'école. Elle n'avait jamais recherché leur compagnie, mais elle avait envie à présent d'être près de la fumée du bois et de leurs cigarettes, de l'odeur de menthe de leurs chewing-gums et même du parfum qui la dérangeait en classe. Elle avait envie de s'asseoir avec eux et de se laisser bercer par leurs voix, mais elle ne voulait pas qu'ils puissent dire à Billy qu'ils l'avaient vue, alors elle s'éloigna. Elle déroula son sac de couchage et sa bâche de l'autre côté du Pokagon Mound, un mamelon d'environ deux mètres de hauteur et de six mètres de diamètre, rempli d'ossements d'Indiens, si les légendes disaient vrai.

Le lendemain matin, Margo s'éveilla en rêvant de pain à la cannelle et de beurre de pommes, un rêve si réaliste qu'elle en sentait le goût. Elle alla fouiller l'intérieur du brasero autour duquel les adolescents faisaient cercle. Elle trouva un tas de bois de couleur foncée qu'on avait coupé à la tronçonneuse. Derrière ce tas s'en élevait un autre.

— Oh, mon Dieu, oh mon Dieu !

Il lui fallut un moment pour comprendre que le gémissement qui lui parvenait aux oreilles provenait d'elle. Elle se baissa et ramassa un morceau d'environ cinquante centimètres carrés de bois qui ressemblait à une planche à découper légèrement incurvée. Le bois était lourd, aussi dense que de la pierre. Du teck. Elle serra le morceau contre elle et se demanda comment sa barque avait pu flotter. Son habileté à manœuvrer ce bateau tenait de la magie, la magie de son grand-père qui lui avait été transmise. Elle chercha parmi les morceaux et en trouva un marqué *River Rose*, dont un petit bout du premier R avait été scié. Elle passa le doigt sur la balle encastrée dans le bois. Elle emporta le morceau de teck brûlé avec les cendres de son père et son sac. Billy et elle étaient nés au même endroit, ils avaient appris les mêmes choses et ils avaient tous les deux tué quelqu'un. Mais la méchanceté de Billy et son désir de revanche avaient grandi en lui avec une telle violence qu'il n'hésitait pas à détruire même ce qu'il aimait.

La nuit suivante, les jeunes revinrent, cette fois encore sans Billy. Planche après planche, le teck disparut en brûlant à petit feu. Dans l'ombre, Margo écoutait leurs bavardages. L'une des filles allait commencer l'université publique à l'automne et elle semblait enthousiaste. Un garçon quittait la ville pour entrer à l'université d'État. Un troisième commencerait à travailler chez un agent d'assurances. Margo admirait leur insouciance, même si certains parmi eux ignoraient où ils allaient habiter et comment ils parviendraient à se nourrir. Ils s'attrapaient et s'embrassaient, se passaient un joint, parlaient et riaient.

Margo s'efforçait de prendre le moins de place possible, et quand, après quelques nuits, les jeunes cessèrent de venir, elle put allumer son propre feu. Elle rangeait ses affaires tous les matins et les cachait derrière le mamelon indien, avec une bouteille de jus de fruits qu'elle remplissait d'eau. L'aire de pique-nique se révéla un bon endroit pour attendre et décider de ce qu'elle allait faire. Il y avait de l'eau courante dans les toilettes publiques, mais elle se trouvait aussi à sept cents mètres de grands potagers où elle cueillait des légumes, des tomates en particulier. Elle aurait préféré faire du troc avec les jardiniers plutôt que de voler, et elle regrettait de ne pas avoir sa canne à pêche pour leur apporter des fertilisants sous forme d'entrailles de poisson ou des truites qu'ils puissent manger, mais elle songea qu'essayer de parvenir à un accord lui causerait plus de problèmes – mieux valait faire profil bas. Tous les matins, des canards

domestiques venus d'une ferme voisine s'approchaient ;
quand Margo découvrit l'endroit près de la rivière où les
canes pondaient parfois leurs œufs, elle construisit un nid
garni de feuilles de maïs, d'herbes et de fourrure de lapin
pour les encourager à venir plus souvent. Le champ de
l'autre côté de la route grouillait de lapins. Margo trouva et
mangea des plantes sauvages comestibles décrites dans son
livre sur le chasseur indien : cerises de terre, petite oseille et
topinambours (que Joanna appelait artichauts de Jéru-
salem, et qu'elle cultivait dans sa propriété pour ses fleurs).
Le livre indien mentionnait les glands doux, mais elle
n'avait trouvé que des glands très tanniques. Les noix, les
noix de pécan et les pommes étaient en train de mûrir et,
lorsqu'ils seraient prêts, elle trouverait le moyen de
conserver ces fruits pour l'hiver, où qu'elle soit.

Margo se lavait au bord de la rivière comme elle l'avait
fait petite fille, mais ne se déshabillait pas et ne nageait pas
non plus car cela l'aurait rendue vulnérable s'il venait
quelqu'un. Parfois, il lui semblait voir le fantôme de Crane
au bord de l'eau ou à côté de son urne, l'air sombre. Elle
voulait lui dire de ne pas être en colère ou triste. Elle s'en
tirait bien. La solitude était le moindre prix à payer pour
éviter d'être en prison ou à la merci des Murray. Chaque
nuit, elle dépliait sa bâche sur le sol humide et déroulait son
sac de couchage. Elle plaçait l'urne entre elle et le feu.
Heureusement, elle n'eut pas trop souvent l'occasion
d'affronter les intempéries ; il y eut de rares averses, au cours
desquelles elle se réfugia dans les toilettes à côté du parking.

La deuxième semaine de septembre, les nuits devinrent
fraîches. La disparition des colibris et l'arrivée de douzaines
de bruants à gorge blanche, ainsi que la coloration rouge sur
les sumacs vénéneux qui s'enroulaient autour des vieux
arbres, annoncèrent la venue de l'automne ; l'hiver suivrait
de près. Il lui fallait trouver le moyen de survivre à ces longs

mois. L'an dernier, Michael l'avait recueillie. Oh, quelle chose divine ce serait d'être recueillie à nouveau dans sa maison, de se voir offrir nourriture et café, de grimper dans son grand lit, faire l'amour, dormir, puis se réveiller et prendre le petit déjeuner, jour après jour. C'était de l'ordre de l'impossible, un point de non-retour – elle avait dérivé, laissé Michael derrière elle, et elle ne pouvait plus renverser le courant de sa vie. Elle se demanda si Luanne avait écrit à l'adresse de Michael au cours du mois écoulé, en l'absence de Margo. *Cette fois, c'est le bon moment, Margaret,* aurait-elle pu écrire. *Viens vivre avec moi dans ma maison au bord de l'eau.*

Une nuit, elle entendit au loin un jeune raton laveur crier comme un bébé abandonné. Elle examina le ciel jusqu'aux premières heures de l'aube, jusqu'à ce que la constellation de l'homme à la ceinture apparût enfin à l'horizon austral. Elle pensa au chasseur indien. Il vivait seul, mais sa famille attendait son retour. Nul n'attendait Margo. Margo s'était laissée devenir une personne coupée de tout lien avec les autres. Elle savait cependant, maigre consolation, qu'elle ne portait en elle ni la rage de Billy, ni la colère de son père. L'une comme l'autre l'auraient accablée plus que le poids de son sac.

15.

Un soir de septembre, Margo entendit une voiture s'arrêter dans le parking du Pokagon Mound. Sans s'interrompre, elle découpa les pattes antérieures du lapin de garenne qu'elle venait d'abattre. Elle poursuivit avec les pattes postérieures, puis s'arrêta, l'oreille tendue vers le claquement de la portière. Après deux mois d'existence solitaire au bord de la rivière, Margo s'aperçut avec consternation que son couteau suisse était tout émoussé. En essayant de l'aiguiser sur des pierres, elle avait aggravé les choses. Un couteau émoussé rendait le travail plus sanglant et plus difficile que nécessaire. Elle savait qu'il était facile de se couper avec une lame effilée, et elle se montrait extrêmement prudente.

À cette époque de l'année, les potagers regorgeaient de poivrons, de tomates et d'aubergines. Quelques jours auparavant, elle avait même coupé un petit chou et réussi à en faire cuire quelques feuilles dans sa tourtière. Elle glana quelques épis de maïs abandonnés dans un champ. Elle avait chapardé trois grosses tomates cœur-de-bœuf, si mûres que leur peau éclatait. Elle en mangerait avec le lapin qu'elle avait abattu d'un seul coup dans l'œil sur un coteau en amont.

Elle commençait à manquer de munitions, et il lui faudrait économiser les neuf cartouches qui lui restaient pour des tirs cruciaux. Depuis qu'elle était là, elle n'avait plus de cibles en papier et s'était entraînée en tirant sur des glands et des noix posés sur un poteau de clôture. Aujourd'hui, elle avait déniché la première orange des Osages, qu'elle avait placée sur le poteau pour tirer dessus dès qu'elle en ressentait le besoin, mais sans cartouche, ce qui n'était peut-être pas excellent pour le percuteur de sa Marlin. Elle se débrouillait plutôt bien à l'approche de l'automne, mais elle était dans l'expectative, en quête du signe indiquant la direction qu'il lui faudrait prendre.

Margo fendit la fourrure du lapin de l'aine jusqu'à la poitrine, procéda de même avec la membrane sous la peau et vida les entrailles dans un sac en papier. Elle gratta la cavité avec les doigts, et ôta les poumons. Soudain, un homme se matérialisa à côté d'elle. Sa main glissa et elle faillit se planter le couteau dans le poignet. Elle se leva, le couteau dans une main, le lapin vidé dans l'autre, et regarda l'étranger qui se tenait bien trop près à son goût. Il devait être du même âge que Michael, mais il avait quelque chose de plus doux et de plus lent.

— Bonsoir, jeune fille, dit-il en reculant. Je ne voudrais pas vous déranger.

Il avait une carrure courte et trapue, des cheveux noirs, et il portait un sweat-shirt imprimé du blason d'une université. Quand il eut encore reculé d'un pas, elle s'accroupit à nouveau et reprit son travail sur la carcasse, découpant autour de la queue et faisant une incision au milieu du dos, de gauche à droite. Ce n'était pas la méthode que son grand-père lui avait apprise, mais celle de Brian, plus rapide, pour récupérer la viande si on ne voulait pas garder la peau.

Elle tint la tête du lapin dans une main, glissa les doigts de l'autre dans l'incision et décolla la peau jusqu'aux pattes arrière, de telle sorte que seule la queue conservait de la fourrure. Elle procéda de la même façon avec le devant, enfonçant les doigts sous la peau et la tirant depuis les épaules et les pattes avant jusqu'au cou. Elle coupa la tête et tordit le cou pour le séparer de la colonne vertébrale. Elle gardait l'œil sur les mocassins de l'homme. Dans le livre sur le chasseur indien, elle avait lu comment on coupait le tendon d'Achille d'un ennemi pour l'empêcher de courir.

— Vous braconnez ? demanda l'homme.

Margo ôta la queue et la posa à côté de la tête sur le sac contenant les viscères. L'homme ne semblait pas dangereux et, s'il se jetait sur elle, elle n'aurait aucun mal à le poignarder ou à l'assommer avec la crosse de la Marlin.

— C'est impressionnant, ce que vous faites, dit-il en écartant l'épaisse chevelure qui lui retombait sur les yeux. J'aimerais bien savoir écorcher un lapin.

— Je vous montre pour cinq dollars, dit-elle.

Cinq dollars lui permettraient d'acheter assez de munitions pour un bout de temps. Elle chercha le foie au milieu de l'intestin, passa le doigt dessus pour s'assurer qu'aucune lésion ne signalait de tularémie. L'homme la suivit jusqu'au bord de la rivière, où elle jeta les viscères aux poissons et aux tortues. Elle plaça le lapin dans un sac de chips, le secoua pour le recouvrir de sel, l'attacha avec une ficelle et le plongea dans l'eau presque jusqu'en haut. Elle l'immobilisa avec une pierre.

— Et si je vous demandais votre permis de chasse ?

L'homme, souriant, restait debout derrière elle. Une de ses incisives chevauchait l'autre. Elle fit la sourde oreille.

— Mon peuple vivait ici, j'en suis sûr.

Il croisa ses mains douces et boudinées sur sa poitrine.

— Vous accepteriez de partager avec moi ?

— C'est tout ce que vous savez faire, demander aux gens de vous donner à manger ?

Margo regarda deux geais bleus sautiller et crier à l'unisson.

— Quand on se trouve en terre étrangère, on dépend de la générosité des autochtones.

Margo pensa au lapin et se dit qu'il y en avait bien assez pour deux.

— J'essaie de manger de la nourriture indienne tant que je suis ici, dit-il.

— Pourquoi ?

— Je suis indien, pour commencer. C'est ce que je veux dire quand je parle de mon peuple.

Margo l'examina avec plus d'attention. Depuis qu'elle avait lu le livre de Michael, elle espérait rencontrer un chasseur indien. Elle avait imaginé un Indien fort, au cœur de carcajou, armé d'un arc et d'une flèche, pas un type à l'air doux avec une étrange façon de parler et désarmé.

— Ce lapin et ces légumes ont l'air délicieux.

— Vous ne ressemblez pas à un Indien, dit Margo.

Mais en l'étudiant de plus près, elle trouva qu'il ressemblait au chasseur indien du livre, même s'il portait un jean et un sweat-shirt au lieu de vêtements en daim.

Il s'accroupit si près d'elle qu'elle sentit son souffle dans son cou.

— Et pourquoi diable une jeune femme serait-elle en train d'écorcher un lapin dans un parc ? J'ai vu quantité de choses bizarres depuis que je suis dans cet État.

— J'ai déjà tiré sur le pénis d'un homme, dit-elle. Juste pour que vous ne cherchiez pas à m'embêter.

Il se mit debout et changea de place pour la regarder sous un autre angle.

— Ne craignez rien. Je suis marié et heureux de l'être. Écoutez, si cette viande est bonne à manger, je vous offre cinq dollars, ainsi que de délicieux ananas et papayes séchés en échange du dîner.

Elle tendit la main. Elle n'avait jamais entendu parler de papayes et se demandait si c'était de la nourriture indienne.

— Quel âge avez-vous ?

Il fouilla dans sa poche, en sortit un billet de cinq et le lui donna.

— Vingt et un ans.

Le soleil couchant dorait les cheveux de l'homme. Il avait la peau dorée aussi, comme celle de Brian en été quand il avait travaillé dehors. Cet Indien était beau, se dit-elle, plus beau que Sitting Bull, auquel les photos donnaient l'air sculpté dans la pierre et mécontent. Et, à moins qu'il eût l'intention de la dénoncer au garde champêtre, cet homme ne représentait aucun danger. Lorsque le sac de pommes chips remonta à la surface, elle reposa une autre pierre dessus pour le maintenir immergé. Elle savait que si elle l'oubliait ne fût-ce que quelques minutes, un des gros ratons laveurs du parc n'hésiterait pas à venir s'en emparer.

— Pourquoi est-ce que vous rafraîchissez la viande comme ça ?

Elle regrettait de ne pas avoir posé la question à son grand-père ou à Brian. Peut-être était-ce en rapport avec les parasites ou les bactéries. Le chasseur indien aussi rafraîchissait sa viande avant de la consommer.

— Un Indien devrait savoir ça, il me semble.

— J'ai grandi à Lincoln, dans le Nebraska. Nous ne mangions pas de lapin. Le seul que j'aie jamais vu, c'est en regardant *Elmer Fudd*.

L'homme s'accroupit à nouveau à côté d'elle au bord de l'eau.

— Vous n'avez pas vingt et un ans. Vous avez l'air d'en avoir dix-sept, dix-neuf tout au plus.

— Alors pourquoi demander si vous croyez le savoir ?

— Difficile de vous voir vraiment sous la crasse. Vos parents ne devraient-ils pas vous ramener à la maison bientôt ? Ou bien attendez-vous un homme que vos parents désapprouvent ?

— Je n'aime pas les hommes, dit-elle.

Il rit et, quittant la position accroupie, posa un genou à terre. Margo ne bougea pas, même si ses jambes commençaient à se raidir. L'homme observa la rivière, mais Margo savait qu'elle pouvait l'observer plus longtemps que lui.

— On appelait cet endroit la Rivière des Trois Hérons, d'après mes conclusions. Ce coin en tout cas.

— C'est la Stark, dit Margo. Elle porte le nom de l'explorateur Frederick Stark.

— Eh bien, il y avait des gens dans la région bien avant que M. Stark s'y aventure avec sa casquette, son fifre et sa veste en tweed, dit-il en la regardant du coin de l'œil. Je suis le trajet migratoire des Potawatomi. La tribu tout entière est descendue à pied de la péninsule supérieure jusqu'à la Kalamazoo, soit six cents à sept cent cinquante kilomètres.

— Pourquoi ?

— Pourquoi ils sont descendus ? Ou pourquoi est-ce que je marche sur leurs traces ?

— Vous ne marchez pas.

— Comment vous appelez-vous ?

— Margaret, dit-elle. Margo.

— Les noms comptent beaucoup. Voulez-vous savoir comment je m'appelle ? demanda-t-il.

Margo jugea sa question arrogante, comme s'il estimait que son nom revêtait une importance considérable.

— Non. Votre nom ne m'intéresse pas.

— Alors je ne vous le dirai pas. Il faudra deviner. Ce sera comme Grigrigredinmenufretin, le nain tracassin.

— Vous n'êtes pas d'ici, n'est-ce pas ?

Margo avait voulu l'insulter, mais l'homme se contenta de secouer la tête.

— J'ai passé l'été à apprendre les maths à des gosses dans une réserve de la péninsule supérieure. Maintenant je rentre chez moi. Sauf si je meurs en mangeant ce lapin.

Un peu plus tard, elle embrocha le lapin sur une branche de caryer et le fit cuire sur le feu. Elle essayait d'observer les oiseaux et les animaux aquatiques près de son bivouac, mais elle était distraite par l'Indien et faisait beaucoup d'effort pour ne pas parler. Lorsque la viande fut presque prête, elle plaça les épis de maïs au bord du feu et les fit cuire dans leur enveloppe. Puis ils s'assirent en tailleur de part et d'autre du feu et mangèrent dans des assiettes en carton que l'Indien était allé chercher dans sa voiture.

— J'aime manger la nourriture de mes ancêtres, dit-il.

Margo trouvait le lapin particulièrement délicieux, peut-être avait-il mangé les choux et les haricots d'un potager.

Quand ils eurent terminé leur repas, le soleil se couchait. Ils firent brûler les assiettes dans le feu et l'Indien alla prendre un flacon de Wild Turkey dans sa voiture. Il se rassit et lui tendit la bouteille.

— Vous en voulez une gorgée ?

— Non. C'était ce que buvaient vos ancêtres ?

— Oh, il semble que les Européens nous ont fait découvrir quelques excellentes choses.

Il ouvrit la bouteille et inhala profondément. Il sembla se détendre avant même d'avoir commencé à boire.

— J'ai emporté une bouteille de whisky de la réserve, mais je la garde pour quand je serai arrivé à la Kalamazoo.

— Il y a un barrage avant.

— En voiture, ce n'est pas un problème.

En buvant, il regarda la rivière qui s'assombrissait.

— Le problème, c'est que la Kalamazoo est polluée à mort, polluée au-delà de toute régénération possible. C'est pareil dans tout le pays. Tout est empoisonné.

Au bout de quelques gorgées à peine, sa voix était devenue différente, plus rauque.

Margo détacha de son sac ses instruments pour nettoyer sa carabine. Sans l'ouvrir, elle nettoya le canon, saturant l'air de son solvant Hoppe's nº 9. Puis elle referma sa baguette de nettoyage, l'enveloppa dans un vieux T-shirt de Michael et le posa. L'air devenait glacé et le ciel se changeait en un feu d'artifice d'étoiles. Margo resserra autour d'elle le blouson Carhartt de son père et regarda l'Indien s'enivrer. À la lueur du feu, elle vit ses yeux rougir et ses paupières tomber. Ses épaules se voûtèrent et il finit par s'affaisser. Pour finir, il se renversa sur le côté, la bouteille vide serrée dans la main droite. Du bras gauche, il remonta les genoux contre sa poitrine.

À cette heure de la nuit, Margo serait allée rafler des légumes dans un potager, mais elle resta immobile. Avoir le loisir de regarder quelqu'un, de le regarder vraiment, de tout près et pour longtemps, était un plaisir presque aussi apaisant pour elle que viser et tirer. Margo avait eu besoin qu'on lui donne le gîte et le couvert, mais c'était la première fois que quelqu'un avait besoin d'elle ; ce type était venu à elle et elle l'avait nourri. Elle était contente qu'il lui ait donné de l'argent en échange de la nourriture. Elle se trouvait encore trop près de Murrayville pour encaisser le mandat de sa mère. Il ne mentionnait aucune date d'expiration, mais les bords du papier commençaient à être usés.

Elle plia la bâche sur la Marlin pour la protéger de la rosée, et eut l'impression de la border dans un lit. Plus tard dans la nuit, l'Indien regagna sa voiture en chancelant, pissa par terre à côté et s'y glissa pour dormir. Margo plaça l'urne en métal entre le feu et elle, et écouta la chouette rayée qu'elle avait déjà entendue quelques nuits auparavant. Elle appela doucement dans le silence : « Hou ! Hou ! Qui se soucie de vous ? » encore et encore, mais sans recevoir de réponse.

Le lendemain matin, l'Indien lui paya quatre dollars en billets de un pour un petit déjeuner composé de tomates, de minuscules coquillages de rivière qu'elle fit ouvrir dans une poêle appartenant à l'Indien, et deux œufs des canards domestiques qu'elle avait attirés. Une fois leurs assiettes brûlées, il annonça qu'il prenait la direction de la Kalamazoo pour voir l'endroit avant de retourner en Californie.

Elle entendit des sifflements d'oies et, levant la tête, elle vit une formation en V traverser le ciel au-dessus de la rivière. À la pensée de ces créatures qui émigraient, qui franchissaient le ciel sans effort, elle eut la nostalgie de sa barque. Margo regarda autour d'elle, dans le camp, son sac, tout prêt. Son sac de couchage, roulé, y était attaché.

— Est-ce que je peux partir avec vous ?

Elle rentra son jean dans ses bottes et en refit les nœuds ; c'était par pure habitude, les moustiques n'étaient pas trop nombreux aujourd'hui grâce à la brise qui soufflait.

— Ma mère habite près de Kalamazoo.

— Je ne prends pas de fille avec moi.

Il se leva et la considéra de sa hauteur :

— Je suis un homme marié.

— Mon père est mort et il faut que je retrouve ma mère.

— Désolé pour votre père. Mais c'est pas mon boulot, d'aider les filles perdues à retrouver leur mère.

— Je peux vous montrer des plantes dont se nourrissaient les Indiens. Cresson, oignon sauvage, ail des bois, noix de pécan.

Naturellement, l'ail des bois et les oignons n'étaient déjà plus de saison. Peut-être pouvait-elle lui trouver des églantines – c'était quelque chose que mangeait le chasseur indien – ou des pommes sauvages, des asimines doux et crémeux qui devraient être mûrs à présent si elle parvenait à trouver un arbre. Les noix commençaient à tomber. Elle se leva et plongea son regard dans le sien.

— Dès qu'il commencera à pleuvoir, nous aurons des vesses-de-loup géantes.

— Laissez-moi réfléchir.

Il s'accroupit et, au bout de quelques minutes, changeant de position, il s'assit en tailleur.

— Arrêtez de me regarder. Impossible de réfléchir quand quelqu'un vous regarde ainsi.

— Je vous préparerai du canard quand nous serons là-bas. Vos ancêtres mangeaient probablement du canard.

— C'est vrai que j'adore le canard.

— Il y a des colverts à la pelle.

Elle se dirigea vers la rivière, se lava les mains et le visage, se frotta la peau avec un peu de sable et se rinça. Puis elle se retourna pour le regarder de loin.

— Si vous changez d'avis une fois arrivée, je ne pourrai pas vous ramener, cria-t-il. Et si je vous prends avec moi, pas question de fusils. Et n'essayez pas de me faire manger des champignons bizarres.

— Je n'ai qu'une carabine, cria-t-elle en réponse.

— Je suis contre les armes à feu. Et de toute manière, il y a des lois qui régissent le port d'armes.

— On a le droit d'avoir une carabine dans la voiture du moment qu'elle est à l'arrière, et déchargée.

Elle marcha vers lui, décrocha sa carabine de son épaule et lui montra le canon.

— Vous voyez, il y a un écureuil gravé dessus. Annie Oakley en avait une comme celle-là, pour les compétitions de tir. Ce métal est du chrome.

— Ça m'est égal qu'un fusil soit beau. Et vous n'êtes pas une championne de tir.

Margo se demandait si le fait de s'entraîner au tir de précision faisait d'elle une championne de tir.

— Si je touche d'ici ce fruit sur le poteau de clôture, est-ce que vous m'emmenez à Kalamazoo ?

— Qu'est-ce que c'est comme fruit ?

Il alla voir avec Margo et prit l'orange des Osages qu'elle avait posée là. Il la reposa et s'essuya les mains sur son jean.

— On dirait un cerveau, mais vert. Est-ce que mes ancêtres le consommaient ?

— Non, mais il éloigne les insectes et les araignées. Enfants, nous les appelions des cervelles.

Il reprit le fruit, cette fois avec deux doigts, le renifla puis le reposa.

— C'est poisseux.

— Si j'arrive à le faire tomber à douze pas d'un seul coup, est-ce que je peux venir avec vous ?

— Moi-même j'y arriverais probablement, dit l'Indien.

Il ramassa un fruit par terre et le lui tendit.

— Qu'est-ce que c'est ? On dirait la même chose en miniature.

— C'est un gland de chêne à gros fruit.

Il le posa sur l'orange de Osages.

— Et ça ? Si vous touchez ce gland sans toucher cet horrible fruit-là, je vous emmène, toi et ta carabine, tant que vous n'êtes pas chargés.

— C'est vraiment petit.

Pour un gland, il était assez gros en réalité, près de quatre centimètres de diamètre. Avant de se trouver à court de munitions, elle touchait huit fois sur dix des pommes sauvages plus petites posées sur le même poteau.

— Comme ma voiture, dès qu'il y a des filles et des fusils.

Ils comptèrent les pas et il resta debout à côté d'elle. Elle posa la carabine sur son genou plié, ôta le chargeur, y introduisit l'une de ses neuf dernières balles, actionna le levier. Elle ne se lassait jamais de ces gestes.

Elle leva la carabine à l'épaule, la colla contre sa joue, inspira et exhala. Elle tira. Elle savait qu'elle avait relâché la détente trop tôt. Peut-être la pointe de son canon était-elle légèrement remontée quand la balle avait quitté la chambre.

— C'était à un cheveu, dit-il.

À juste titre, elle avait redouté que l'absence d'entraînement sur ces cibles en papier bien utiles lui ferait perdre sa finesse. Et pourtant elle avait abattu des lapins avec une grande précision. M. Peake disait toujours que chaque tir était une question de probabilité, et Margo savait qu'un coup raté relevait de ça.

— Attendez. J'ai dit un coup pour l'orange des Osages. C'est deux pour le gland.

— D'accord, un deuxième, mais c'est tout.

Tandis que l'Indien l'observait, elle mit une seconde balle dans la Marlin. Dans sa poche, elle avait les sept qui lui restaient.

— Vous vous tenez trop près de moi, dit-elle en agitant le bras gauche.

Il recula d'un pas de façon théâtrale. Elle leva sa carabine à l'épaule et la sentit trembler légèrement. M. Peake disait toujours qu'il ne fallait appuyer sur la détente que lorsqu'on était sûr de tirer juste. Elle baissa les bras, tint l'arme lâchement dans sa main droite, regarda la rivière. Quand elle était petite, elle avait décidé de ne jamais quitter la Stark, mais maintenant, sans son père et sa barque, elle ne supportait plus l'idée d'y rester un seul jour. Si elle ne partait pas avec l'Indien, elle irait à pied.

Elle prit la carabine dans sa main gauche et secoua la droite. Ce n'était pas parce qu'il y avait quelqu'un à côté qu'elle allait rater son coup. Elle avait gagné la compétition du club 4-H sous les yeux d'une foule de spectateurs. Et même si deux mois s'étaient écoulés depuis qu'elle avait tiré sur des cibles en papier chez Michael, elle était excellente alors, à son meilleur niveau. Elle prit une profonde inspiration, relâcha les épaules et ralentit les battements de son cœur.

De sa base jusqu'au sommet, elle examina le poteau en traverse de chemin de fer, qui était à peu près de la même taille qu'elle. Elle observa le fruit vert et le gland posé dessus. Derrière, il y avait la surface lisse de la rivière. Elle enroula la bandoulière autour de sa main et de son avant-bras gauches, et tira dessus. Quand elle plaça la crosse dans le creux de son épaule et la colla contre sa joue, elle avait une position et une prise solides. L'Indien disparut, elle resta seule avec sa carabine et sa cible. Elle regarda dans son viseur. Son instructeur lui avait parlé de prise « tremblante », disant qu'on n'était jamais absolument immobile, mais chez Margo il y avait toujours ce moment, comme à présent, où elle se sentait parfaitement enracinée dans la planète. Sans que ce fût une décision consciente, elle fit doucement reculer la détente et la retint pendant que le projectile était lancé dans le canon et en direction du gland. Elle savait que le tir était réussi. Elle ne bougea pas, même après avoir entendu un bruit comparable au dernier coup de bec d'un pivert contre une branche de chêne.

Ils marchèrent jusqu'à l'arbre et virent que le gland avait disparu en laissant le gros fruit intact.

— Mince ! C'est un coup de chance ?

Elle secoua la tête. À moins de considérer que le talent et les probabilités relevaient du hasard. Comme elle retenait son souffle, elle s'aperçut qu'il posait sur elle un regard d'une très grande intensité.

— Ce talent que vous avez est singulier, dit-il.

Il prit l'orange des Osages et la renifla de nouveau.

— C'est comme d'apporter la preuve d'un théorème mathématique. Je crois que je vais mettre ça dans ma voiture pour éloigner les araignées. Il y a vachement trop d'araignées dans cet État.

Elle accrocha la Marlin à son épaule et retourna à l'endroit où attendait son sac.

L'homme donna un coup de pied par terre, se retourna vers Margo et éclata de rire.

— Je dois être cinglé. Vous savez, si la police m'arrête, je leur dirais, hein, qu'on a un fusil.

Margo se surprit à sourire, comme elle ne l'avait pas fait depuis longtemps, parce qu'elle avait bien tiré, que le soleil était chaud ; et il y avait l'étonnement de l'Indien et la perspective de trouver une nouvelle rivière. L'Indien ouvrit le coffre de la voiture et elle posa sa carabine sur son sac de couchage. Il la recouvrit de quelques vêtements. Elle plaça son sac à côté.

Quand l'homme s'installa au volant et referma la portière, elle descendit la vitre et regarda une dernière fois la Stark, la rivière qu'elle n'avait jamais pensé quitter.

— Vous êtes sûre, vous n'êtes pas en train de faire une fugue ? demanda l'Indien en démarrant.

Elle hocha la tête et regarda la rivière disparaître derrière eux.

— J'ai interrogé un anthropologue, dans le Nord, pour connaître les endroits les plus probables où auraient habité les Potawatomi dans la région de Kalamazoo, dit-il une fois qu'ils se furent glissés sur une autoroute. Un fermier, là-bas, m'a autorisé à camper une nuit sur sa propriété.

— Vous ne faites pas comme les Indiens. Ils ne vont pas voir des anthropologues. Un Indien, ça ne doit pas suivre la piste des animaux ?

— Vous savez, vous devriez me remercier. Je ne vous ai emmenée avec moi que pour vous protéger des inconnus qui pourraient vous prendre en auto-stop. Les hommes sont méchants par ici.

— Ils ne me font pas peur.

— Vrai, sacrebleu, vous avez tiré sur la bite d'un homme ! s'écria-t-il en se tapant sur la cuisse pour souligner ses paroles. Bon sang de bonsoir, je suis dingue de vous emmener.

— C'est bien pour ça que je dis que vous ne faites pas comme les Indiens.

Margo n'avait jamais aimé rouler sur l'autoroute et là, c'était comme le jour où elle avait roulé avec Junior quand il avait obtenu son permis de conduire. Peut-être sa nausée était-elle provoquée par la tristesse de quitter la Stark, mais sa conduite n'arrangeait pas les choses.

— À votre avis, comment font les Indiens ? Vous ne connaissez rien aux Indiens.

— Sitting Bull ne dirait pas *bon sang de bonsoir* et *hein* et *sacrebleu* et *vachement*.

Discuter ainsi calmait un peu la nausée de Margo, tant que les mains de l'Indien restaient sur le volant. Elle se raidit tout le temps qu'il leur fallut pour se placer dans la voie de gauche et dépasser un semi-remorque qui paraissait long d'un kilomètre. Les quarante-cinq minutes sur l'autoroute lui parurent durer une éternité et elle fut soulagée lorsqu'ils s'engagèrent enfin dans une bretelle de sortie.

— Je crois que c'est inutile de vous demander de tenir la carte, dit-il tandis qu'ils poursuivaient sur une route à deux voies.

Il regarda l'horizon droit devant, puis se tourna vers elle de nouveau.

— Vous êtes bien pâle, jeune fille.

Elle ouvrit la bouche, voulut faire un commentaire sur le visage pâle de l'Indien, mais se ravisa. Comme ils s'engageaient dans une route plus étroite, elle baissa la vitre. Elle tendit le bras derrière elle et chercha à tâtons. Elle posa la main sur l'urne et retrouva son calme. Puis elle sentit l'odeur de la rivière et ses muscles se relâchèrent.

16.

L'Indien s'engagea dans une allée marquée par un poteau de bois et ils s'arrêtèrent devant une grille près d'une grange en planches grossières. Une fois descendue de voiture, Margo vit un tas de ferrailles rouillées et enchevêtrées de la taille d'une baleine, et dont les plus gros éléments semblaient être de vieilles machines agricoles cassées. Ils contournèrent la grille et, derrière la grange, tombèrent sur une pile de souches, de branches tordues et d'arbustes déracinés. De l'autre côté de l'allée se trouvaient les fondations de ce qui avait jadis été une maison. Elle ne voyait pas la rivière, mais son odeur au loin et la manière dont le terrain descendait vers l'eau la réconfortaient. Elle retourna à la voiture, dégagea sa carabine et l'accrocha à son épaule.

Une ligne d'arbres, qui servait de brise-vent entre un champ de maïs et un champ de soja, conduisait de la route à la rivière. À mesure que Margo et l'Indien s'en approchaient, le brise-vent s'élargissait et ils découvrirent un petit ruisseau qui le longeait. Margo cueillit une cosse, l'ouvrit et, en marchant, mangea le soja cru. Les graines étaient dures et difficiles à mâcher, prêtes à être récoltées, se dit-elle. Au bout d'un moment, les arbres devinrent un petit bois, des érables et des noyers pour la plupart. Le terrain descendit en pente douce sur environ cinq cents mètres avant de piquer au bord de la rivière. Une fois sur la berge, Margo estima qu'ici, la Kalamazoo devait peut-être mesurer cinq cents mètres de large, deux fois plus que la Stark à Murrayville. En face, le terrain s'élevait abruptement. Margo scruta la berge escarpée et ne vit aucun sentier conduisant à la rivière, rien qu'un panneau orange et noir marqué RÉSERVE DE CHASSE ENTRÉE INTERDITE. Vers l'aval se dressait un autre panneau semblable.

— Nous pouvons camper ici cette nuit, dit Margo.

— Il faudra sans doute laisser la voiture près de la route, dit l'Indien. Nous apporterons ce dont nous avons besoin.

Margo se demanda combien de temps il faudrait à l'eau de la Stark qui avait coulé durant leur voyage pour traverser le barrage et atteindre cette partie de la Kalamazoo. Les relents chimiques de la rivière étaient différents des relents chimiques de la Stark. L'air était chargé d'une odeur de pourriture, l'eau brunâtre et les berges sales. Le seul endroit sablonneux était celui où la source qu'ils avaient longée rejoignait la rivière. Margo remarqua un remous dans l'eau et se demanda si le fantôme de Crane l'avait accompagnée si loin. Un rat musqué fit surface, la vit et replongea.

— Oh, doux Jésus, fit l'Indien, en regardant autour de lui. Mon cousin m'a parlé des histoires qui circulent sur cette vallée. Il y avait des arbres en si grand nombre qu'on ne manquait jamais de bois. Les tonneaux et les seaux débordaient de la douce sève des érables à sucre. Dommage que tout ait été déforesté pour l'agriculture.

— Avec tous ces arbres au bord de la rivière, il doit y avoir beaucoup d'animaux qu'on ne voit pas pour l'instant. Ils sortiront la nuit pour manger le maïs et le soja.

— Mon cousin a entendu raconter que, dans le Michigan, les daims se plaçaient dans la trajectoire de la flèche et demandaient à être transformés en nourriture et en peaux. Ils étaient fatigués de leurs riches existences terrestres et voulaient qu'on les envoie dans le monde des esprits, ou quelque chose dans ce goût-là. Il a dit que les canards se dépouillaient de leurs plumes avant de mourir afin d'être plus faciles à préparer. Les poissons bondissaient hors de l'eau pour que vous n'ayez plus qu'à saisir ceux qui vous faisaient envie. Les femmes cultivaient des légumes, ce qu'elles appelaient les trois sœurs : maïs, haricots et courges. Le sol était noir et fertile, et elles cultivaient les jardins des anciens, je ne sais pas ce que cela veut dire.

— Est-ce qu'elles nageaient dans la rivière ?

— Probablement. Elle n'était pas polluée à cette époque.

— Regardez : voilà votre dîner à l'indienne. Il ne vous coûtera que cinq dollars.

Margo pointa du doigt en direction d'un colvert mâle solitaire à environ quinze mètres de la berge. Elle fit glisser la Marlin, posa la crosse sur son genou et y introduisit deux cartouches.

— C'est à peine si vous pouvez atteindre le bout du canon pour le charger.

— Chut !

Margo engagea une première balle, s'approcha et visa la tête du canard. Le canard dériva de quelques dizaines de centimètres, puis recommença à nager le long de la berge. Elle leva la crosse contre son épaule, visa, mais le canard s'éloigna de nouveau de la berge. Elle posa un genou à terre et leva son canon. Elle visa l'œil du canard et l'abattit.

— Aïe ! fit l'Indien.

Margo repêcha le canard avec un bâton et le prit par la patte pour laisser s'écouler le sang.

L'Indien partit pour la ville et Margo tira sur les plumes du canard pendant quelques minutes avant de se rendre compte qu'elle ne voulait pas laver et faire tremper le canard dans la rivière si celle-ci était polluée. Le mince ruisseau était trop peu profond. Il lui fallait un seau rempli d'eau propre, mais elle n'en avait pas vu à la grange. Elle regarda en amont puis en aval, et décida qu'en cas de doute, il valait mieux remonter le cours de la rivière car si elle trouvait une barque elle pourrait toujours revenir en se laissant dériver. Elle avait sa carabine à l'épaule et, sur l'autre, son canard qu'elle tenait par la patte.

Un sentier suivait la berge. Elle tomba sur une clôture électrifiée posée en travers du sentier et qui allait presque jusqu'à l'eau. Elle descendit au bord et parvint à grimper de l'autre côté, se retrouvant dans un pâturage plein de vaches grasses. L'une après l'autre, les vaches aux têtes blanches, rousses ou noires vinrent l'examiner, après quoi, l'une après l'autre se remit à paître. Lorsqu'une Hereford à la robe rousse et blanche la fixa en secouant la tête, elle s'imagina l'abattant à bout portant ; elle se demanda si elle serait capable de tuer d'un coup dans l'œil un animal au crâne aussi épais. Elle savait que tuer et manger la vache d'un fermier risquait d'entraîner tout un tas de problèmes, et c'est pourquoi elle préférait penser plutôt qu'agir.

À l'autre extrémité du pâturage, elle sortit en se glissant sous des fils de fer barbelés qui n'étaient pas électrifiés. À cet endroit, la rivière formait un coude. Une douzaine de chênes se dressaient dans l'herbe haute près d'un autre banc de sable où Margo vit l'empreinte de pattes d'oiseaux aquatiques et remarqua un petit groupe de maisons au loin. Elle continua sur le sentier herbeux jusqu'à l'endroit où celui-ci s'éloignait de la rivière et remontait vers une route pavée. La route se terminait devant une maison blanche délabrée, puis tournait et suivait la rivière au-dessus d'une rangée de maisons. Sous la première, au bord de l'eau, se dressait un mobil-home de fortune de la taille du plus petit de ceux des Slocum. Il était entouré d'une clôture métallique et, de l'autre côté de la clôture, elle aperçut deux seaux en plastique de vingt litres. La cour, envahie de mauvaises herbes, était garnie de dizaines d'ornements de jardin en ciment. Un appontement en bois long de quatre mètres courait parallèlement à la rive et avançait d'un mètre et demi au-dessus de l'eau. Une barque en aluminium y était attachée, son hors-bord à l'arrière enveloppé de plastique. Margo se sentit rassurée par la simplicité de la maison et son environnement rustique.

Il y avait un fauteuil roulant vide sur le patio en dalles de pierre. La maison était séparée de sa voisine par une clôture en bois par-dessus laquelle Margo put voir le toit d'une maison plus récente couverte de bardeaux en cèdre. Savoir que nul ici ne pouvait la reconnaître lui donnait un sentiment de liberté. Elle ne se trouvait qu'à soixante-dix kilomètres en aval de Murrayville, mais pour ce qu'elle en savait, les Murray n'avaient pas de raison d'aller au-delà du barrage ni de se rendre à Kalamazoo. Comme elle ne voyait personne, elle marcha jusqu'au patio et suivit les marches raides qui conduisaient à la rivière. De là, elle voyait l'arrière de la caravane où l'on avait écrit JOIE & FIERTÉ en lettres majuscules travaillées. La caravane, constata Margo, n'était pas posée sur la rive, mais sur une sorte de plateforme soutenue elle-même par un ponton sur l'eau. Il s'agissait d'une cabine de bateau qu'on avait remontée contre le parapet. Un gros chien noir était couché là. À son approche, il dressa les oreilles. Elle sauta du mur dans la barque en se glissant par une ouverture dans la clôture en métal galvanisé. C'est à peine si le bateau s'enfonça sous son poids. Les seaux se trouvaient derrière le chien.

— Hé, le chien ! dit-elle, puis elle aboya.

Le chien remua la tête.

— Tu dois bien peser cinquante kilos.

— Il y a quelqu'un ? appela une voix faible.

Margo regarda à l'intérieur de la caravane par une fenêtre ornée d'un rideau. Elle distingua un évier miniature, un ensemble de petits placards, un petit fourneau. Et soudain, un visage d'une pâleur de cire, à moitié couvert par des lunettes de soleil, apparut devant elle. Elle émit un jappement et le chien jappa à son tour.

— Ouvre la porte. Je ne peux pas bouger.

Margo tordit la poignée d'aluminium jusqu'à ce qu'elle cède et trouva un vieil homme avec une épaisse tignasse argentée appuyé contre le chambranle.

— J'étais juste en train de caresser votre chien, dit-elle.

— Tant qu'il ne boit pas dans la rivière.

— Pourquoi est-ce qu'il ne doit pas boire dans la rivière ?

— Elle est polluée.

— Vous vivez dans cette caravane ?

Margo regarda les maisons bâties sur l'autre rive, en amont, toutes bien entretenues avec leurs deux bateaux placés sur des chevalets. Devant la maison la plus proche, un canoë retourné était enchaîné à un chêne. La chaîne semblait s'être incrustée dans l'écorce de l'arbre.

— Aide-moi à monter sur le patio, dit le vieil homme.

Margo mit sa carabine au côté droit et le laissa entourer son épaule de son bras osseux. Il ne mesurait qu'une dizaine de centimètres de plus qu'elle et il était maigre, mais il devint plus pesant quand ils grimpèrent les marches en ciment, le chien sur les talons. Margo l'aida à s'installer dans son fauteuil roulant. Une bouteille d'oxygène était accrochée au dos du fauteuil et le vieil homme ajusta les canules de plastique sur son visage, puis ses lunettes noires. Il prit quelques inspirations et ses joues reprirent des couleurs.

— Ça va ? demanda-t-elle.

— Si ça va ? Il reprit quelques inspirations difficiles. Tu veux dire, en dehors du fait que je suis en train de mourir ? Ah non, alors, ça ne va pas. J'arrive même pas à monter ces fichues marches.

— C'est la première fois que je vois un bateau comme ça, dit Margo, avec une caravane dessus.

— La vie, ça finit vraiment par devenir une sale histoire. Note ça, ma fille.

— Votre femme est là ? Voulez-vous que j'aille la chercher ?

— J'ai pas de femme. Je préfère la compagnie des chiens.

De là où elle se tenait, Margo voyait une peau de raton laveur séchant sur le dos d'une chaise de jardin devant le garage. Derrière, une peau de cerf était étendue par terre sur une palette.

— C'est la peau de cerf de Fishbone.

— Mais ce n'est pas encore la saison.

— Il a le permis pour compensation des préjudices agricoles.

— Un permis qui autorise à chasser hors saison ?

— Ce veinard a abattu un cerf. Ces derniers temps, Fishbone n'arrive même plus à tirer sur une grange. Il veut pas admettre qu'il se fait vieux.

— Qui est Fishbone ?

— Fishbone, c'est celui qui est censé se ramener avec mes clopes.

Il indiqua d'un mouvement de tête la petite barque en aluminium attachée au ponton.

Margo s'accroupit près du chien noir de cinquante kilos. Elle le caressa des deux mains.

— Vous vendez les peaux ? Enfin, votre ami ?

— Il les vend à un type au nord.

Le vieil homme portait une chemise bleu foncé de style militaire. Le nom disait Smoke. Il réajusta ses tubes à oxygène sur ses joues hérissées de poils drus.

— Il en demande combien ?

— Pas assez pour rembourser ce qu'il me doit.

Il regarda autour de lui, comme s'il espérait que l'homme en question allait apparaître au détour du garage ou sortir de la rivière pour discuter avec lui. L'autocollant sur la fenêtre du garage disait CONDAMNÉ.

— Puis-je vous emprunter un seau ? demanda Margo. Oh, mince, j'ai laissé mon canard dans le bateau.

— Attends, dit-il. Nightmare, apporte le canard, mon gars.

Le gros chien descendit les marches à toute allure et courut jusqu'au bateau. Il saisit le colvert par sa tête verte et luisante, et l'apporta au vieil homme, le posant à ses pieds sans y imprimer la moindre trace de morsure.

— Vous avez là un bon chien, monsieur Smoke.

Margo remarqua que la véranda n'avait plus de porte et, juste à l'intérieur, comme le nez au milieu de la figure, elle vit un pot émaillé qui servait de poubelle. Avec ce pot, elle pourrait non seulement laver le canard mais aussi préparer de la soupe au canard.

— Je peux vous emprunter ce pot ?

— Ah, non alors !

— Je peux vous l'acheter ? fit-elle, étonnée par sa rudesse. J'ai un peu d'argent.

— Est-ce que j'ai besoin d'argent ? Ici, au paradis ?

Il éclata de rire, déconnecta ses tubes à oxygène, puis alluma une cigarette.

— Tout le monde a besoin d'argent.

— Et cette carabine, là ? C'est juste pour braconner des canards ?

— Je ne peux pas vous donner ma Marlin.

Margo marqua une pause.

— Je fais du tir de précision.

— Tu fais pas de foutu tir de précision, dit-il.

Il devint songeur :

— À moins que tu puisses toucher une pomme sur mon crâne.

— Je peux le faire.

— Je n'ai pas de pomme. Et une cacahuète ? Tu peux toucher une cacahuète sur mon crâne ?

Margo examina le vieil homme.

— Je peux toucher la cendre de la cigarette que vous avez à la main.

Le bout incandescent de la cigarette était à peu près de la même taille qu'un œil de canard. Toucher une cigarette aux doigts de quelqu'un était quelque chose qu'Annie Oakley avait fait d'innombrables fois. À dix pas, Margo estimait qu'elle avait une chance sur deux de réussir un tel coup, si tout se passait bien.

— Et à mes lèvres ? Tu peux faire ça ?

— Aussi. Mais une cartouche de .22 peut parcourir deux kilomètres. Elle risque de traverser la clôture.

— Tire dans le garage.

— Elle pourrait toucher quelque chose, un pot de peinture ou d'acide sur une étagère.

Elle pensait au vieil appentis de Crane, rempli de peinture et d'alcool à brûler, de nettoyant pour carburateur et d'au moins six lubrifiants différents. Mais le mur du garage ferait une bonne toile de fond pour le viseur.

— Y a rien là-dedans à quoi je tienne.

Il toussa dans sa main.

— Vous voulez vraiment que je tire sur une cigarette aussi près de votre visage ?

— Tu veux mon pot émaillé ?

— Il a un couvercle ?

— Pour ça, faudra fouiller dans le placard. Mais je ne te le donne pas pour rien.

— Et le chien ? Il ne va pas avoir peur des coups de feu ?

Le labrador noir des Murray devenait fou quand il entendait des détonations. C'était un nageur merveilleux, mais très mauvais pour la chasse.

— Nightmare n'a pas peur des coups de feu. Il n'aime pas les hommes qu'il ne connaît pas. Ce chien ne me croit pas quand je lui dis que les femmes sont tout aussi dangereuses.

Le vieil homme jeta le mégot toujours incandescent de sa cigarette sans filtre et en alluma une autre. Il se tourna pour regarder en direction de la rivière. Elle voyait à présent le côté droit de son corps. Évacuant de son cerveau toute autre pensée, Margo commença à imaginer son tir, le début, le milieu et la fin.

— Que faites-vous avec cette caravane ?

Margo observa l'homme pour voir s'il avait tendance à faire des gestes brusques qui risquaient de lui faire rater son tir.

— Je l'ai construite moi-même pour avoir quelque chose de léger. J'y habitais quand il commençait à faire trop chaud dans la maison. Dedans, je montais et je redescendais la rivière. Je l'ai habitée trois ans, quand ma sœur est venue vivre ici avec ses marmots.

— Il y a un moteur ?

Si l'homme se penchait brusquement en avant au mauvais moment, elle lui arracherait la mâchoire ou quelques dents du bas, mais elle voyait qu'il avait des gestes lents et mesurés, même quand il toussait. Elle chargea une nouvelle cartouche dans le chargeur – selon toute probabilité, elle toucherait sa cible en deux coups –, puis changea d'avis et en remit trois autres, n'en gardant qu'une dans sa poche. Si elle manquait le premier coup, elle continuerait à viser et à tirer, tant qu'il resterait immobile. Elle ouvrit et referma le levier, et la détente s'arma. Au bruit, la colonne vertébrale de l'homme se raidit.

— Le hors-bord est toujours monté, mais je ne suis allé nulle part à la hâte.

Il glissa le briquet dans une poche sur l'un des côtés du fauteuil roulant et plaça la cigarette entre ses lèvres.

— Alors, qu'est-ce que tu attends ? Le haut commandement ?

Naturellement, elle devait commencer quand la cigarette était encore longue, afin de tirer le plus loin possible de son visage. Elle remarqua que tout le corps de l'homme tremblait légèrement, mais pas assez pour lui faire rater son tir. Elle épaula, appuya la joue contre la crosse, tendit sa courroie et visa, mais elle ne se sentait pas assez stable. Elle s'accroupit, un genou au sol, et, pour finir, s'assit en tailleur sur les dalles de pierre et posa les coudes juste sous les genoux.

Avant de relever le canon, elle inspira et considéra tout ce qui l'entourait : le fauteuil roulant, le chien noir, le doux soleil d'automne qui éclairait le feuillage vert bordé d'or des érables, les rubans rouges du sumac vénéneux qui grimpait sur un chêne des marais au bord de la rivière, le courant qui passait sous la maison flottante, les oies qui cacardaient, l'odeur du bois qui brûlait non loin. Elle venait à peine d'arriver sur la Kalamazoo, mais ce monde était celui qu'elle comprenait. Elle examina les pieds et les jambes du vieil homme dans le fauteuil. Il avait les mains posées sur les genoux, des mains aux doigts longs jaunis par le tabac. Elle considéra le sommet de son crâne, avec ces cheveux épais et brillants en contraste avec le reste de sa condition physique, et puis les rectangles de ses lunettes noires. Elle sursauta quand il ôta les lunettes et la regarda de ses yeux grands ouverts, aux bords rougis. Un court instant, il lui rappela son grand-père, bien qu'il ne lui ressemblât en aucune manière – Grand-Père était un homme de haute taille, au nez crochu et à la barbe grise, alors que ce type était trapu, avec une tête ronde et glabre. Mais quelque chose chez lui paraissait évident : il était mourant, aussi sûrement que son grand-père avait été mourant.

— Tire, nom de Dieu ! grommela-t-il.

Elle avait une conscience aussi aiguisée de la mâchoire de l'homme que de sa propre respiration et de ses propres battements de cœur. L'homme gronda en direction du chien :

— Tout va bien, mon gars.

Margo, elle le savait, devait tirer juste pour le vieil homme et pour elle. Elle enroula la courroie autour de sa main et la tendit contre son bras gauche. Elle connaissait le bout incandescent de cette cigarette sans filtre aussi bien qu'elle connaissait son doigt sur la détente. Plus rien au monde n'existait plus, excepté elle, son fusil et sa cible. Elle exhala et appuya sur la détente. Elle resta immobile tandis que la cartouche quittait d'abord la chambre puis le canon. Elle l'entendit frapper le côté du garage puis le silence retomba. Elle ferma les yeux, et quand elle les ouvrit, l'homme était affalé dans son fauteuil. Elle se leva et courut jusqu'à lui. Elle souleva ses épaules et regarda son visage. Des larmes roulaient de ses yeux nus. Ses lèvres pinçaient encore un bout de cigarette. Quand elle le relâcha, il émit un rire bas et rauque, et le chien vint renifler sa main vide.

— C'était pas une blague quand tu disais que tu savais tirer, dit-il, le souffle coupé.

Il remit ses lunettes.

— Bien sûr, j'espérais que tu tirerais à côté, en plein dans ma foutue tête.

Margo alla chercher le pot sur la véranda, ôta le sac d'ordures qui était à l'intérieur et le mit dans un pot en terre, comme ceux que Joanna utilisait pour préparer des légumes au vinaigre.

— Le couvercle se trouve dans le placard bas à gauche du fourneau, et il vaudrait mieux laver le pot si tu veux cuire quelque chose dedans. Et tu es dégoûtante, ma fille. Tu ne prends jamais de bain ?

— Je ne suis pas chez moi.

— Chez un homme ?

Elle hocha la tête

— C'est bien ce que je pensais. Comme on fait son lit on se couche.

Détournant la tête, il s'adressa à la rivière :

— Une fille de ton âge ne doit pas rester dehors à faire l'idiote. Tu devrais rentrer chez ta mère.

— Ma mère ne veut pas de moi.

C'était douloureux, de le dire à voix haute.

L'homme porta la main à ses lunettes comme pour les retirer, mais il se contenta de les toucher avant de laisser sa main retomber sur ses genoux.

— Si tu veux prendre une douche, tu ferais bien de demander.

— Est-ce que je peux prendre une douche chez vous, monsieur ?

— Oui, tu peux prendre une douche. Mais n'amène pas ton petit ami. Il se fera mordre par mon chien.

Il fouilla dans la poche du fauteuil roulant, prit son briquet et alluma une cigarette. Après une première bouffée, sa voix devint plus calme.

— Ma dernière. À moins que tu en aies d'autres ?

Elle secoua la tête.

— Cela fait deux mois que je n'ai pas pris une douche chaude. Nous campons sur la berge de la rivière, chez un fermier.

— Les jeunes filles doivent se méfier des hommes, dit le vieux avec un léger sourire.

Il avait perdu toutes ses dents du haut et cela lui donnait l'air d'un petit garçon.

— Même moi, je pourrais ne pas être aussi inoffensif qu'il n'y paraît.

— Vous êtes aveugle ?

— Pas encore.

L'homme posa sa cigarette par terre, respira à plusieurs reprises dans ses canules. Puis il coupa l'oxygène et reprit sa cigarette.

— N'aie crainte, il n'y a personne d'autre ici pour t'embêter.

La première pièce quand on entrait par la véranda était la cuisine, encombrée de vaisselle, de livres et d'outils, comme le couloir. Toutes les fenêtres étaient fermées. Elle avait l'intention de se doucher très vite, mais elle ne se résigna à fermer l'eau chaude que lorsqu'il n'y en eut plus. Elle examina les serviettes suspendues aux barres et accrochées à la chaise près de la baignoire. Elle alla en prendre une pliée tout au fond du placard. Elle sentait un peu l'humidité, mais elle paraissait propre. Elle remit ses vêtements, ouvrit la porte de la salle de bains et trouva le chien juste devant. Il la suivit dans le patio, où l'homme, affalé, dormait dans son fauteuil avec sa bouteille d'oxygène ouverte.

Elle pouvait soit retourner à son bivouac, soit préparer le canard sur place où il y avait de l'eau courante. Elle s'assit sur une caisse à lait et travailla en silence, pluma la gorge du canard, puis les ailes et enfin le dos. Elle se plaisait en compagnie du chien et du vieil homme, dont le corps avachi dans le sommeil irradiait quelque chose de doux. Elle jeta les viscères dans la rivière et rinça le pot au robinet sur le côté de la maison. Le grand chien l'observait. Après s'être assurée que l'homme dormait, elle jeta au chien le cœur cru fraîchement rincé. Il le saisit dans sa gueule et l'engloutit.

17.

Margo redescendit à pied. Elle ramassa de gros galets dans les bois et au bord de l'eau pour délimiter le foyer de son feu. Une carpe bondit au milieu de la rivière et retomba en faisant jaillir une gerbe. Les gens considéraient généralement les carpes comme des poissons bons à servir d'appâts, mais Margo trouvait leur chair délicate à condition de bien se débarrasser de toutes les arêtes. Parfois même elle les trouvait belles à cause de leur iridescence. Assise sur la berge, elle mit son canard à rafraîchir dans un sac en plastique. Brian laissait toujours le canard mariner toute une nuit dans de l'eau salée, mais Margo ne disposait pas de ce temps et n'avait que les petits sachets de sel que l'Indien lui avait donnés. Elle observa les oiseaux venus boire sur le banc de sable à l'endroit où ruisselait la source, d'abord des geais puis un pivert à gorge rouge, suivi de trois hirondelles qui avaient rasé la rivière depuis l'autre rive. Trois corneilles se perchèrent sur un arbre, avant de préférer un arbre voisin. Voir les corneilles battre des ailes donnait à Margo une telle envie de ramer qu'elle renversa sa tête en arrière et ferma les yeux. Elle se revit tirant sur la cigarette plantée dans la bouche du vieil homme. Quand elle ouvrit les yeux, elle admira son pot émaillé, assez grand pour y faire chauffer de l'eau pour une toilette de chat, assez grand pour y faire bouillir quelques litres de sève d'érable et les réduire en sirop, comme elle l'avait fait avec ses cousins dans l'un des appentis des Murray, laissant les lieux tout poisseux. Elle s'était procuré le pot émaillé grâce à son savoir-faire. Annie Oakley avait dû ressentir la même fierté en découvrant que son tir n'était pas seulement juste, mais aussi profitable.

Elle décida d'attendre le retour de l'Indien pour commencer à cuire le canard – personne ne voulait manger du canard trop cuit – mais elle prépara le feu. Elle débarrassa l'oiseau déplumé de ses derniers duvets en le passant au-dessus des flammes, mais la puanteur mit longtemps à se dissiper. Elle n'avait pas besoin d'une grande cuisine pour bien se nourrir, songea-t-elle, il ne lui manquait que de petites choses qu'elle pouvait acheter, échanger ou obtenir en tirant au fusil, peut-être un gros couteau de cuisine comme celui qu'elle avait secrètement emprunté au vieil homme, ainsi qu'une grande cuiller en métal pour mélanger. Si seulement elle pouvait dénicher une grotte non loin de la rivière, elle pourrait même survivre à l'hiver.

L'air commençait à fraîchir. Margo aperçut quelque chose de blanc dans le brise-vent : une vesse-de-loup géante deux fois plus grosse qu'un crâne humain, quelque chose qui lui assurerait de quoi manger pendant une semaine. Elle avait l'impression d'avoir été en quête d'un champignon comme celui-ci depuis des années. La dernière fois qu'elle était tombée sur une vesse-de-loup de cette taille, c'était le jour où sa mère avait quitté Murrayville. Normalement, il aurait fallu qu'il pleuve pour que la vesse-de-loup grossisse à ce point et elle en déduisit que le degré d'humidité le long de la rive devait être très élevé.

Lorsque l'Indien fut enfin de retour, le soleil se couchait. Il raconta avoir passé l'après-midi dans la bibliothèque de la petite ville, à parler d'histoire locale avec le bibliothécaire et à étudier des documents anciens. Margo trouva une branche de caryer de bonne taille dont elle ôta l'écorce pour en faire une broche. Elle embrocha le canard et le plaça sur le feu. Lorsqu'un peu de graisse commença à couler sur les braises, Margo la recueillit dans la poêle de l'Indien de façon à s'en servir pour faire cuire un morceau du champignon. Elle avait de la chance – les colverts en général n'étaient pas gras. Peut-être ce canard avait-il été bien nourri avec le maïs du fermier.

Après avoir recommandé à l'Indien de ne pas quitter le canard des yeux, Margo alla jusqu'à la voiture récupérer son sac. En refermant le coffre, elle aperçut une femme dont la taille et la silhouette lui rappelèrent Joanna qui sortait de la maison juste en face pour remplir une mangeoire de graines destinées aux oiseaux et en répandre un peu sur sa pelouse. Sans lui laisser le temps de repartir, une demi-douzaine de cardinaux s'abattirent sur la mangeoire, quatre rouge sang et deux vert militaire. La femme avait peut-être une dizaine d'années de plus que Joanna, de longs cheveux gris qui lui tombaient sur les épaules, et elle portait une vieille veste en jean. Quand elle leva la tête, se voyant observée, elle considéra Margo avec une expression amusée, comme si elle était habituée à croiser toutes sortes de gens, mais jamais encore quelqu'un comme elle. À côté de la maison, il y avait un grand jardin où Margo vit des rangées d'aubergines et de tomates. La femme fit signe à Margo et Margo lui répondit machinalement.

C'est alors seulement qu'elle aperçut l'adolescente dans le jardin, installée pieds nus sur un transat. Vêtue d'un short effrangé et d'un sweat-shirt violet, elle paraissait du même âge que Julie Slocum. La fille lisait un livre et il fallut un moment à Margo pour reconnaître ce qu'elle avait sur le ventre : un lapin géant, de dix kilos peut-être. Elle se servait du lapin pour reposer son livre. Les oreilles de l'animal étaient plus longues que les mains de la jeune fille et elles s'agitaient, mais autrement le lapin se contentait de rester là. Margo éclata de rire. Elle enfila son sac à dos, prit l'urne et son morceau de *La River Rose*, et se dirigea vers la rivière.

*

Tandis que, vers l'aval, le soleil orange déclinait, Margo et l'Indien étaient assis près du feu, dégustant le canard et des tomates au sel qu'il avait achetées chez un producteur local. Dans la poêle, il y avait une grosse tranche de la vesse-de-loup que Margo avait fait sauter dans un peu de graisse de canard et de beurre en petites mottes enveloppées de feuilles d'aluminium que l'Indien lui avait données.

— Je te préviens, je ne touche pas à ce champignon, dit l'Indien.

— Ça m'est égal. Je mangerai tout. Vous me devez toujours cinq dollars pour le canard.

— Je ne tiens pas à avoir des hallucinations. Et je préférerais que tu n'en aies pas non plus, avec cette carabine.

— Ce n'est pas ce genre de champignon.

La carabine enveloppée dans sa bâche était posée près du feu.

— Votre cousin a dit que le canard laisserait tomber ses plumes, mais il a été vachement difficile à plumer.

N'étant pas très douée pour le langage familier, elle essayait les expressions de l'Indien, bon sang de bonsoir et vachement.

— Oh, c'était juste pour rire.

Il lui tendit un billet de dix.

— Garde la monnaie.

— Je vous ferai le petit déjeuner, dit-elle en glissant le billet dans sa poche de devant.

— Dis donc, tu es toute propre ! fit l'Indien.

— Pris une douche chez un vieux monsieur.

— Tu as vite fait de te trouver des amis. Tes cheveux ont changé de couleur. Ils sont assortis à la rivière maintenant.

Elle prit une mèche de ses cheveux et la tira devant ses yeux pour l'examiner. Ils semblaient avoir poussé, aussi, depuis sa douche. Elle sentait l'odeur du shampooing Breck du vieil homme.

— Tu es bien trop jolie pour rester ici toute seule, dit-il. Trop vulnérable.

Margo reprit du champignon.

— Mais ne crains rien, la beauté finit par se faner.

— J'ai fait feu sur une cigarette dans la bouche du vieil homme. C'est grâce à ça qu'il m'a laissée prendre une douche.

— Tu as quoi ?

— Il était dans un fauteuil roulant et il a dit que, si je touchais le bout de sa cigarette, je pourrais emporter ce grand pot.

Margo regrettait de ne pas avoir pris un de ses seaux également, pendant qu'il dormait.

— Je vais préparer une soupe avec les restes.

L'Indien se laissa rouler en arrière, et il resta ainsi dans l'herbe, riant, les bras autour des genoux.

— Tu aurais pu le tuer. Je veux dire, c'est pas drôle, mais… Oh, doux Seigneur…

— J'aimerais bien que vous restiez encore un peu. Un jour de plus.

Elle regretta ses paroles dès qu'elles franchirent ses lèvres, parce qu'elle avait l'air de quémander. L'Indien ne resterait pas, quoi qu'elle dise.

— Dans une semaine, c'est la rentrée scolaire et, dans deux semaines, je présente une conférence de maths avec un autre collègue. Je pars demain. Et pourquoi n'es-tu pas inscrite à l'université ?

— Je n'ai pas terminé le lycée.

— Tu ne peux pas aller loin dans cette vie si tu ne termines pas le lycée.

— Je n'ai pas envie d'aller loin. Qu'y a-t-il de si extraordinaire à aller loin ?

— J'ai adoré l'école. À la maison, je m'ennuyais comme un rat mort. J'étais enfant unique, adopté, et j'avais des parents vieux et assommants.

— Petite, j'aimais aller à l'école. Mais ensuite je ne comprenais plus ce que voulaient les professeurs. Ils me trouvaient trop taciturne.

— Je ne dirais pas ça.

Il reprit une bouchée de viande.

— Je croyais que le canard était tendre.

— Pas le vieux canard sauvage.

Margo s'obligeait à mâcher longuement la chair dure au léger goût de gibier. Il avait raison. Elle n'était pas taciturne. Cette idée la fit rire.

Quand ils eurent fini de manger, Margo plaça dans le pot le reste de chair, les os et les morceaux d'ailes qu'elle avait réussi à plumer. Elle ajouta un peu de l'eau fraîche de l'Indien et mit le pot à bouillir sur le feu. Après quoi Margo alla ramasser des tas d'aiguilles de pin sous les conifères du brise-vent et les étala autour du feu en guise de moelleux matelas pour la nuit. Ils déroulèrent leurs sacs de couchage de part et d'autre du feu. L'Indien sortit une bouteille d'un quart de jus de fruits dont le large goulot était masqué par du ruban adhésif. Le contenu était de la couleur du jus de pomme. Il la décapsula et la porta à ses lèvres. Tout son corps trembla ostensiblement quand il déglutit.

— C'est amer, dit-il. Raide. Il doit y avoir autre chose que du whisky.

— Vous n'êtes pas obligé de le boire, si ? Si vous n'aimez pas ça ?

— Je n'ai pas dit que je n'aimais pas. Tiens, goûte.

Elle secoua la tête, mais il tendit la bouteille et resta ainsi jusqu'à ce qu'elle la prenne. Il la regarda l'approcher de ses lèvres fermées. Ça brûlait plus encore que lorsqu'on siphonnait de l'essence. Elle lui rendit la bouteille.

— Je ne dois pas en boire plus de la moitié, dit-il. Je vais te raconter une histoire, si tu promets de m'arrêter à la moitié.

Elle hocha la tête. À la lumière des flammes, elle distinguait tous les détails de son visage. Il avait de larges pommettes et ses traits, comme ses mains, étaient doux.

— Mon cousin m'a raconté cette histoire qu'il tient de son grand-oncle. Elle s'est probablement déroulée ici, au bord de cette rivière. C'est l'histoire d'une fille nubile, peut-être une fille de ton âge. Elle aimait cultiver le maïs, les haricots et les courges. Et il y avait un garçon d'une autre tribu, à une semaine de marche, qui désirait épouser la jeune fille, mais il n'y avait pas de jardin là où il voulait l'emmener, parce que la terre était boisée et le sol rocailleux. Il lui dit qu'elle irait cueillir sa nourriture dans les bois, qu'elle devait lui confectionner des vêtements, élever ses enfants et sécher la viande en prévision de l'hiver.

L'Indien regarda Margo comme pour s'assurer qu'elle écoutait. Il tendit la main vers ses cheveux et les lissa sur ses épaules.

— La perspective de ne plus cultiver son jardin brisait le cœur de la jeune fille. Elle dit qu'elle voulait attendre la récolte avant de se marier.

Il reprit une gorgée de sa bouteille et frissonna.

— C'était du maïs indien ? demanda Margo. Ma tante en cultivait, comme plante décorative.

— Ouais. Ce fut une grosse récolte et les épis ne cessaient de pousser. Personne ne comprenait comment, mais de nouveaux épis apparaissaient sur les pieds mois-sonnés et mûrissaient en l'espace de quelques semaines au lieu de quelques mois. Mais la jeune fille savait que c'étaient les débris de son cœur qui donnaient naissance aux épis et que les barbes de maïs étaient faites de ses mèches de cheveux. Elle savait que son cœur ne tarderait pas à s'épuiser et qu'il lui faudrait alors épouser l'homme et quitter sa terre.

— Et elle deviendrait chauve, ajouta Margo.

— Ouais, fit l'Indien sans avoir écouté.

Il reprit une gorgée.

— Quand son cœur se fut épuisé, elle se jeta dans la rivière et se noya. Un opossum tira son corps sur la terre ferme et sa famille l'enterra dans son jardin. On dit que le maïs continua à pousser au-dessus de son corps, et même quand les Blancs chassèrent les Indiens dans le Kansas, le maïs poussait toujours. Les fermiers eurent beau essayer de planter du blé et de l'avoine pour leurs chevaux, rien d'autre ne poussait que le maïs.

— Comment un opossum a-t-il pu tirer son corps sur la rive ?

Margo étendit ses jambes à côté du feu et poussa un peu les cendres de Crane. Le ciel était noir et piqué d'étoiles.

— Je ne sais pas. Il l'a fait.

— Un opossum pèse quatre kilos. Et il a des mains minuscules. Des mains de poupée. J'en tuerai un, tu pourras le regarder.

— Peut-être s'est-il fait aider par ses amis opossums. Je ne crois pas que tu saisis ce qui compte dans l'histoire, à force de te focaliser sur l'opossum.

À son tour, l'Indien étendit ses jambes et, de la pointe de ses mocassins, toucha le bout de sa bottine.

— Les opossums, ça ne s'occupe pas des autres.

Elle éprouvait une joie étrange à discuter ainsi avec cet homme ivre, chose impossible avec son père ou avec Brian. Même Michael semblait toujours désemparé quand elle n'était pas d'accord avec lui.

— Les opossums ont leurs propres affaires. Ils ne marchent même pas. Ils se dandinent. Et ils ont trois rangées de dents pointues.

— Il est possible que des détails de l'histoire m'échappent, mais là n'est pas la question. La jeune fille voulait son jardin et ne voulait aucun homme. Si elle partait vers le nord pour se marier, elle était obligée d'abandonner son jardin.

— Je préfère chasser.

Pour la première fois de sa vie, elle avait la sensation que parler était aussi agréable que tirer au fusil. Elle pensait à des choses qu'elle aimerait dire à l'Indien si l'occasion se présentait, qu'un cerf pouvait manger un poisson ou un oiseau, qu'un héron pouvait avaler un serpent et que le serpent pouvait encore se libérer. Elle s'enthousiasmait à l'idée d'avoir des choses à lui dire qu'il pouvait commenter et contester.

— Si tu étais indienne, tu comprendrais que c'est une histoire tragique. Voilà ce qu'une jeune femme peut faire dans une communauté. Un des pouvoirs qu'elle détient, c'est celui de briser les cœurs.

— Ta femme est une Indienne ?

— Elle est un quart Sioux. Mais ne parlons pas d'elle pour le moment.

— Sitting Bull racontait des histoires à Annie Oakley dans le Wild West Show.

— Sitting Bull était un grand homme. Le Wild West Show était une insulte à son intelligence.

L'Indien avait la voix pâteuse. Il leva sa bouteille, pleine aux deux tiers.

— Je crois qu'il y a quelque chose de bizarre dans ce whisky. Du stramoine, peut-être. Je vois des choses qui ne sont pas là.

— J'aimerais pouvoir vivre sur la rivière, comme les vieux Indiens.

— Les Indiens n'ont jamais vécu sur la rivière. La rivière était leur autoroute. Ils s'installaient en hauteur pour voir qui allait et venait. Nous avions beaucoup d'ennemis en ce temps-là. Les hommes faisaient constamment la guerre à d'autres tribus.

— Je n'ai aucun ennemi sur la rivière.

— Tu as exactement les mêmes cheveux que ma femme. Je vais te les coiffer.

L'Indien avala une autre longue gorgée et sortit un peigne d'un petit sac avec une fermeture à glissière.

— Je peigne toujours les cheveux de ma femme.

Personne n'avait plus peigné les cheveux de Margo depuis qu'elle était toute petite. L'Indien s'y prenait doucement, en commençant par les pointes enchevêtrées, et il ne perdait pas patience, ne tirait pas comme sa mère ou Joanna. Et chaque fois qu'une de ses mains la touchait, elle sentait sa peau s'enflammer et son corps semblait gonfler. Quand il déclara son travail terminé, il mit ses bras autour d'elle et l'attira contre sa poitrine. Elle se laissa aller sans résistance, comme si elle avait plongé dans la rivière et dérivait au fil du courant. Il l'embrassa dans le cou et elle se retourna pour poser sa bouche sur la sienne. Elle n'avait pas prévu cela, mais elle en avait envie à présent.

Ils firent l'amour longtemps, roulant sur les aiguilles de pin moelleuses. Elle sentit les minutes s'étirer en heures, comme si les lois du temps étaient suspendues. Elle n'avait jamais fait l'amour avec un homme en pleine nature. Le vent les rejoignait, tout comme l'eau qui coulait. La moindre créature qui trottait sur le sol, qui volait dans l'air, qui nageait ou soulevait des gerbes d'eau dans la rivière, leur communiquait son énergie. Au bout d'un moment, la rivière elle-même sembla déborder de son lit pour couler autour d'eux et le courant les poussa plus près l'un de l'autre. Lorsqu'il eut fini, il dit :

— Tu sais, on dit que lorsqu'une femme fait l'amour avec un homme, elle lui donne la force et la puissance des autres hommes avec lesquels elle a fait l'amour auparavant.

Comme elle respirait difficilement, il roula sur le côté et s'appuya sur le coude.

— Dis-moi ce que je reçois de toi.

Elle haussa les épaules.

— Tu me fais penser à un animal.

— Quel animal ?

— Je ne sais pas.

Elle ôta les aiguilles de pin sur sa hanche et examina son pénis au repos.

— Un renard ? suggéra-t-il. Je me suis toujours dit que si je pouvais être un animal, je serais un renard.

— Pourquoi un renard ?

— Parce que c'est un animal intelligent. Et toi ?

Elle regarda autour d'elle le paysage immémorial d'arbres et de rivière. Elle n'avait pas envie de choisir un animal particulier.

— J'ai encore besoin de boire.

Il chercha la bouteille des yeux, et Margo la vit posée contre une pierre près du feu, à moitié pleine.

— Tu as dit que tu ne voulais pas en boire plus de la moitié.

Margo se leva et alla ramasser quelques bouts de bois qu'elle avait coupés avec la hachette de l'Indien. Elle poussa sa soupe et les jeta dans le feu.

— Ce n'était pas le vrai moi. Là, je suis le vrai moi. Le moi nu.

Elle lui passa la bouteille, il avala une longue gorgée et replaça la capsule. Margo s'assit au pied de son sac de couchage, près de lui. Il faisait froid, mais elle aimait être nue sous les étoiles. Elle pensa que peut-être, si l'Indien avait la gueule de bois, il ne partirait pas au matin. Il lui faudrait attendre un jour avant de reprendre le volant et elle pourrait repousser le moment où elle serait à nouveau seule.

— Tu dois en boire un peu, dit-il.

— Je n'aime pas ça. J'y ai déjà goûté.

— Tu ne peux pas savoir. Tu n'as même pas ouvert la bouche. Il faut que tu avales une gorgée.

Il se glissa plus près d'elle, son épaule nue touchant la sienne. Elle avait espéré que l'effet qu'il produisait sur elle se serait calmé, mais elle sentait l'électricité, plus forte qu'auparavant, et elle se pressa à nouveau contre lui dans l'espoir d'apaiser cette sensation. Elle tendit l'oreille vers un signe en provenance de la rivière, mais elle se taisait.

— Je n'aime pas boire de l'alcool.

— Le whisky, c'est une religion, un esprit en bouteille. Prends une gorgée, sens-la se répandre dans ton corps. Tu sais, Margo, je n'ai jamais trompé ma femme jusqu'ici.

Il enfouit le visage dans son cou.

— Ma femme utilise le même shampooing que toi. Je connais cette odeur. Dans l'obscurité, tes cheveux sont noirs, comme les siens.

— Je prends une gorgée si tu prends un peu de cette vesse-de-loup.

— Je ne sais pas.

Il posa la bouteille sur la cuisse de Margo.

— Tu as vu, j'en ai mangé et je ne suis pas empoisonnée.

— D'accord, j'en mangerai au petit déjeuner. Si tu es toujours en vie. Je le promets.

Margo inspira profondément, pencha la bouteille et avala. Un incendie se répandit dans sa bouche et dans sa gorge.

— Dieu ! dit-elle, quand elle put parler.

— C'est la première fois que je t'entends dire *Dieu*. Maintenant qu'est-ce que tu vois ? Un animal ?

— Je ne sais pas, dit-elle en s'étranglant.

L'alcool se répandait dans son corps et son cerveau semblait se déprogrammer. Lorsque la brûlure s'atténua, elle sentit plus fortement l'amertume.

— Ferme les yeux, dit l'Indien. Que vois-tu quand tu fermes les yeux ?

Elle ne ferma pas les yeux.

— Dieu, comment peux-tu boire ça ?

— Tu dois me dire ce que tu vois.

— La rivière, c'est tout, dit Margo, bien que l'animal devant elle eût l'air bien réel.

Elle avait envie de garder pour elle sa vision du carcajou. Il était exactement comme celui du livre sur le chasseur indien, exactement tel que le glouton dont lui parlait son grand-père. Pour le chasseur indien, un carcajou sifflant dans sa grotte signifiait qu'il devait retourner dans sa tribu. Mais cet animal ne menaçait pas Margo. Il la considérait d'un air tranquille, semblant l'accepter, et puis il disparut. Margo ne pouvait oublier la précision avec laquelle elle l'avait vu devant elle, de la taille d'un chien, avec des couleurs de mouffette et de longues griffes. Elle aurait voulu qu'il pousse un cri qu'elle aurait pu imiter, mais il était resté silencieux.

L'Indien enfouit son visage dans ses cheveux.

— Je crois que tu es un esprit de la rivière.

— Je ne suis pas un esprit de la rivière. Pourquoi les mecs veulent-ils toujours voir chez une fille quelque chose qu'elle n'est pas ?

Margo n'était pas une enfant-loup, comme Michael l'avait appelée. Même son grand-père l'avait baptisée Elfe et Nymphe des eaux ; elle trouvait cela étrange à présent, comme s'il n'avait pas voulu qu'elle soit une personne, pas tout à fait.

— Ça rend l'histoire plus belle, dit-il. Mais il n'y a pas plus belle histoire que toi, nue, ma douce, dans ce lieu immémorial.

Il dégagea sa nuque et lui caressa les épaules. Quand il eut vidé la bouteille, il l'embrassa. Une fois de plus, Margo n'imaginait aucune raison au monde de ne pas se fier à son corps.

Mais cette fois, c'était différent. Cette fois, il roula sur elle comme le flot débordant du fleuve. Il suça ses mamelons comme s'il se nourrissait d'elle.

— Quel est ton nom ? chuchota-t-elle.

Elle voulait connaître toute son histoire, quelle qu'elle fût, mais elle prit peur devant la métamorphose de l'Indien.

— Qui es-tu ?

— Je ne connais pas mon nom. Je jure que je ne le connais pas, chuchota-t-il contre sa poitrine et elle sentit sa mâchoire mordre dans son sternum.

Il inspira profondément et souffla sa chaleur sur elle :

— Mais jamais plus nous ne serons chez nous sur les terres de mes ancêtres.

— Voilà que tu parles comme un Indien.

Il se plaça au-dessus d'elle et elle se souleva vers lui. L'oscillation de leurs corps sur les sacs de couchage et sur le lit d'aiguilles était animée d'une telle force que Margo frémit jusqu'aux entrailles. Ses dents claquaient. Elle avait trop chaud avec ce corps sur le sien, et même quand elle le chevaucha, l'air de la nuit ne parvint pas à la rafraîchir. Quand l'Indien l'étreignit de toute sa puissance, ils devinrent l'un avec l'autre un courant qui débordait le lit du fleuve, se répandait sur la terre et emportait tout ce qui n'était pas attaché. Les bruits de la rivière, les claques des carpes bondissant à la surface saturaient l'air autour d'eux, et au-dessus d'eux les écureuils volants pépiaient et piaillaient. En dessous, la terre auparavant froide irradiait maintenant de chaleur.

Quand il roula sur le côté, ils étaient glissants de sueur. C'est à peine si Margo parvenait à respirer. Elle demeura immobile, sûre de voir leurs corps exhaler leur vapeur dans l'air froid. Même après plusieurs minutes, elle n'avait pas repris son souffle. Quand il sombra dans le sommeil, elle se lova contre lui et trouva l'apaisement en écoutant les remous de la rivière.

Elle plongea dans quelque chose qui n'était pas vraiment du sommeil, où son corps restait en éveil et luttait contre lui-même. Elle tendit la main vers les cendres de son père, mais trouva la boîte trop chaude. Elle finit par s'endormir et elle rêva du carcajou, gros comme le chien noir avec une tête de fouine. Et puis le carcajou devenait un poisson, il surgissait de la rivière, aussi gros que Paul ; dans le rêve, elle tuait Paul et ressentait toute l'horreur d'avoir ôté la vie à un être humain.

Quand elle s'éveilla, l'Indien la serrait contre lui. Elle sentait sur son ventre le contact froid de la glissière de son sac de couchage déployé. Lorsqu'elle ouvrit les yeux, elle trouva son regard noir plongé dans le sien. Elle lui dit qu'elle avait rêvé d'un gros poisson et il chuchota : « Moi aussi, j'ai eu ce rêve. Un esturgeon. Il y en avait autrefois dans la rivière, gros comme des bœufs. »

Plus tard seulement, Margo comprit la folie de tout ça, du rêve qu'ils avaient eu tous les deux du même poisson géant. Au matin, elle resta étendue, immobile, trop épuisée pour bouger ou parler, tandis que l'Indien s'écartait d'elle et s'éloignait en chancelant dans le sentier en direction de sa voiture, abandonnant son sac de couchage et son tapis de mousse, sa poêle et sa hachette. Elle ne tenta pas de l'arrêter.

Quand elle rouvrit les yeux, il faisait grand jour et elle était toujours épuisée, son corps endolori. Partout où elle se touchait, il y avait des cailloux, des aiguilles de pin et des plantes collés à sa peau. Glissée sous son sac de couchage, elle trouva une petite pochette en peau de vache avec une broderie de perles toute simple, resserrée par un lacet coulissant. À l'intérieur, il y avait un message plié et un rouleau de billets de vingt dollars.

Adieu, Margo, disait la lettre. *Je n'ai jamais été infidèle à ma femme des trois ans où nous avons été mariés. Je vais oublier ce qui est arrivé entre nous. J'espère que tu en feras autant. Souviens-toi que tu as le choix dans la vie. Retourne à l'école.* Le message était daté *14 septembre 1981*, mais seulement signé *XXX.*

— Crétin, dit-elle.

Une grosse carpe fit surface, imitée par une congénère plus petite, puis toutes deux replongèrent dans les profondeurs. Cet après-midi-là, elle resta assise, de longues heures, aussi immobile qu'un oiseau sur un nid plein d'œufs, la carabine à la main, sans éprouver cependant l'envie de tirer sur quoi que ce soit, pas même sur l'écureuil qui courut sur son sac de couchage. Elle était encore ivre de l'odeur de l'Indien, il la laissait avec une gueule de bois, elle était à demi amoureuse de lui au bout de deux jours à peine, mais elle était sûre de se remettre dès qu'elle l'aurait chassé de sa mémoire. Il était venu lui demander son aide, elle l'avait aidé. Elle l'avait nourri, il lui avait payé la nourriture. Faire l'amour avec lui ne pouvait se comparer à rien de ce qu'elle avait connu, mais s'il était resté plus longtemps, ils auraient fini par se faire souffrir. Elle avait besoin de se reposer, de réfléchir à la manière de survivre jusqu'à ce que sa mère lui écrive. Avec l'argent que l'Indien lui avait laissé, elle pouvait s'acheter un bateau. Ce soir-là, elle mangea la soupe qu'elle avait préparée avec leurs restes.

TROISIÈME PARTIE

18.

Deux semaines après le départ de l'Indien, Margo n'eut pas ses règles à la date habituelle et, un après-midi, elle comprit ce que cela signifiait : elle portait l'enfant de l'Indien. Elle avait été stupide de se fier à son instinct alors qu'en réalité, elle se sentait seule. Elle avait été stupide d'obéir au désir et à l'inclination de son corps en ce lieu étrange et inconnu. Longtemps elle pleura sans pouvoir s'arrêter, jusqu'à ce que, relevant la tête, elle aperçût un homme grand et maigre qui la regardait depuis la crête.

Le fermier était le propriétaire de la parcelle de terre où elle campait seule depuis deux semaines. Au cours de cette période, ses hommes et lui avaient moissonné les champs de soja. À l'instant où elle le vit elle cessa de pleurer, tel un oisillon cesse de réclamer sa nourriture à l'approche d'un prédateur. Ses mains lui ordonnaient de prendre la carabine, mais elle ne dirigea sur elle que son regard. L'ayant longuement observé, elle détourna la tête et commença à peigner ses cheveux défaits en y passant les doigts. Elle en fit une torsade et les entortilla dans sa nuque, les fixant avec sa barrette. Les sacs de couchage et son matelas de mousse formaient déjà un épais rouleau. Elle replia sa bâche et ramassa ses autres affaires. Le peu de nourriture qu'elle avait était réuni dans le grand pot du vieil homme et celui-ci était déjà caché dans le brise-vent, le couvercle attaché pour le protéger des intrusions animales. Les cendres de son père se trouvaient à côté d'elle, dans leur boîte en fer. Elle s'inquiétait de ne plus pouvoir désormais emporter avec elle toutes ses possessions. Certes, tous ces objets supplémentaires la rendaient plus autonome, mais il devenait moins facile de prendre ses jambes à son cou en cas de problème.

Bien que son feu fût plus ou moins éteint, elle remplit un seau d'eau à la rivière et arrosa les cendres pour montrer au fermier que sa présence ne risquait pas de provoquer un incendie. Elle attacha son couchage devenu trop gros et sa bâche à son sac à dos et remonta un peu la rivière. Une fois sous le couvert des arbres, elle se retourna et vit, à travers les branches, que la silhouette n'avait pas bougé, mais il lui sembla que l'homme regardait maintenant du côté du champ.

Margo reviendrait camper là ce soir. Elle aimait l'intimité de l'endroit et espérait pouvoir rester jusqu'à ce qu'elle ait un bateau ou trouvé une autre solution. Parfois, en entendant couler la rivière, il lui semblait être plus libre qu'elle ne l'avait été les derniers temps au bord de la Stark. Des bruits de tirs lui parvenaient au loin, mais il ne lui restait qu'une cartouche et il lui fallait réunir le courage d'aller en ville en acheter d'autres. Entre le poisson, le gibier, les noix et ses chapardages dans les potagers, elle se débrouillait pour se nourrir et elle prenait de l'eau potable à la pompe à main dans la grange.

Margo dissimula ses affaires dans les branches d'un arbre dans le brise-vent et continua à remonter le cours de la rivière, ne gardant que sa carabine, se glissant à travers la clôture puis sautant par-dessus pour traverser le pâturage, parvenant de nouveau près de la maison du vieil homme au fauteuil roulant. Elle l'apercevait presque tous les jours. Il restait souvent assis seul sur le patio en pierre, fixant la rivière derrière ses lunettes noires. Ses cheveux brillaient d'un éclat argenté dès que le soleil passait sur lui.

Aujourd'hui, le vieil homme n'était pas dehors. Margo se risqua sur le patio, donnant des coups de pied dans le joli tapis de feuilles d'érable orange et jaunes. Elle descendit les marches raides et monta dans le bateau surmonté de sa petite caravane. Cette fois encore, il bougea à peine sous son poids. Le cadenas était ouvert et, quand elle tourna la poignée de la porte en aluminium, celle-ci s'ouvrit sur une odeur de renfermé. À l'intérieur elle trouva une étroite couchette placée en hauteur et une autre en dessous, plus large, qui pouvait se transformer en table avec des bancs, un fourneau à gaz à deux feux comme celui que possédait Brian, un four assez grand pour contenir un moule à gâteau et le plus petit poêle à bois qu'elle eût jamais vu. Elle ouvrit la porte du foyer, et estima qu'il mesurait peut-être trente centimètres sur quarante. Il fallait couper son bois en tout petits morceaux. Un tuyau d'aération, long de quinze centimètres, traversait le mur derrière.

Elle entendit aboyer et, sortant sur le ponton, elle trouva le chien noir qui remuait la queue. Le vieil homme était assis derrière la maison, sur le patio, le soleil tachetant de lumière le fauteuil et ses cheveux blancs. De la main, il lui fit signe de venir le rejoindre et elle obéit.

— Que cherches-tu, fillette ?

Margo avait du mal à comprendre ses paroles sifflantes, mais elle se souvint de ce qu'il avait dit l'autre fois, qu'elle devait demander si elle voulait prendre une douche.

— Est-ce que je peux dormir dans votre caravane quelque temps ?

L'homme s'éclaircit la gorge et cela sembla douloureux. Il avait la peau pâle, légèrement moite, et ses cheveux collaient à son visage.

— Vous avez l'air plus malade que la dernière fois, dit-elle.

Quand le chien s'assit près du fauteuil, Margo s'agenouilla pour le caresser des deux mains.

— Il y a des bons et des mauvais jours. J'ai de l'emphysème, mais les docteurs disent que ce sont les tumeurs qui vont me tuer.

Il s'éclaircit à nouveau la gorge.

— À moins que tu ne rendes service à tout le monde en me tirant une balle.

— Voulez-vous que je tire sur une autre cigarette dans votre bouche ?

— C'est ça, et place-toi juste en face de moi cette fois.

Il tapota son front comme pour indiquer la direction du projectile.

— J'étais trop fatigué pour sortir, mais quand je t'ai vue, je me suis dit, je vais aller lui botter le cul, à cette gosse.

— Je ne suis pas une gosse.

— Comparé à moi, tout le monde est un gosse.

Il refoula une toux.

— Même les gens de mon âge me paraissent être des gosses.

— Qu'est-ce que je peux vous donner pour votre bateau ? J'ai un peu d'argent.

— Tu n'as pas d'argent. T'as qu'une carabine et un pot en émail. Et un grand couteau de cuisine qui m'appartient, si je ne me trompe.

— Je vous rendrai le couteau. Je n'ai fait que l'emprunter. Je ne peux pas vous donner ma carabine.

— J'ai déjà deux fusils et une carabine dont je ne suis plus capable de me servir. Et tu peux garder ce satané couteau. J'en ai de meilleurs.

Il leva sa main pâle et tremblante comme pour démontrer quelque chose.

— Je gagnais ma vie comme typographe et maintenant, je ne suis plus capable de serrer une vis ou de couper ma viande.

— Je peux regarder encore à l'intérieur du bateau ?

— Tu en as assez vu. J'ai pas besoin qu'une gosse dorme dans mon bateau. Pas besoin que les voisins voient ce qui se passe.

— Je peux peut-être vous aider en échange, proposa Margo. Je peux nettoyer le patio. Je peux vous préparer des ragoûts et vous couper votre viande.

— Mon ami Fishbone a dit qu'il t'a vue avec un Mexicain, à la ferme, il y a deux semaines, la nuit où tu es venue ici.

— C'est un Indien. De toute façon, il est parti.

Margo découvrait avec surprise qu'on l'avait épiée.

— Ce salopard t'a brisé le cœur ?

— Je suis contente qu'il soit parti. Je n'ai pas besoin d'un homme.

— Et qu'est-ce que je suis à ton avis ?

— Monsieur, votre bateau est la seule possibilité pour moi de vivre sur la rivière.

En parlant au vieil homme, Margo eut étrangement conscience d'une présence en elle, et elle se demanda s'il s'en rendait compte lui aussi.

— Va-t'en, dit-il.

Une quinte de toux le submergea et du sang coula aux coins de sa bouche. Il lui fit signe de s'en aller.

— Je peux rester et caresser votre chien ?

Il secoua la tête :

— Reviens demain matin.

*

Margo passa la nuit dans son sac de couchage près de son feu, avec, sous elle, pour plus de confort, le tapis de mousse et le sac de couchage de l'Indien et la bâche par-dessus pour se protéger de la rosée abondante. Elle rêva qu'elle dormait avec l'Indien et elle se réveilla en sursaut à plusieurs reprises, avec l'impression qu'on repêchait son corps dans les eaux profondes pour le hisser sur la terre ferme.

Au matin, elle remonta la rivière et, en parvenant à la maison blanche, elle entendit comme des croassements de corbeaux. Les bruits devinrent des voix, puis elle aperçut dans l'allée deux voitures qu'elle n'avait jamais vues lors de ses visites précédentes. Un peu plus bas sur la route était garée une camionnette Chevrolet bicolore qu'elle avait déjà vue une fois ou deux. Elle s'approcha. Le vieil homme se trouvait sur le patio en compagnie de deux femmes. Toutes les deux avaient à peu près la même taille que Margo. L'une avait de longs cheveux noirs, plus lisses que les siens ; l'autre semblait plus jeune, avec des cheveux plus courts et plus clairs, mais pour le reste elles se ressemblaient.

— Tu es censé être branché à ton oxygène en permanence, mais chaque fois que nous venons, tu n'as pas mis tes tuyaux, dit la femme aux cheveux foncés.

— Je les mets quand j'en ai besoin, Shelly. Ne te fais pas de bile.

— Il fait froid maintenant, les docteurs disent que le froid peut te bloquer les poumons. Viens, on va t'aider à rentrer.

Le vieil homme ne portait rien sur sa chemise de travail. Margo aurait voulu que l'une d'entre elles aille chercher une veste dans la maison. Ou peut-être espéraient-elles précisément que le froid l'obligerait à rentrer.

— Qu'est-ce que vous savez de tout ça, toi et ta sœur ?

— Eh bien, nous savons que nous t'aimons, Oncle Smoke, et nous avons promis à maman de nous occuper de toi, dit la nièce blonde.

Elle s'agenouilla près du fauteuil pour le regarder en face et il détourna la tête.

— Tu ne peux pas rester là, dit-elle. Tu as perdu plus de la moitié de ton poids.

— Est-ce que je cherche, moi, à diriger votre foutue existence ?

À cause des lunettes noires, il était difficile de savoir dans quelle direction il regardait, mais Margo avait l'impression que son regard était attiré par quelque chose près du garage.

— C'est pour pouvoir fumer, n'est-ce pas ? dit Shelly. C'est pour ça que tu ne veux pas partir, parce qu'on ne te laissera pas fumer. Tu penses que tu ne peux pas arrêter, mais tu peux le faire, à condition d'en avoir la volonté. Ils savent s'y prendre pour aider les gens.

— Les nazis savaient s'y prendre, eux aussi. Je veux rester où je suis.

— S'il y a une chose au monde dont je voudrais qu'on soit débarrassés, dit la nièce blonde, c'est du tabac. Il fait tant de mal aux gens.

L'homme posa les mains sur les roues de son fauteuil et avança de quelques centimètres. La blonde se leva. Le chien restait sur le patio, souriant, visiblement enchanté de la compagnie des femmes.

— Tu veux bien boire une préparation en poudre pour ton déjeuner, au moins ? dit Shelly. Nous voulons être sûres que tu as des vitamines et des protéines.

— Vous avez goûté cette merde ? Et vous avez goûté à cette soi-disant nourriture qu'ils donnaient à votre mère à la maison de retraite All Saints ? Jambon de dinde, margarine, biscuits sans sucre, déca ? Et pas question qu'on me mette une sonde.

Il commençait à s'essouffler.

— J'ai signé un papier devant mon médecin pour que ce soit clair. Nous avons envoyé le document aux deux hôpitaux.

— Je prends des boissons protéinées le matin, Oncle Smoke. C'est bon, dit Shelly.

— Dans ce cas, ne te prive surtout pas.

— Tu ne veux pas nous laisser parler au médecin ? demanda-t-elle. Dis-nous juste son nom.

— Non.

— Tu me donnes envie de pleurer. Je m'inquiète tout le temps, dit la nièce blonde.

Et en effet, elle avait le visage inondé de larmes, remarqua Margo.

— Tu as perdu la tête, Oncle Smoke.

— C'est ce que vous avez écrit au juge ? s'enquit le vieil homme.

— Pourquoi es-tu si méchant ?

— Méchant ? Tu veux m'enfermer dans cette maison de retraite et c'est moi qui suis méchant ?

— C'est la maison de repos Alsand, pas All Saints.

La plus jeune semblait vaincue.

— Pourquoi t'obstines-tu à parler de All Saints ? Maman disait qu'on s'occupait bien d'elle là-bas. Et si tu acceptais de venir vivre avec moi, c'est nous qui prendrions soin de toi, tu ne serais pas obligé d'y aller.

— Dans ton appartement, avec ton petit ami et tes trois chats ? J'ai ma propre maison. Ici.

— La mairie dit qu'elle t'a envoyé une lettre au sujet de ce garage, dit Shelly en indiquant le bâtiment qui s'affaissait. Ils vont venir le démolir. Ton ami ferait bien de venir récupérer tout ce qu'il veut garder. La mairie dit que le garage va s'effondrer et il doit y avoir des rats là-dedans.

Le vieil homme refoula une toux au prix d'un effort qui parut immense à Margo. Elle vit la peau de cerf toujours tendue près du garage, invisible depuis l'endroit où se tenaient les deux femmes.

— Et je sais que c'est lui qui t'achète des cigarettes, dit Shelly.

— Avec le traitement adéquat, tu vivrais plus longtemps, dit la blonde. Tu n'as pas envie de vivre ?

Le chien dressa les oreilles. Margo entendit un froissement de feuilles du côté de la clôture, près du garage. Elle dirigea le canon de sa carabine vers le bruit comme si elle visait un écureuil, et s'arrêta sur un fusain qui commençait à rougeoyer. Derrière le feuillage, elle distingua un bras maigre à la peau sombre qui se poursuivait en une chemise bleue à manches courtes, puis en un visage à demi caché par un chapeau mou. Une fumée bleuâtre s'élevait de sous le bord du chapeau. Il observait, comme elle, mais de façon moins discrète étant donné qu'il fumait un petit cigare. Un éclair de colère traversa le regard qu'elle croisa et elle abaissa aussitôt le canon.

— Bon, je dois aller travailler. Au revoir, dit Shelly en s'éloignant sur le patio.

La blonde embrassa le vieil homme sur le crâne et suivit sa sœur qui tournait au coin de la maison. L'homme au chapeau mou se leva et se dirigea vers le patio, imité par Margo, hésitante.

— Ne pointez jamais plus une arme sur quelqu'un, jeune fille ! dit l'homme en secouant la tête de façon à bien souligner sa désapprobation.

— Pardon. Je ne savais même pas que vous étiez là. J'ai cru que c'était un écureuil qui faisait du bruit dans les buissons.

L'homme était maigre et portait une chemise boutonnée au col étroit, un jean à pli et des souliers de cuir noir cirés. Il pouvait avoir dans les soixante ans, mais il avait la silhouette d'un homme plus jeune.

— Smoky, tu sais qui est cette fille qui se cache là et qui essaie de tuer quelqu'un ? demanda-t-il d'une voix calme. Encore une de tes nièces dont tu ne m'as rien dit ?

— Voilà qui ne change guère, n'est-ce pas ? Une femme qui veut ta mort ? La tienne essaie de te tuer depuis…

Une quinte de toux empêcha le vieil homme d'achever sa phrase. Margo et le visiteur au chapeau mou avancèrent de quelques pas et attendirent que la crise se calme.

Margo trouvait la situation plutôt curieuse : deux personnes sans aucun lien entre elles, cachées derrière la maison du vieux.

— La dernière en date qui a essayé de me tuer remonte à loin, dit l'homme à Margo, d'une voix qui cherchait à la rassurer. Depuis que la mienne fait de l'hypertension, elle essaie de rester calme.

— Fishbone, faut que tu…

Le vieux sembla avoir récupéré sa voix, mais il se remit à tousser de plus belle et sortit un flacon de médicament d'une des poches du fauteuil. Comme il n'y arrivait pas, Fishbone le prit, poussa et dévissa la capsule, puis le lui rendit. Smoke but à même le flacon.

— Ce chien me voit cinq fois par semaine. Qu'est-ce qui lui prend de m'aboyer dessus ? demanda Fishbone quand Smoke eut refermé le flacon.

— Mais faudra quand même que tu t'occupes de lui après ma mort. Tu me l'as promis.

— Tu n'es pas encore près de mourir, vieux cynique.

Smoke ôta ses lunettes et se frotta les yeux.

— Qu'est-ce que vous regardez tous les deux ?

— Toi, espèce de vieux fou. Tu crois que la codéine va te sauver ? Cette codéine va plutôt te couper la chique un de ces jours. C'est pour ça que les docteurs ne veulent pas que tu en prennes plus d'un flacon par semaine.

— Ça fait partie de mon plan.

Il remit ses lunettes, qui lui couvraient la moitié du visage.

— Tes nièces se mêlent de tout. Pourquoi veulent-elles que la mairie démolisse ma jolie cabane ?

Fishbone remarqua une minuscule teigne accrochée au fond de son pantalon et il leva le pied pour l'enlever.

— Tu devrais demander à ces filles de nettoyer ta maison, Smoky. Qu'elles fassent quelque chose d'utile.

— Vous habitez dans ce garage ? questionna Margo.

— J'habite à Kalamazoo. Ici, c'est ma cabane de pêcheur et j'y viens pour dépecer mes cerfs et tanner les peaux. Il y a plus de rats chez Smoky que dans ce garage.

À l'annulaire, Fishbone portait un large anneau d'or gravé d'une croix.

— À propos, Smoky, voilà ton poison.

Smoke prit la cartouche de cigarettes que lui tendait Fishbone. Il se tourna vers Margo.

— Pourquoi es-tu si en retard ?

— Vous ne m'avez pas donné d'heure précise.

— Les vieux, ça se lève tôt. Pas vrai, Fishbone ?

Il semblait respirer plus librement.

— Qu'est-ce que j'en sais, moi, des *vieux* ? Je suis pas aussi vieux que toi.

— À l'atelier d'imprimerie, il fallait ouvrir les portes à sept heures, ou bien les Hollandais allaient s'adresser ailleurs. Ça me tuait de me lever si tôt. Maintenant que je n'ai rien à faire, je ne dors plus après le lever du soleil. Fishbone, mon employé ici présent, ça ne le dérangeait pas de venir avec un demi-beignet à dix heures.

— Je n'aime pas trop m'emmerder dans la vie.

— Pourquoi vous cachiez-vous, monsieur ? demanda Margo.

— Pas envie que ces vipères me voient. Ce genre de femme, je préfère éviter.

— Faut que je te présente cette fille, Fishbone. Elle est capable de t'ôter le cigare de la bouche d'un coup de carabine.

Smoke retira de son siège un mégot de cigarette sans filtre à demi consumé et le lança sur le patio. Il avait dû le cacher là pendant la visite de ses nièces.

— Tu m'en diras tant, dit Fishbone.

Il ôta son cigare allumé de sa bouche, examina le porte-cigare en plastique et mordit de nouveau dedans.

— J'ai vu vos peaux, monsieur Fishbone. Moi aussi je sais dépecer les animaux.

— Peu de filles savent faire ça de nos jours.

Il la considéra des pieds à la tête.

— Moi oui. Les lapins, les écureuils, les cerfs. Un jour, j'ai aidé mon grand-père à dépecer un ours. Et je sais aussi faire cuire le gibier.

— Ma femme me fait cuire des écureuils, mais il faut que j'apporte l'animal écorché, vidé et la queue coupée. Comme ça elle peut croire que c'est un poulet.

Il la considéra de nouveau, cette fois avec une expression plus soupçonneuse.

— Mais que venez-vous faire par ici ? Smoky n'a pas d'argent.

— Il m'a dit de venir aujourd'hui.

— J'ai plein d'argent, protesta Smoke. Je suis un homme désirable à tous points de vue, au cas où tu n'aurais pas remarqué.

— Vous ne devriez pas être à l'école ?

— J'ai fini l'école. J'ai dix-huit ans.

Dans moins de deux mois, elle aurait vraiment dix-huit ans.

— Je croyais que vous alliez tous à la fac maintenant.

À mesure que la conversation se prolongeait, Fishbone adoptait une posture plus détendue.

— Smoky, tu veux bien dire à ce chien de cesser de gronder ? Je crois qu'il fait l'intéressant pour la jeune dame.

Smoke tira sur son collier et le grand chien s'aplatit sur le sol.

Fishbone devait mesurer plus d'un mètre quatre-vingts et son apparence soignée contrastait avec celle que Margo imaginait présenter. Elle regrettait de ne pas avoir eu le temps de se laver le visage et les mains, et de se brosser les cheveux avant de les remonter sur sa tête.

— Deux de mes garçons ont laissé tomber, ils ont dit que l'école ne sert à rien, que les professeurs sont racistes et qu'ils n'ont pas l'ombre d'une chance de s'en sortir.

— Tu m'étonnes, dit Smoke.

Margo tressaillit, se croyant encore visée, mais il parlait de manière figurative, à Fishbone.

— Ce n'est pas moi qui vais te dire le contraire.

— Ils ont raison, les professeurs sont racistes, dit Fishbone. Mais les garçons ont quand même besoin d'aller à l'école.

— Smoke, c'est votre vrai nom ? demanda Margo.

— Terry, ici présent, ne se rend même pas compte que Smoke est un nom de Noir, fit Fishbone, avec un clin d'œil. Il est donc doublement à côté de la plaque.

— Va au diable, dit Smoke. Et ce gommeux, là, avec ses beaux habits, il s'appelle Leon Barber, dit Fishbone [1].

— Il aimerait bien être noir, ça lui donnerait une raison supplémentaire de se plaindre.

---

1. Arête de poisson.

Le visage maigre de Fishbone était rasé de près. Il avait les yeux exorbités, comme s'il était légèrement paniqué, expression que venait pourtant corriger son attitude calme et posée. Margo n'avait pratiquement jamais vu de Noir et maintenant elle ne pouvait le quitter des yeux.

— Quel drôle de nom, *Fishbone*, dit-elle.

— C'est à cause de son odeur, dit Smoke. Je la connais bien, j'ai travaillé avec lui au quotidien.

— Je m'appelle Margo Crane.

— Approchez, Margo Crane, et vous verrez que je sens les fleurs, dit Fishbone.

Il lui prit la main. Il avait de longs doigts, calleux, chauds et secs.

— Vous sentez bon, dit-elle.

Il émanait de lui un parfum d'après-rasage fleuri, mais surtout il sentait le cigare.

— Et ces cigarettes vous expliquent pourquoi l'homme blanc s'appelle Smoke.

Il relâcha doucement sa main.

— Je pourrais vous vendre des peaux ? proposa Margo. Si j'en avais ?

— Il faut une licence de l'État du Michigan pour faire commerce des peaux. Je ne traite pas avec vous tant que vous n'avez pas de licence du département des Ressources naturelles.

— Je peux en demander.

— Quand vous l'aurez, je peux vous acheter une peau de rat musqué pour quelques dollars. Les Russes sont demandeurs, mais ils ne sont pas prêts à payer. Et les ratons laveurs ont de la valeur, pour la peau et la viande. Seulement, il faut toujours laisser une patte sur la fourrure pour que les gens soient sûrs qu'il ne s'agit pas d'un chat écorché.

Elle hocha la tête. Elle n'avait pas compris *pourquoi* Grand-Père laissait toujours une patte sur ses peaux de raton laveur. C'était l'une des nombreuses questions qu'elle regrettait de ne pas lui avoir posées.

— Les peaux doivent être dans un état parfait, pas de trous. Les balles les abîment.

— Et si je les tue d'un coup dans l'œil avec ma .22 long rifle ?

— Seigneur, Smoky. Où as-tu trouvé cette fille ?

Fishbone retira le mégot du porte-cigare en plastique et le laissa tomber sur le patio avant de l'écraser sous sa chaussure. Il en replaça un nouveau et, sans l'allumer, se le colla au coin des lèvres, peut-être pour dissimuler un sourire.

— Elle s'imagine qu'elle va toucher les bestioles dans l'œil.

Margo savait qu'il lui faudrait résoudre la question de la trajectoire de la balle derrière la tête.

— Tu vois, vieux bouc, les filles sont capables de tout aujourd'hui. Si tu veux la voir tirer sur ton cigare dans ta bouche, il n'y a qu'à demander.

— Revenez me voir quand vous aurez une licence. Vous habitez par ici ?

— Je voudrais vivre dans ce bateau aménagé, là-bas.

— Cette enfant vit toute seule ? interrogea Fishbone.

— Le Mexicain est parti, dit Smoke.

— Les jeunes dames qui vivent seules sont des proies faciles. Les filles ne sont pas aussi malines qu'elles le croient.

— C'était un Indien, dit-elle.

— Oui, fit Smoke. Les filles sont presque aussi bêtes que les garçons. Presque aussi bêtes que les hommes adultes.

— Je sais me débrouiller toute seule, dit Margo.

— Vous direz autre chose quand le fils du fermier sera dans les parages. Le gars est réputé pour cueillir tous les fruits frais sur lesquels il peut mettre la main.

— Ta fille l'avait trouvé charmant, fit Smoke.

— À l'époque je n'aurais pas laissé ma fille approcher de ce garçon, dit Fishbone. Maintenant, il faut que je pense à mes petites-filles. Et il a quoi ? Trente-cinq ans ?

— Trente-trois, je crois. Un jeune chien encore.

Smoke déchira l'emballage d'un paquet de cigarettes et le tendit à Margo.

— Il te faudra penser à tes arrière-petites-filles, maintenant.

— Ne lui donne pas de cigarette, dit Fishbone. Tu peux te suicider si tu veux, mais inutile d'entraîner la jeune dame à ta suite.

— Est-ce que je peux dormir dans votre bateau, monsieur Smoke ? dit Margo. S'il vous plaît. En ce moment, je dors dehors, par terre.

— Les voisins vont raconter à mes nièces qu'il y a une fille ici. Entre ça et le Noir qui dépèce des ratons laveurs dans mon jardin, elles vont aller dire que je n'ai plus toute ma tête. Elles vont demander au juge de me faire enfermer à All Saints.

Margo regarda autour d'elle et constata que, si elle habitait dans la caravane, beaucoup de gens pourraient la voir depuis leurs fenêtres. Elle n'avait pas envie de devenir une curiosité pour les voisins.

— Autant que quelqu'un l'utilise, dit Fishbone. Tu ne t'en sers jamais.

— J'avais des plans précis pour ce bateau. Maintenant mon gros hors-bord est en panne. Essaie un peu de remonter le courant avec le cinq chevaux.

— Tu as des plans, ça oui, dit Fishbone. Surtout celui de fumer jusqu'à ce que mort s'ensuive. Ça marche à merveille.

— Ce bateau m'a empêché de devenir fou, dit Smoke à l'adresse de Margo. C'est ma *Joie* et ma *Fierté*. Il a tout ce qu'un homme peut souhaiter. Si je pouvais y mettre le tuyau, je pourrais remplir le réservoir et avoir de l'eau courante.

— Ta joie et ta fierté, dit Fishbone, ce sont tes deux poumons que tu as noircis et qui sont incrustés de tumeurs à force de fumer toutes ces cigarettes.

Il s'assit au bord du patio sur une caisse de lait renversée, ôta son cigare de sa bouche et regarda de nouveau le porte-cigare en plastique, d'un œil plus critique cette fois.

Smoke se tourna vers Margo :

— J'ai habité cette caravane chaque fois que ma foutue sœur et ses filles sont venues vivre chez moi. Je pouvais pas supporter toutes ces poules caquetantes.

Son rire étranglé lui fit lâcher sa cigarette allumée qui tomba sur ses genoux. Margo la ramassa et la lui rendit. Smoke tira une longue bouffée, puis jeta la cigarette sur le patio. Il replaça ses tubes à oxygène sous son nez.

— Vous n'avez personne ? s'informa Fishbone. Pas de maison ?

— J'attends d'avoir des nouvelles de ma mère. Elle habite à Lake Lynne.

Smoke regarda Margo intensément.

— Comment va-t-elle vous retrouver ? s'inquiéta Fish-bone.

— Je dois lui écrire.

— Ne lui donne pas mon adresse, dit Smoke. J'ai pas envie d'une autre fouine.

— Je vais demander une boîte postale. S'il y en a à Greenland.

— Smoky, tu devrais peut-être laisser cette jeune dame habiter dans le bateau jusqu'à ce qu'elle retrouve sa mère. Je n'aime pas voir une fille seule sans personne pour s'occuper d'elle.

— Prends-la chez toi.

— J'ai quinze personnes à la maison cette semaine. Dans ma famille ils s'imaginent tous que je suis un hôtel gratuit. Il n'y a personne sur ton bateau, à part quelques souris.

— Eh bien, il faudra qu'elle me donne quelque chose en échange, dit Smoke.

Il regarda Fishbone, puis se tourna de nouveau vers Margo.

— Tu peux acheter mon bateau à une condition. Que tu me tires une balle dans la tête avant qu'ils me mettent dans un asile de vieillards.

Margo aurait voulu pouvoir déchiffrer son expression derrière ses lunettes noires.

— Pourquoi est-ce que tu dis ça ? protesta Fishbone. Je ne vais pas t'aider et elle non plus. Si tu étais allé à la guerre, Smoky, tu aurais plus de respect pour la mort.

— C'est pas de ma faute si je n'ai pas pu aller à l'armée.

— Tu aurais vu que tuer quelqu'un, y compris soi-même, c'est pas une blague.

— Tu vas trop à l'église. Tu es en train de devenir une vieille bigote.

Fishbone secoua la tête.

— Smoky, attention à ce que tu dis.

— Tu as entendu mes nièces. Elles ont tout prévu.

Le vieil homme s'arrêta pour reprendre son souffle.

— Elles vont demander au juge de me placer sous tutelle. Je vais perdre ma liberté.

— Ne demande pas aux autres de faire ton sale boulot, Smoky. On me laisserait probablement tuer et enterrer tous les Noirs que je voudrais, mais je serais bon pour la chaise électrique si je commençais à tuer des Blancs, même des vieux inutiles comme toi.

— Cent dollars pour mon bateau, dit Smoke à Margo en reprenant sa respiration. Mais tu m'aideras au moment voulu. Et je me réserve le droit de le racheter si tu n'honores pas ta part du contrat.

— Fais-le toi-même si tu dois le faire. N'entraîne personne là-dedans, dit Fishbone en se penchant pour ôter un peu de cendre sur sa chaussure en cuir noir.

— Je vais essayer, dit Smoke à Margo d'une voix plus calme. Mais si tu veux mon bateau, ma *Joie & Fierté*, faudra que tu fasses quelque chose pour moi.

— Vous autres vous m'étonnez toujours, dit Fishbone. C'est pas normal de parler comme ça. La vie et la mort sont l'affaire de Dieu, pas la tienne.

— Quand ma sœur y était, je suis allé déjeuner tous les jours dans ce putain d'asile. J'ai vu les gens devenir des spectres avec cette purée de pommes de terre qu'on leur donnait, du vrai plâtre. Je ne veux pas mourir dans cette prison.

Au mot *prison,* Margo hocha la tête.

— J'ai besoin de quelqu'un pour me tuer avant qu'on vienne me chercher. J'ai besoin d'une belle fille comme toi pour m'envoyer *ad patres.* Tu me donneras un baiser sur la joue et tu me feras exploser la cervelle.

— Tu veux qu'elle ait des ennuis avec la police ?

— Qui va se soucier d'un vieux malade ? dit Smoke.

— Si cette jeune dame te tue avec sa Marlin, ils retrouveront l'origine de la balle grâce au canon rayé. Et si elle tire avec un fusil, tout le monde entendra le coup de feu. Tu ne réfléchis pas à ce qui va arriver aux autres quand tu ne seras plus là.

— Alors noyez-moi dans la rivière.

Fishbone secoua la tête, comme s'il en avait terminé avec toute conversation sérieuse pour la journée.

— Il se peut que je meure dans mon sommeil et alors vous aurez la paix. Fillette, tu me donnes cent dollars, je te vends ma *Joie & Fierté* et tu peux l'immatriculer à ton nom.

Il faudra l'emmener un peu plus loin en aval. Mais pas trop loin.

— Ne lui prends pas son argent. Est-ce que tu as besoin de cent dollars ? Laisse-la juste utiliser le bateau.

— C'est pour prouver que je l'ai vendu et que je ne l'ai pas donné. Si je commence à donner, le juge dira que je perds mes facultés. Je lui remettrai un reçu disant qu'elle l'a payé et je garderai un double.

Plus il discutait avec Fishbone, plus il reprenait des couleurs.

— Tes nièces ne s'apercevront peut-être même pas qu'il n'est plus là.

Fishbone mordit le porte-cigare en plastique et parla entre ses dents :

— Le sens de l'observation n'est pas le fort de ces dames.

— Cent dollars.

Margo sortit de son portefeuille cinq billets de vingt dollars. Elle aurait payé beaucoup plus.

— Et la promesse de m'aider à la fin, dit Smoke.

Il ôta de nouveau ses lunettes et les posa sur ses genoux pour la regarder.

Margo craignait de lui rendre son regard et de voir à quel point il parlait sérieusement. Au lieu de cela, elle regarda la silhouette filiforme de Fishbone descendre les marches de ciment. Secouant toujours la tête, il détacha le bateau en aluminium, monta dedans, retira la protection du moteur et le fit démarrer. Le bateau remonta le courant. Ainsi que Margo l'apprendrait plus tard, il prenait le bateau presque tous les jours, quand le temps le permettait.

19.

Margo suivit les instructions que lui avait données Smoke pour faire immatriculer le bateau. Elle remplit le formulaire que lui apporta Fishbone et l'envoya par la poste avec pour adresse son nouveau numéro de boîte postale à Greenland. Douze jours plus tard, elle avait le titre de transfert dans sa poche et Smoke lui remit la clef du cadenas de la porte. Il lui expliqua comment remplir les réserves d'eau et, puisqu'elle avait descendu le tuyau jusque-là, elle lava les murs extérieurs de la cabine et récura le pont à la brosse. Le seul hors-bord en état de marche – un vieux Johnson deux chevaux pour la pêche à la traîne – était dans la véranda derrière la maison. Margo le transporta, le mit en place et remplit le réservoir d'essence sans plomb mélangée à un carburant deux-temps, mais sans réussir à le faire démarrer. Smoke tenta de lui donner des directives depuis le patio, mais elle dut finalement l'aider à descendre les marches jusqu'au bateau, où il prit appui contre la cabine. Comme il n'avait pas repris son souffle au bout de cinq minutes, elle courut chercher la bouteille d'oxygène. Ensemble, ils firent démarrer le moteur, mais l'entreprise épuisa Smoke. Descendre le courant ne représenterait pas de difficulté avec ce moteur, mais le vieil homme disait vrai : même à plein régime, il serait impossible de le remonter. Il lui faudrait trouver un moteur plus puissant.

— Je vais regretter ce bateau, dit-il une fois de retour sur son fauteuil dans le patio et raccordé à son oxygène. *Joie & Fierté.* J'ai moi-même conçu et construit chaque centimètre de cette foutue cabine, j'ai même fabriqué le petit poêle à bois. J'en trouvais pas d'assez petit.

— Vous voulez que je le laisse là ?

Il secoua la tête.

— Descends t'amarrer chez Harland.

— Qui est Harland ?

— Le fermier à qui appartient le terrain où tu campes. Tu es maintenant légalement immatriculée, garde bien visibles tes gilets de sauvetage et ne fais pas de bêtises avec le département des Ressources naturelles. Pareil pour ta licence de trappeur. Je ne vois vraiment pas l'intérêt pour une fille comme toi de tuer des rats musqués.

Il s'arrêta pour reprendre sa respiration.

— Il est vraiment à moi, n'est-ce pas ?

— Tu as le titre de propriété. Je crois que je suis fou de te l'avoir vendu, mais je ne m'entendrais avec personne d'autre.

Le titre se trouvait dans le bateau, entre les pages d'*Annie Oakley : Vie et Légende.* Avant de descendre la rivière, elle rentrerait dans la cabine pour le regarder encore.

— J'aurais préféré n'être sur les terres de personne.

Le fermier n'était pas venu depuis le jour où elle l'avait aperçu sur la crête, mais elle l'avait vu quelques rares fois près de sa maison et dans sa basse-cour.

— Et je suis sûr qu'il préférerait que tu ne sois pas sur son terrain, mais tu ne peux pas aller et venir tout le temps. Le bateau n'est pas fait pour ça.

— Je vais chercher un endroit qui n'appartient à personne.

— Eh bien, je te souhaite bonne chance.

— J'essaie de savoir comment faire pour vivre, commença Margo, mais elle ne put continuer et croisa les bras sur sa poitrine.

— Moi aussi. Mais j'ai pas encore trouvé.

Smoke tendit la main. Margo décroisa les bras et la prit dans la sienne pour l'empêcher de trembler. Elle aurait voulu lire l'expression sur son visage.

— Tu as parfaitement le droit de choisir de vivre de la manière la plus stupide qui soit, dit-il.

Quand le bateau s'éloigna en crachotant, elle fit un signe de la main en direction de la forme affalée aux cheveux argentés. Elle sortit de l'eau le vieux gouvernail pourri et dirigea le bateau avec le moteur, en longeant de près la rive nord de la rivière. Le bateau était lourd et difficile à manœuvrer, et il lui fallait se pencher à l'arrière pour orienter le moteur et se servir des miroirs pour voir ce qui se passait devant. Pour finir, elle se dirigea à contre-courant vers le banc de sable au-dessus de l'endroit où le filet de la source s'écoulait dans la rivière. Elle hissa le moteur hors de l'eau pour éviter que l'hélice ne gratte le fond. Quand elle put enfin descendre du bateau pour l'attacher, il avait dérivé et il lui fallut alors remonter le courant centimètre par centimètre. Elle parvint enfin à l'amarrer au-dessus de la source, juste en amont de son bivouac, où l'eau était assez profonde pour que le bateau reste en position horizontale. Elle l'attacha à un arbre pour l'empêcher de glisser vers l'aval. Elle l'ancra près de la rive au moyen des seaux de vingt litres à moitié remplis de ciment qu'elle avait tirés de l'eau devant chez Smoke. Au début, elle crut inutile de l'attacher à la rive, mais le bateau ne cessait de s'en écarter. Il y avait deux rouleaux de corde de chanvre dans le bateau et deux pieux qu'elle enfonça dans le sol ; elle l'attacha aux pieux pour l'empêcher de dériver.

En remplissant la fiche d'immatriculation, elle avait songé à baptiser le bateau *La River Rose II*. Elle avait aussi pensé à *L'Indien*, puis se ravisa, estimant qu'il ne méritait pas un tel honneur. Elle passa sur les mots *Joie & Fierté* de la peinture blanche trouvée dans la véranda derrière la maison de Smoke et la laissa sécher quelques jours avant de peindre, en simples lettres majuscules, GLOUTON, le nom que son grand-père donnait au carcajou, l'animal qu'elle avait vu lorsque l'Indien lui avait dit de fermer les yeux et qu'elle n'avait pas obéi.

Avec le bateau, Smoke lui avait donné une tronçonneuse et une massette – disant qu'il n'en avait plus l'usage, ni Fishbone qui habitait à Kalamazoo. Margo se mit aussitôt au travail, sciant les arbres tombés dans le brise-vent et coupant les tronçons en petites bûches pour le poêle. Le premier jour, elle scia et coupa jusqu'à en avoir le dos endolori. Elle était contente d'avoir tout ce travail.

Elle ne fut pas longue à s'adapter à sa nouvelle maison, découvrit toutes sortes d'outils que Smoke avait entassés dans le bateau, ainsi que du matériel de pêche et des ustensiles de cuisine. La conception de la cabine était ingénieuse, ménageant un vaste espace pour la cuisine et assez de place pour s'asseoir et dormir. C'est ainsi qu'elle voulait vivre. Parce que l'immense rivière tout entière était sa maison, son abri contre les éléments pouvait rester petit mais efficace, d'entretien peu coûteux. Sa gratitude à l'égard de Smoke était presque écrasante quand elle y pensait.

Margo écrivit à sa mère une lettre lui expliquant qu'elle était installée près de Kalamazoo et qu'elle aimerait venir lui rendre visite. Après quoi elle alla ouvrir sa boîte postale six jours par semaine. Tous les matins, ou presque, elle s'arrêtait chez Smoke en chemin, pour le voir et pour se servir de sa douche chaude. Il y avait bien une douche dans le bateau, avec un chauffe-eau à gaz, mais l'eau giclait partout et Margo serait obligée, quand ils seraient vides, de remplir le réservoir et de remplacer la bonbonne de gaz. La douche chez Smoke eut meilleure allure lorsqu'elle en nettoya les moisissures. Mais même après ce nettoyage, les murs jaunes et le plafond blanc restaient couverts d'une pellicule couleur de rouille. La même couleur tachait les doigts de Smoke et, sans aucun doute, les parois de ses poumons.

Smoke appréciait de la voir entrer et sortir de la maison, et tous les jours il lui demandait de lui raconter ce qu'elle avait fait : chasser, couper du bois, ou repeindre en blanc l'intérieur du bateau pour lui donner plus d'éclat – après quoi l'odeur de latex avait été si intense qu'elle avait dû dormir trois nuits dehors près d'un feu. Margo n'avait jamais connu personne qui se soit préoccupé ainsi de son existence. Smoke lui donna des livres de sa bibliothèque, en particulier les trois volumes de *Foxfire*, qui relataient des histoires de chasse au dindon sauvage, au sanglier et à l'ours. L'un d'entre eux expliquait comment faire sécher la viande de porc. Certains jours, Smoke parlait à peine, à cause de sa respiration, mais autrement il lui racontait que la rivière était sale à l'époque où il avait acheté cette propriété, des décennies auparavant, et qu'elle était beaucoup plus propre depuis que les usines et les villes en amont n'avaient plus le droit de déverser leurs déchets et leurs eaux usées. Margo pensa au tuyau d'évacuation de l'usine métallurgique Murray, près duquel personne ne pêchait. Pour ce qu'elle en savait, il continuait à cracher ses cochonneries. Il lui montra un sac en cuir plein de caractères en plomb et l'ouvrit sur la table de la cuisine en disant que c'était tout ce qui lui restait de son atelier d'imprimerie. L'idée que Smoke voulût réellement qu'elle mettre fin à son existence s'éloignait, lui semblait-il, de jour en jour.

Le moment viendrait, pensait Margo, où elle saurait quoi faire du bébé qui grandissait dans son ventre. Presque tous les matins, entre octobre et novembre, avant de quitter le bateau, elle vomit dans la rivière.

*

La veille de Thanksgiving, Smoke dit à Margo que ses nièces viendraient le chercher pour déjeuner dans l'un ou l'autre de leurs appartements. Le lendemain après-midi, Margo remonta à pied le demi-kilomètre et se cacha dehors pour observer la maison et attendre son retour. La pensée que ces nièces jouissaient de la compagnie de Smoke la rendait jalouse et elle n'avait guère confiance en ces femmes.

Margo attendit dans le froid, le dos contre sa maison. Elle regarda le vieux garage décrépit avec son autocollant CONDAMNÉ à la fenêtre et eut envie de le voir s'écrouler sous ses yeux dans un grand *whoosh*. Elle écouta les oiseaux dans la mangeoire de la voisine, les regarda s'élever et retomber dans les airs au-dessus de la clôture. Au bout d'un moment, elle sentit que Nightmare, à l'intérieur, flairait sa présence au-dehors. Sans cesse, elle sentait en elle la créature minuscule et volontaire, présente depuis seulement deux mois et demi. Elle la sentait s'approprier sa nourriture, son énergie et même son équilibre quand elle marchait.

Au retour des nièces de Smoke, il y eut un peu de remue-ménage pour l'aider à descendre de voiture et s'asseoir dans son fauteuil, de sorte qu'il manqua tomber, mais Margo resta invisible. Quand ils furent tous dans la maison, elle continua à observer trois mésanges qui descendaient en cercle sur la mangeoire avant de remonter se percher sur une branche pour manger les graines. Elle aimait voir ces oiseaux noir et bleu apparaître en tous lieux : dans les bois, au bord de l'eau, devant les maisons, criant *chicka-dee-dee-dee*. À l'école primaire, il lui arrivait de regarder par la fenêtre de la salle de classe et d'apercevoir des mésanges dans les petits arbres. En de tels moments, elle avait pensé que l'école pouvait être un élément naturel de la vie.

L'année précédente, Margo et Michael avaient passé la journée à préparer deux tartes, une poitrine de dinde et une sauce, avant de dîner en tête à tête. Elle se demanda où Michael dînait ce soir. Brian était toujours en prison, où il racontait probablement ses histoires et ses blagues, et en apprenait de nouvelles. À en croire la carte que Margo avait dans son portefeuille, Luanne se trouvait à une trentaine de kilomètres, dans une *situation délicate*, quelle qu'elle fût. L'Indien était avec sa femme, sûrement. Et les Murray en train de préparer une grande fête, encore qu'elle eût quelque difficulté à se représenter pareille chose, considérant l'état dans lequel elle les avait vus la dernière fois. Smoke avait dit qu'elle pouvait décider de sa vie, mais il lui était difficile d'envisager un avenir tant qu'elle n'avait pas encore réuni les étranges morceaux du puzzle qu'était son passé.

Dès que Smoke fut seul, elle entra. À son invitation, elle ouvrit les boîtes en plastique que ses nièces avaient placées au réfrigérateur et en mangea tout le contenu, la dinde, la farce, et les tranches de pain beurrées.

Comme Margo finissait une deuxième part de tarte au potiron, Smoke lui dit :

— J'ai payé les études de ces filles pour soulager ma sœur, et maintenant, pour soulager leur conscience, elles voudraient que j'aille dans une maison de vieux. Si ma sœur était en vie, je lui dirais qu'elle n'a pas su élever ses filles.

Margo hocha la tête. On frappa à la porte côté rivière. Elle s'ouvrit avant qu'ils pussent répondre. Smoke sourit en voyant un homme blond entrer dans la cuisine.

— Retiens Nightmare, dit-il.

Margo saisit le chien par son collier à l'instant où il se jetait sur la jambe de l'homme.

— Mets-le dans ma chambre.

— Pourquoi est-ce que ce chien est le seul dans tout le voisinage à ne pas m'aimer ?

La voix du visiteur était familière à Margo.

— Les chiens lisent dans vos pensées, voilà pourquoi, dit Smoke. Ils savent reconnaître un chien en maraude.

— Qui est-ce ? demanda l'homme tandis que Margo entraînait le chien mécontent hors de la pièce.

— Ne t'avise pas de la toucher. Ou je lâche mon chien.

— Enchanté. Je m'appelle Johnny, dit-il au retour de Margo. Ton visage me paraît familier. Tu es une vedette de cinéma ?

Le voir ainsi, sans y être préparée, retourna l'estomac de Margo au point qu'elle crut qu'elle allait rendre tout le repas de Thanksgiving. C'était Johnny, l'ami de Paul. Ses joues s'enflammèrent. Nightmare gronda dans l'autre pièce.

— Tu n'as pas besoin de la connaître, Johnny, dit Smoke, sans cesser de sourire.

Malgré ses paroles blessantes, Margo voyait qu'il aimait bien cet homme et que sa visite l'égayait.

— J'étais juste passé à la grande ferme manger un repas délicat et fruste avec mon honnête et fruste frère George et sa ravissante et orageuse femme.

Johnny sortit une canette de bière d'une des poches de sa veste, puis une autre d'une autre poche, et les posa sur la table devant lui.

— Ton frère George est un homme bien, et tu le sais. Le sel de cette putain de terre.

— Tu refuses toujours de voir un médecin, Smoke ?

— Je vois un médecin, mais pas ce connard de Greenland. Le lendemain, au café, il va raconter à tout le monde que j'ai un bouton sur le cul.

— Ce que tu ne veux pas, c'est qu'il aille fouiner dans ton vagin, hein ?

Johnny but une longue gorgée de bière, visiblement enchanté de la grossièreté de sa question.

— T'aimerais bien que j'aie un vagin, dit Smoke, dont les joues prenaient des couleurs. Mais va falloir que tu trouves à t'amuser ailleurs.

— Je ne voudrais pas que cette charmante créature me juge malpoli, Smoke.

— Oui, c'est grâce à ce médecin que tout le monde est au courant quand tu as la chaude-pisse, Johnny. Et que les filles savent quand il faut t'éviter.

— Ne l'écoutez pas, ma jolie, dit Johnny s'adressant à Margo. Je suis propre comme un sou neuf.

Son rire avait la même clarté que celui que Margo avait entendu dans la cabane de Brian, il y avait si longtemps de cela. Elle jeta un coup d'œil à la porte, près de laquelle reposait son fusil, puis regarda Johnny de façon appuyée. Elle se rappelait ses bras qui l'avaient plaquée sur le canapé. Il était ivre alors, et elle était restée tétanisée comme une vache en chaleur, curieuse de voir ce dont était capable un nouveau taureau. Margo commença à sentir un désir qu'elle ne s'attendait pas à éprouver avant longtemps. Elle songea que la seule chose intelligente à faire serait de se lever et de partir.

Smoke grommela quelques mots blessants qui contrastaient avec son sourire et Johnny éclata de rire de nouveau.

— De toute façon, je n'ai guère le temps de traîner, dit-il. J'ai rendez-vous sur la route dans quarante minutes. Je voulais juste passer voir comment tu allais. Si tu avais retrouvé une femme.

— Si j'en trouve une qui n'a pas tes empreintes digitales partout sur le corps, je pourrai y songer.

— Je descends ce soir vers le sud, Floride, et nous allons faire une petite livraison dans deux semaines. Ou deux mois, ça dépend.

— La Floride, hein ? Ça doit être chouette d'être au soleil.

— À mon retour, je vous rapporterai un peu de soleil de Floride, à tous les deux.

Johnny fit un clin d'œil. Comment aurait-il pu deviner que Margo l'avait vu se baigner nu ? Il ne savait pas qu'à Murrayville elle l'avait vu s'écrouler sur la carcasse du cerf qu'elle venait de vendre à Brian.

— Tu vas rendre visite à ton paternel ? demanda Smoke. Dis bien à ce salopard que j'attends toujours qu'il me rembourse ces pneus.

— Autant vouloir faire couler le sang d'une pierre, dit Johnny. Je m'arrêterai peut-être chez Doris et le vieux Jim au pays des caravanes. Papa devrait être content de me voir, moi le fils prodigue, mais ce n'est pas toujours le cas.

Il sourit à Margo :

— J'ai déjà hâte de rentrer dans le Michigan.

— Je te conseille de laisser cette petite tranquille, espèce de fils de pute.

Smoke secoua la tête, l'air faussement désespéré :

— Il faudrait t'amener chez le vétérinaire. Te faire arranger.

— J'ai vraiment l'impression de vous avoir déjà vue.

Le sourire de Johnny rassurait Margo : il ne la reconnaissait pas. Il devait avoir pris une sacrée cuite, cette nuit-là, dans la cabane de Brian. L'ivresse, c'était quelque chose que Margo pouvait comprendre, naturellement ; ce qu'elle ne comprenait pas, c'était pourquoi elle ne pouvait s'empêcher de lui rendre son sourire, pourquoi elle s'imaginait en train de se déshabiller pour le rejoindre dans la rivière. Il y avait quelque chose de primaire chez cet homme, son odeur peut-être. Elle saurait résister, et tant qu'elle ne serait pas seule avec lui, tout irait bien.

Margo vit Smoke secouer la tête. Elle finit par détacher son regard des yeux gris de Johnny.

Il resta, le temps de boire les deux canettes qu'il avait apportées. Il avait offert la seconde à Smoke et à Margo, mais ils avaient décliné. Margo ne pouvait le quitter des yeux. C'était de la folie, comme un enchantement qu'elle ne parvenait pas à briser. C'était exactement ainsi que les femmes se sabordaient, elle le savait. Une femme se débrouillait parfaitement, trouvait l'abri adéquat et de quoi manger, et puis un type la touchait et commençait à lui peigner les cheveux. Elle se sentait traversée de décharges électriques et elle pensait avoir trouvé un nouveau coin de pêche inconnu. La fille partait avec ce type et, subitement, elle se fichait de retrouver sa mère ou de donner le moindre sens à sa vie.

— Ouais, je descends jusqu'aux Keys pour voir des Cubains que je connais là-bas, dit Johnny. J'ai particulièrement hâte de retrouver une certaine Cubaine ravissante.

En partant, il tira la natte de Margo.

— Cet homme, c'est quelque chose, dit Smoke après le départ de Johnny.

Il avait encore le visage rayonnant.

— S'il pouvait se vendre, il serait riche.

Margo libéra Nightmare. Il vint renifler l'endroit où Johnny s'était assis et gronda.

*

La première fois que Margo prit un rat musqué sans le traverser de part en part avec une cartouche, elle l'apporta à Smoke selon la requête de Fishbone, la fourrure nettoyée et brossée, et elle fut heureuse de le trouver en personne, juste descendu de son bateau. Il prit la longue créature inerte qu'elle lui tendait et la tint par la queue.

— Quel piège as-tu utilisé ? demanda-t-il.

— Je n'ai pas posé de piège. Je lui ai tiré dans l'œil.

— Tu es vraiment une si fine gâchette ?

Fishbone plissa les yeux, avec un sourire assez grand pour découvrir ses dents, et Margo vit qu'il lui manquait une canine.

— Smoky, il me semble que notre Margo rougit. Jeune dame, je crois que tu devrais demander au fermier de te transférer son permis de chasse. Dis-lui que je suis fatigué de tuer des cerfs pour son compte.

— Fatigué de les rater, tu veux dire ? fit Smoke.

— J'ai tué deux cerfs cette saison. C'est plus que tu n'en as eu en dix ans.

— On a le droit de garder la viande ?

— Tu peux la manger ou la donner, ou en faire don à la mission. Mais tu dois parler à M. Harland.

Le fermier l'avait certainement aperçue à l'endroit où le bateau était amarré, mais il ne s'était pas approché. Elle se glissait souvent en catimini près de la ferme pour l'observer, et elle l'avait vu une fois se disputer avec sa femme, debout et silencieux, tandis que celle-ci tapait du pied et criait avec véhémence. Margo se plaisait aussi à observer la femme de l'autre côté de la route depuis la grange. Elle passait beaucoup de temps dehors, nourrissait les oiseaux et travaillait dans son jardin. Margo regardait à travers les planches de la grange et essayait d'imaginer un début de conversation, mais elle ne savait pas encore ce qu'elle dirait.

— Tu as un fusil de chasse ? demanda Fishbone.

Margo secoua la tête.

— Mais tu sais te servir d'un fusil de chasse ?

— Bien sûr !

— J'aurais épousé une fille comme toi si j'avais su que ça existait, dit Fishbone en riant.

Smoke secoua la tête :

— T'as bien besoin d'une autre femme.

— Smoky, va falloir que tu lui donnes ton fusil de chasse. Elle doit faire les choses comme il faut. Je ne veux pas qu'elle essaie de tirer une balle de .22 dans l'œil d'un cerf.

— Donne-lui ton foutu fusil de chasse, toi. Moi, je risque d'avoir besoin du mien.

— N'écoute pas cette vieille geignasse, Margo. Va me chercher une chaise de cuisine, un sac à provisions et des journaux, et apporte tout ça dans le patio. Oh, et une grande cuiller à soupe.

— Qui est la vieille ici ? dit Smoke. Parle pour toi, espèce de vieille grenouille de bénitier.

Une fois Fishbone installé sur la chaise, il aplatit le sac en papier kraft sur le sol et y entassa des journaux.

— Bien sûr, Smoky, t'as besoin de ce fusil. Comme t'as besoin d'un trou dans la tête.

— Tu ne risques pas d'abîmer tes beaux souliers en cuir ?

— Non. Et il va me falloir deux minutes pour montrer à cette petite comment dépecer un rat musqué. Regarde bien toi aussi, Smoky. Tu pourrais apprendre quelque chose malgré ton âge avancé.

Il sortit un grand couteau de chasse. Une main sur la lame et l'autre sur la poignée, la pile de journaux en guise de planche à découper, il coupa les pieds arrière. Puis il mit le pied sur la queue, enfonça le couteau derrière l'une des pattes et fendit jusqu'à la queue. Il recommença de l'autre côté, puis découpa tout autour de la queue. Des gouttes de sang tombèrent sur les journaux entre ses souliers.

— Qu'est-ce que tu crois pouvoir m'apprendre après toutes ces années ? marmonna Smoke.

Fishbone posa son couteau sur la caisse à lait à côté de lui et glissa les doigts sous la peau, détacha celle qui entourait la queue et les pattes arrière, et tira jusqu'à l'avant de l'animal. Margo vit qu'il avait des doigts longs et droits, pas recroquevillés par l'arthrose comme ceux de Smoke, pas même abîmés. Il roula la peau du dos de l'animal.

— Tu vois, je fais attention au ventre, je garde ça pour la fin, j'essaie d'éviter qu'il éclate.

Margo hocha la tête. Elle regarda Fishbone passer les doigts sous chacune des pattes postérieures, libérer la peau et remonter vers les pattes avant, laissant la peau du ventre attachée. Le jean à plis de Fishbone demeurait intact. Smoke le regardait intensément. Nightmare aussi.

— À présent, tu rentres les pouces dans la peau en maintenant le dos du rat vers le haut, dit-il.

Margo observa que la tête de l'animal n'était pas dirigée vers lui. Il lui faudrait adopter cette position et sa prise.

— Avec les doigts des deux mains, poursuivit-il, tu rentres la tête du rat à l'intérieur et tu retournes le tout. Maintenant, tu dégages chaque patte avant et tu décolles la peau. Tu vois comment elle se détache au niveau des pieds. Même pas besoin de couper.

Smoke alluma une autre cigarette et se radossa pour tirer une bouffée. Fishbone glissa les doigts sous la peau du cou. À l'intérieur, il coupa autour des oreilles puis tira la peau vers le museau.

— Tu vois ces parties blanches au-dessus de l'œil ? Tu coupes là, au-dessus des deux yeux, et tu presses jusqu'à ce que la peau se décolle. Bien sûr, tu as abîmé cet œil-là avec ta cartouche. Comment se fait-il qu'il n'y ait pas de trou de sortie ?

— J'ai utilisé une munition lente.

Elle ne mentionna pas les trois peaux qu'elle avait gâchées avant de réussir celle-ci.

— La balle est restée logée dans son crâne.

— C'est très bien tout ça, mais ce que tu veux, c'est un œil parfait avec la paupière et les cils. Pour ça, il faut utiliser des pièges. Je vais te montrer comment installer un piège de submersion. Tu as des cuissardes ?

— Il y en a dans le bateau.

— Elles remontent à quand ? Si elles appartiennent à Smoky, elles ont sûrement des fuites.

— Ces fichues cuissardes ont à peine cinq ans, dit Smoke. J'avais oublié que je les avais laissées dedans. Elles m'ont coûté soixante-quinze dollars.

— Et tu vas avoir besoin de cadres pour le séchage.

Margo hocha la tête.

— Smoky a des pièges qui ne lui servent pas. Et peut-être un ou deux cadres en fil de fer.

— Arrête de distribuer tous mes biens, je ne suis pas encore mort.

Margo se sentait plus à l'aise pour parler à Fishbone quand il était occupé et elle lui posa enfin la question qu'elle voulait lui poser depuis plus d'une semaine.

— Smoke a dit de vous demander, Fishbone, où est-ce qu'une fille peut aller pour se débarrasser d'un bébé.

— Qu'est-ce que tu dis ?

Il cessa de couper.

— La petite est enceinte, dit Smoke. Elle a pas envie d'avoir ce fichu bébé.

— Cette histoire ne me plaît pas du tout.

Fishbone, retournant à son travail, décolla la peau de la tête de l'animal.

— Et tu devrais savoir ça, Smoky.

— Je ne peux pas avoir de bébé, dit Margo. Je ne peux pas m'en occuper.

Elle remarqua qu'il laissait le museau du rat musqué sur la peau.

Smoke prit une gorgée du flacon de médicament en vente libre, moins efficace que la codéine sur ordonnance, mais il avait déjà vidé celle-là.

— Elle a besoin d'aide, je te le demande comme un service, dit Smoke.

Fishbsone acheva de décoller la peau de la tête. Margo s'approcha pour voir le crâne nu. Sans prévenir, Fishbone décolla la peau du ventre et les entrailles tombèrent sur le sac en papier kraft sur le sol du patio.

Margo baissa les yeux et vit les éclaboussures qui formaient des perles sur ses bottes et mouillaient son pantalon. Les souliers de Fishbone étaient restés propres.

Il leva la tête :

— Maintenant, jette ces viscères, jeune dame. Tu as un trou pour les enfouir ?

— Le sol est gelé, dit Smoke. Personne ne creuse de trou.

Margo ne pouvait affirmer s'il s'agissait d'une réelle discorde ou de leur babillage habituel.

— Je vous paierai l'essence pour m'emmener, dit Margo. J'ai assez d'argent.

— Tu en es à combien ?

— Depuis la mi-septembre, pas tout à fait trois mois.

— Je savais que ce Mexicain allait créer des ennuis, dit Smoke.

— Je vais voir ce que je peux faire. Mais je vais vous dire une chose, il y a trop de liberté dans ce pays quand on a cette liberté-là. Va jeter ça.

Fishbone hocha la tête en direction des entrailles.

— Qu'allez-vous faire de la viande ? demanda Margo.

— Tu veux la faire cuire ? Ça ressemble au lapin, avec un arrière-goût de poisson. Il faut couper ces glandes sur le ventre, là, sinon l'odeur est infecte.

Il pointa son couteau sur les sacs gros comme des dés à coudre. Il coupa la queue, la jeta par-dessus les viscères, puis enveloppa la carcasse dans du papier journal.

— Si tu sabotes les glandes, même Nightmare ne voudra pas toucher à la viande.

Margo s'agenouilla et retira le sac en papier kraft de sous les pieds de Fishbone, après quoi celui-ci tendit délicatement la peau sur l'un des cadres, l'intérieur vers le haut, et montra à Margo comment retirer la graisse et la membrane à l'aide d'une cuiller. Il sortit ensuite un bandana de sa poche et s'essuya les mains. La désapprobation de Fishbone rendait Margo hésitante, mais elle puisait des forces dans les bras croisés de Smoke.

Margo emporta les viscères jusqu'à la rivière, où elle les jeta. Les tortues serpentines devaient encore hiberner, mais dans les profondeurs de l'eau il y avait toujours des êtres affamés.

*

Une semaine plus tard, dans son pick-up Chevrolet bicolore, Fishbone la conduisit à Kalamazoo sans mot dire, le corps plus raide et plus anguleux que d'ordinaire. C'est à peine s'il se tourna vers elle hormis en secouant la tête. Il avait insisté pour qu'elle laisse sa carabine dans la cuisine de Smoke et, sans son arme, elle se sentait mal à l'aise. Le paysage à l'approche de la ville paraissait sans attrait ; les jardins étaient petits et, pour certains, accueillaient déjà des décorations de Noël, dont la date approchait – Pères Noël en plastique dur, bonshommes de neige, Rois mages, rennes et sucres d'orge de taille gigantesque. Margo se dit que la nuit, quand les lumières brillaient, les décorations paraissaient sans doute plus joyeuses. Dans le quartier au bord de la rivière où habitait Smoke, un quartier de maisons de plain-pied entourées de grands jardins, les gens avaient accroché des guirlandes à leurs fenêtres et aux arbres bordant la route, mais personne n'avait placé de décoration le long des berges, là où les lumières de fête, en se reflétant dans l'eau, étaient du plus bel effet.

L'habitacle avait beau sentir le tabac de Fishbone et le désodorisant nauséeux au parfum de pin accroché au rétroviseur, Margo n'osait ouvrir la vitre de peur de l'irriter. Au bout de quinze minutes de trajet, Fishbone s'engagea dans l'allée conduisant à une bâtisse en briques et se gara tout au bout du parc de stationnement. Il glissa une cassette dans l'autoradio – B. B. King – et, tandis que montait un solo de guitare, il croisa les bras.

Prenant une profonde inspiration, elle regarda en direction des épaisses double portes sous le panneau indiquant ENTRÉE DE LA CLINIQUE. Quatre personnes se dressaient devant l'immeuble, brandissant leurs propres panneaux : NE TUEZ PAS LES BÉBÉS et CHÂTIMENT POUR LES MEURTRIERS.

Elle referma la portière et remonta ce qui lui parut une longue portion d'asphalte. Parvenue sur le trottoir, elle se sentit toute petite et tremblante.

— Tueuse de bébé ! hurla la plus grande des protestataires.

Margo remarqua le filet d'eau qui courait le long du fossé derrière le bâtiment et elle se dit que chaque ruisseau, si petit et sale fût-il, finissait toujours par se jeter dans la rivière. Si Fishbone était parti quand elle sortirait, elle suivrait le cours du fossé, puis les ruisseaux plus larges jusqu'à la Kalamazoo. Elle pourrait ensuite remonter le long de la berge jusqu'à son bateau.

Margo tira l'une des portes en acier peint, qui ressemblait aux portes de son lycée de Murrayville. Le tapis verdâtre du couloir étouffa le bruit de ses pas.

Elle s'approcha du comptoir sous le mot ACCUEIL. La réceptionniste, dans son pull rouge et vert, lui adressa un sourire tranquille.

— Bonjour. Venez-vous voir une assistante sociale ?

Elle lui rappelait son institutrice de CM2 qui avait la même silhouette potelée et les mêmes cheveux frisés, s'habillait toujours en fonction de chaque fête, y compris pour la Toussaint, le lendemain d'Halloween, où elle se dessinait des os de squelette sur le visage et les bras. Le hall était décoré pour Noël de guirlandes vert et or et, sur le comptoir, on avait placé une figurine de Père Noël entouré d'elfes.

— C'est la première fois que vous venez ?

Margo hocha la tête. La réceptionniste griffonna son nom et lui tendit une tablette à laquelle était fixée un formulaire agrafé.

— Vous pouvez vous asseoir là et commencer par ça. N'hésitez pas à nous faire signe si vous avez besoin d'aide. L'infirmière va vous appeler dans quelques minutes.

Comme Margo traversait le hall, l'odeur lui rappela celle du désodorisant de Fishbone, en pire, et elle craignit de se mettre à éternuer. Les lumières fluorescentes lui faisaient mal aux yeux et peut-être étaient-elles la source du bourdonnement qui lui donnait l'impression d'avoir les oreilles bouchées. Chez Smoke, Margo s'asseyait généralement avec lui devant la fenêtre à la lumière du soleil, et il leur arrivait parfois de rester dans la pénombre, parce que Smoke la trouvait reposante pour ses yeux. À bord du *Glouton*, elle nettoyait sa carabine, graissait ses bottes, lisait des livres et raccommodait ses vêtements à la lumière d'une lampe à pétrole – Smoke lui avait donné une bouteille de pétrole désaromatisé et l'avait convaincue de ne pas utiliser de kérosène. À présent, elle aspirait au calme et au bercement de la rivière sous ses pieds.

Deux autres femmes occupaient la salle d'attente, l'une de l'âge de Margo, l'autre plus âgée. Toutes les deux avaient un magazine sur les genoux. Margo s'assit et commença à remplir sa fiche. Pour l'adresse (où il était précisé qu'on n'acceptait pas de boîte postale) elle écrivit celle de Smoke, puis la raya, craignant qu'il ait des ennuis avec ses nièces.

Quand la porte s'ouvrit, une infirmière fit entrer la plus jeune. Cette femme referma son magazine, et le replaça soigneusement sur la table, les bords bien alignés sur le magazine en dessous. L'autre femme la regarda s'éloigner.

La fiche demandait à Margo la date de ses dernières règles et elle s'efforça de faire le calcul, mais le calendrier accroché au mur n'indiquait pas les phases de la lune. Les quelques mois passés avaient été un soulagement, parce qu'elle n'avait pas eu besoin de laver et sécher les linges dont elle se servait. La fiche demandait si un membre de sa famille souffrait d'hypertension ou de cholestérol. Elle se leva, alla à la fenêtre et regarda dehors. Elle vit de la neige sale et les trottoirs hauts peints en jaune, une douzaine de voitures, garées à bonne distance l'une de l'autre, et, pour finir, la camionnette de Fishbone. Les manifestants psalmodiaient au passage d'une jeune fille qui se cachait le visage. Margo eut le réflexe de chercher sa carabine à son épaule. Quand la fille entra, Margo retourna s'asseoir. Au mur, un tableau représentait une ferme blanche, semblable à celle des Murray, flanquée d'une grosse grange rouge. Elle se représenta mentalement la rivière – juste sous le cadre inférieur – et l'endroit où, il y avait si longtemps, elle tirait sur des cibles près de la grange. Le bourdonnement des lumières ou des appareils derrière les portes fermées s'amplifia. Margo respira profondément et se concentra sur les feuillets qu'elle avait sous les yeux. On lui demandait des renseignements sur son assurance. À la dernière page, elle lut la question : « Comprenez-vous les modes d'intervention suivants ? » suivie d'une liste de trois options rédigées dans ce qui lui parut une langue étrangère.

Margo retourna à la rubrique « antécédents médicaux personnels ». Avait-elle eu des syncopes ? Des maux de dos ? Elle cocha *oui* et écrivit *en coupant du bois* dans l'espace prévu, avant de le regretter. Elle aurait voulu pouvoir l'effacer parce qu'elle n'avait brusquement pas envie de partager quoi que ce soit avec des inconnus. Quand une femme en blouse blanche appela son nom, Margo se leva, franchit la porte et la suivit dans un couloir jusqu'à une petite pièce.

— Ça va, ma belle ? demanda-t-elle.

Elle avait les joues poudrées et son rouge à lèvre était aussi nacré que l'intérieur d'une palourde. Quand Margo comprit que la question était sincère et attendait une réponse, elle hocha la tête et haussa les sourcils.

— Terminez votre questionnaire. Le docteur va venir, dit-elle. Soyez sans crainte. Il est très gentil. Il va vous examiner et vous présenter vos différentes options. Aucune raison d'avoir peur. Déshabillez-vous et enfilez cette blouse.

Elle tapota la blouse pliée posée sur la table d'examen. Puis elle lui présenta un drap d'examen :

— Pour vous couvrir les jambes. Il y en a pour quelques minutes.

L'odeur envahissait toute la pièce, qui était de la taille du cabinet où, petite fille, elle allait se faire nettoyer les dents. Elle ôta le blouson Carhartt de son père, l'accrocha au dossier de la chaise et replia ses manches usées sur le siège. Elle lissa le col élimé, puis le remit. La petite fenêtre était trop haute pour qu'on pût voir dehors, mais elle imagina qu'elle donnait sur le fossé. Elle étudia une affiche représentant une fille de son âge, aux longs cheveux blonds ; son chemisier rayé à boutons avait de larges revers. Elle souriait et tenait la main d'un garçon flouté. PROTÈGE-TOI, disait le texte en grosses lettres jaunes. Et, en dessous, en petits caractères, D'UNE GROSSESSE NON DÉSIRÉE ET DES MALADIES VÉNÉRIENNES. D'autres affiches représentaient des pilules contraceptives dans leurs blisters beiges, l'un d'entre eux avec les vingt-huit pilules vertes, blanches et roses disposées comme des chiffres sur un cadran. (Margo compta en attendant.) Le truc en plastique près du lavabo, de la taille d'une miche de pain, semblait être un moulage en trois dimensions d'un appareil génital féminin ; dans un contexte différent, Margo l'aurait examiné de près, mais elle était trop distraite. Elle posa la tablette et essaya de respirer calmement. Elle avait appris tout ce qu'elle savait de la contraception en cinquième au cours d'une réunion qui avait duré deux heures, mais elle avait oublié qu'il fallait prendre des précautions.

Elle imagina que le docteur allait lui dire où s'asseoir, quand s'allonger. Elle ne s'était jamais déshabillée devant un médecin. Elle passa la main sur le drap propre qui couvrait la table d'examen. Elle prit la blouse et la reposa.

Elle aurait voulu que la chose en elle s'échappe et se dissolve dans l'air. Elle aurait voulu qu'elle n'ait jamais été là. Mais surtout, elle ne savait pas ce qu'elle voulait en faire. La seule chose qu'elle savait, c'est qu'elle ne pouvait pas rester. Elle n'était pas prête à ouvrir les cuisses et à se livrer aux mains d'étrangers. Tout comme elle n'était pas prête à retourner en classe de seconde et, assise dans une salle étouffante, à répondre à la question qu'on lui poserait, ou à se livrer à la police comme Michael avait voulu qu'elle le fasse. Ou encore à se laisser brûler avec des cigarettes. Maintenant qu'elle était venue, maintenant qu'elle avait vu ce qu'il y avait à voir, elle avait besoin de rentrer et de réfléchir.

Elle ouvrit la porte, remonta le couloir et tourna à gauche. Son cœur battait fort tant elle redoutait qu'on l'arrête et qu'on lui demande de s'expliquer. Elle poussa la porte qui donnait sur le hall. Elle poussa encore, mais sans succès. Une jolie femme rousse en blouse blanche marcha jusqu'à elle, lui tapota l'épaule et tira la porte vers elle. Elle s'ouvrit. Margo traversa le hall, franchit les portes en fer et se retrouva sur le trottoir. Lorsqu'elle se fut un peu éloignée du bâtiment et des manifestants, elle inhala profondément, comme si, tout ce temps, elle avait cessé de respirer. Elle marcha dans la gadoue du parking et grimpa dans la camionnette de Fishbone, sur le siège réparé au chatterton.

— Je savais que tu ne le ferais pas, dit Fishbone, éteignant son cigare dans le petit cendrier.

Margo ne voyait pas l'utilité de tenter de lui expliquer pourquoi elle était partie, puisqu'elle l'ignorait elle-même. Elle croisa les bras.

— Il faut que tu ailles voir ta mère, jeune dame.

Margo décroisa les bras, ouvrit son portefeuille et sortit l'adresse et le bout de carte qui indiquait le chemin pour aller chez Luanne.

20.

— Ta mère est riche ? demanda Fishbone en s'arrêtant devant la maison qui correspondait à l'adresse que Margo gardait avec elle depuis un an et demi.

Un mois auparavant, elle avait fini par encaisser le mandat.

— À te voir, on le devinerait pas.

— J'aurais dû emporter ma carabine.

— Pas de ça dans le coin, jeune dame. Les riches n'aiment pas les pauvres qui se promènent avec des armes à feu.

Il attendit devant le trottoir à l'intérieur de la camionnette, pendant que Margo remontait le sentier en ciment tout propre et appuyait sur le bouton de la sonnette. Dans l'allée, il y avait une voiture blanche à la peinture luisante. Quand la porte s'ouvrit de quelques centimètres, Fishbone se rencogna. Margo se sentit balayée par un vent de panique.

— Qui est-ce ? demanda une voix de femme à travers l'ouverture.

— C'est toi, maman ?

Margo ôta sa cagoule pour que sa mère puisse la reconnaître.

— Margaret Louise ?

Margo recula quand sa mère ferma la porte, ôta la chaîne, et ouvrit de nouveau.

— Je t'ai écrit, Margaret, dit-elle en regardant derrière Margo, scrutant l'allée et la route. Je t'ai dit que ce n'était pas le bon moment pour venir.

— Papa est mort, dit Margo.

Ses propres mots la frappèrent avec la violence et l'acuité d'une révélation. Dans ses lettres à Luanne, Margo n'avait jamais parlé de son père, pas plus que sa mère dans ses réponses. Le visage de Luanne perdit toute expression et Margo regretta de ne pouvoir retirer ses paroles.

— Pardonne-moi, maman. Je ne voulais pas te l'annoncer comme ça.

Sa mère restait figée, sans même ciller. Margo crut qu'elle allait craquer comme un objet de porcelaine.

— Ça va, M'man, je t'assure.

Margo ne l'avait jamais appelée M'man. C'était toujours maman, mais elle avait envie de faire comme une enfant normale.

Luanne regarda derrière elle, à l'intérieur de la maison, et dit en soupirant :

— J'ai appris l'accident six mois après. J'aurais dû venir, mais c'était trop tard.

— Ça va.

Margo se lissa les cheveux, jusqu'à sa tresse. De la voix, elle s'efforça de calmer sa mère :

— Ça va.

— Je pensais que Cal et Joanna s'occuperaient de toi.

Luanne s'éclaircit la gorge et sa voix retrouva un peu de force :

— De toute façon, tu vivais pratiquement chez eux.

— Oui, dit Margo en forçant un sourire.

— Entre, dit Luanne à l'instant où Margo pensait qu'elle ne pourrait plus continuer à sourire ainsi. Il y a longtemps que je n'ai pas vu ma fille. Tu m'as prise au dépourvu.

Luanne commença à sourire.

Margo aurait eu besoin d'un jour ou deux pour s'asseoir tranquillement, pour examiner cet environnement nouveau pour elle. Avant de parler, elle aurait aimé pouvoir s'éloigner de la maison au toit plat, se retourner pour la voir de loin, étudier ses grandes fenêtres, ses murs en bois couleur sable, les arbustes persistants formant une haie plate le long de la façade, et les deux pins coniques plus près du trottoir qui se détachaient contre la pelouse recouverte de neige. Elle aurait aimé faire le tour de la maison, descendre jusqu'à l'eau, et, accroupie, regarder la surface du lac tout le reste de la journée. Elle aurait aimé observer sa mère de loin, l'apercevoir à travers les fenêtres et s'habituer à ses gestes avant de se trouver nez à nez avec elle.

Au lieu de quoi Margo suivit Luanne dans une grande cuisine au sol blanc rutilant, puis dans une salle de séjour moquettée aux baies vitrées offrant une vue panoramique sur le lac. À l'autre extrémité du salon s'élevait un arbre de Noël entièrement décoré de guirlandes argentées, de boules rouges, de lumières blanches clignotantes et de quelques ornements en bois peint. Margo alla jusqu'à la fenêtre. L'immensité du lac, un kilomètre et demi de diamètre à en croire la carte, la laissait sans voix. Elle avait beaucoup de questions à poser à sa mère, mais aucune ne lui venait à l'esprit.

— Tu m'as manqué, M'man, dit-elle, le regard fixé sur le lac. Je suis si heureuse de te voir.

— Tu sais que je voulais te voir, Margaret. Tu sais que j'aurais tout donné pour te voir, mais ce n'était pas le bon moment.

— Pourquoi ?

— Quand j'ai rencontré Roger, je lui ai dit que je n'avais pas d'enfants. Maintenant, si je change mon histoire, il va penser que je suis une menteuse. Roger est mon nouveau mari.

Sa voix se brisa.

— Il est merveilleux, c'est un type formidable, il a juste les idées un peu arrêtées.

Le lac était bleu-gris, de la couleur d'une aile de héron. Il y avait une île au loin, au milieu de l'eau. Margo aurait voulu pouvoir emporter sa mère là-bas, en barque, à la rame.

— Oh, Margaret, je suis vraiment contente de te voir.

Luanne alla vers Margo et l'enveloppa dans ses bras, l'étreignit longuement et avec force. Margo se rappelait la façon dont sa mère, sur le ponton, l'enveloppait dans la serviette imprimé jungle, mais à présent, à l'intérieur de ses bras, elle se raidit. Elle chercha l'odeur de beurre de cacao sous le parfum fleuri. Lorsque Luanne s'écarta, ses joues ruisselaient de larmes.

— Je n'ai jamais voulu te quitter, toi, Margaret Louise. Viens t'asseoir avec moi.

Margo suivit sa mère sur le canapé, ôta son blouson et le replia sur ses genoux.

— Il y a longtemps que je n'ai pas pleuré, dit Luanne en se tamponnant les yeux avec un mouchoir en papier. Roger est parti jusqu'à vendredi. Il travaille dans le New Jersey, il ne rentre que le week-end. Ce qui veut dire que je peux aller où je veux et faire ce que je veux, du moment que je suis discrète.

— Tu as un beau sapin de Noël.

Margo se demanda si Smoke aimerait avoir un sapin chez lui.

— C'est un faux. Tu te souviens, ton père allait toujours en couper un trop grand pour le salon. Il restait tordu. Qu'est-ce que tu accrochais sur le haut, une croix faite en brindilles attachées avec de la ficelle ?

— L'œil de Dieu, dit Margo.

Joanna lui avait expliqué qu'un œil de Dieu confectionné à la main permettait à Dieu de protéger toute la famille. À son sommet, l'arbre de Luanne avait une étoile en verre argenté avec une lumière à l'intérieur. Margo s'adossa au canapé, étonnamment moelleux, dont les coussins l'enveloppaient et la soutenaient avec une douceur extraordinaire. Elle avait envie de caresser le tissu en velours comme le pelage d'un chien. Une larme glissa de sa joue sur le tissu sans même qu'elle eût conscience de pleurer. Elle s'essuya le visage. Luanne poussa une boîte de mouchoirs vers elle.

— Comment trouves-tu le lac ? demanda-t-elle.

— Il est grand. Il est beau.

— J'étais sûre qu'il te plairait. Et cette maison, n'est-elle pas incroyable ? fit Luanne, embrassant du geste la vaste pièce, les hautes fenêtres, les murs blancs décorés de photos en noir et blanc qui, au premier coup d'œil, semblaient des paysages de bord de mer, mais étaient en réalité des gros plans de corps féminins. La grande cheminée au manteau de marbre était parfaitement propre, comme si on n'y avait jamais allumé de feu. L'épaisse moquette blanc cassé était immaculée. Luanne hocha la tête en direction du lac.

— Quelle vue magnifique, tu ne trouves pas ? Roger est obsédé par les fientes des oies sur la pelouse, mais moi ça m'est égal. Dès qu'elles se pointent, il court dehors et les chasse.

— Je suis enceinte, lâcha Margo.

Le mot, dans sa bouche, avait quelque chose de laid et de malhonnête.

— Quoi ? Non. Oh, non. Ma chérie. De combien ?

— Trois mois.

— Ça ne se voit même pas. Ne crains rien, je vais m'occuper de toi. Je sais, je ne me suis pas occupée de toi quand j'aurais dû, mais je vais le faire désormais. Tu as des nausées le matin ?

— Plus maintenant.

— Qui est le père ? Le type est au courant ?

— Il est parti.

— Nous, les femmes, devons toujours tout assumer seules.

Luanne examina Margo assise à côté d'elle.

— Dieu, ce que tu es belle, Margaret. J'étais tellement déprimée à Murrayville, je crois que je ne te regardais même plus les dernières années.

— Joanna disait toujours que c'était une malédiction d'être belle.

— Ça ne m'étonne pas. Ça devrait être merveilleux d'être belle.

— M'man, j'ai faim.

— Bien sûr que tu as faim. Tu as dix-huit ans. Et tu es enceinte. J'étais enceinte à dix-huit ans.

Luanne se leva et Margo la suivit dans la cuisine.

— Je n'ai encore rien mangé aujourd'hui.

— Roger prend ses repas à son travail et quand il n'est pas là, j'essaie de ne pas avoir trop de nourriture à la maison, pour ne pas être tentée. Tiens, voilà quelque chose.

Elle sortit du réfrigérateur une bombe de fromage à tartiner et disposa quelques biscuits salés. Quand Margo souleva le flacon pour l'examiner, Luanne le lui prit, ôta le couvercle et en aspergea l'un des biscuits. Margo emporta le plateau dans le salon et elles s'assirent sur le voluptueux canapé. Margo mangea les biscuits l'un après l'autre, s'amusant du bruit d'eau de la bombe. Elle présenta l'assiette à sa mère. Luanne secoua la tête.

— J'ai parlé à Tante Joanna, il y a quelques mois, dit Margo. Elle pensait que je pouvais peut-être rester chez eux et terminer l'école.

— Pauvre Joanna. Quelle vie. Tu as envie de finir l'école ?

Margo fit non de la tête.

— Moi non plus, je ne suis pas allée jusqu'au bout. Je n'avais que dix-sept ans quand j'ai épousé ton père.

— Joanna a eu un autre bébé. Un autre garçon.

— Mon Dieu ! Elle doit avoir quarante ans. Comment Cal a-t-il pu la convaincre ? Six gosses. Six garçons.

Elle rit.

Margo tressaillit au nom de Cal prononcé de façon aussi neutre. Brian le disait avec une telle fureur, Joanna avec un tel respect. Cette façon de dire son nom ressemblait davantage à l'homme amoindri qu'elle avait vu.

— C'est un bébé trisomique.

— Un bébé trisomique ?

— Il a fallu se débarrasser de tous les chiens, même de Moe, parce qu'ils faisaient pleurer le bébé. Billy dit que c'est un attardé mental.

— Oh, un mongolien. Joanna a du pain sur la planche. Heureusement qu'elle sait travailler dur.

— Si j'étais restée, j'aurais pu l'aider.

— Il vaut mieux que tu sois partie. Elle t'aurait fait travailler comme une esclave, ma chérie.

— J'aime bien travailler dur.

— Et t'amuser ? Et prendre du plaisir ? Pour moi, la vie est faite pour ça. Les femmes comme Joanna jugent cette idée immorale.

Margo haussa les épaules.

— Mais moi aussi je travaille dur d'une certaine façon. Maintenant, je dois travailler dur pour rester jeune. Même Roger, avec ses cinquante-cinq ans, qui ne supporte pas les enfants, veut que j'aie l'air d'une adolescente.

Luanne éclata de rire. Elle prit la main de Margo et la garda un moment.

— J'ai oublié que tu étais silencieuse et grave. Tu es tellement jolie, les gens ne doivent même pas remarquer que tu n'as rien à dire.

Margo regarda les mouettes raser l'eau et se poser près du rivage. Elle se demanda si elles pouvaient passer tout l'hiver sur le lac.

La mère d'Annie Oakley non plus n'avait pas voulu d'elle à la maison au début ; elle voulait renvoyer sa fille avec les loups. Annie avait gagné le droit de rester chez sa mère en travaillant durement, en chassant et en piégeant, en se montrant capable de nourrir toute la famille, même le nouveau mari de sa mère. Mais ici, il n'y avait pas de bois à couper, pas de gibier à tuer et vider, rien qui eût besoin d'être réparé. Le poids de sa carabine lui manquait, il fallait qu'elle se libère de la tension dans ses épaules.

— Je peux t'aider à faire tout ce que tu veux dans la maison, dit-elle.

— Je n'arrive pas à croire que tu sois là. Ici, avec moi. Comme un fantôme. Quelqu'un surgi du passé.

La télévision était allumée. Elle l'était déjà à l'arrivée de Margo et elle semblait plus sonore à mesure que les minutes s'écoulaient.

— Tu peux rester..., dit Luanne, au moins jusqu'à six heures vendredi, jusqu'au retour de Roger. Je vais te prendre un rendez-vous chez le médecin.

Margo n'avait pas conscience de retenir sa respiration.

— Je suis allée à la clinique aujourd'hui, mais je suis partie.

— Pourquoi ?

Margo haussa les épaules.

— Alors raconte-moi, reprit Luanne. Où habites-tu ? Ta lettre disait que tu n'étais qu'à une trentaine de kilomètres.

— Sur la rivière.

Margo se ressaisit :

— Je piège des rats musqués comme Grand-Père me l'a appris, et je revends les peaux. Et je pêche. Et il y a ce grand chien noir que j'adore, qui s'appelle Nightmare. Il ressemble au chien des Murray, Moe.

— Tu dépèces des animaux ? demanda Luanne d'une voix lente avant de rire. Ton père un jour m'a demandé de lui faire cuire un lapin. Tu étais toute petite. Alors je l'ai mis dans l'eau bouillante avec les poils et sans le vider. Je savais bien qu'il fallait l'écorcher et le vider, mais je me suis dit que si je le mettais à cuire tout entier, il ne me redemanderait plus jamais de le faire. J'ai bien ri en lui servant son dîner.

Luanne quitta la pièce et revint avec deux tasses de café noir.

— Papa disait que tu ne savais pas faire bouillir de l'eau.

— Bon, tu vis sur la rivière, dit sa mère, une fois assise. Quoi d'autre ?

— Ce type, Fishbone, m'a montré comment dépecer un rat musqué en deux minutes.

Elle leva deux doigts et répéta avec insistance : « Deux minutes. C'était incroyable. »

— C'est bientôt Noël, dit Luanne. Je veux t'acheter un cadeau. Qu'est-ce qui te ferait plaisir ?

Margo haussa les épaules.

— C'est sérieux. Tu dois bien avoir besoin de quelque chose.

— Des chaussettes. Des munitions.

— Peut-être de la jolie lingerie. On se sent tout de suite mieux.

Le sourire de Luanne était celui de toutes les photos. Seulement maintenant, il ne paraissait pas artificiel – c'était son vrai sourire. Luanne but une gorgée de café.

— Dommage que ce ne soit pas l'été. Tu aurais pu nager dans la piscine. Viens la voir avec moi.

Margo se mit debout et suivit sa mère jusqu'à une fenêtre latérale. Luanne pointa le doigt en direction d'un grand rectangle vert entre la maison et la maison voisine. Quelques feuilles salissaient la bâche, mais il n'y avait pas de neige dessus.

— Nous allons la faire recouvrir d'un toit en verre pour pouvoir nager toute l'année.

— Tu ne nages pas dans le lac ?

— Jamais.

— Tu te fais toujours bronzer au soleil ?

— Mon Dieu, non. Je regrette de l'avoir fait toutes ces années. On dit maintenant que ça abîme la peau. Tu dois te protéger toi aussi, porter un chapeau si tu veux éviter d'avoir des rides. On se croit en sécurité en hiver, mais le soleil se reflète sur la neige et c'est encore pire. C'est une leçon à retenir.

Luanne tendit la main vers Margo et lui passa les cheveux derrière l'oreille. Margo se détourna. Dès qu'elle put le faire sans paraître impolie, elle les secoua.

— Comment va Cal ? demanda Luanne.

Margo haussa les épaules. Elle éternua. Elle ne savait pas ce qui l'avait déclenché, le parfum de sa mère ou tout ce soleil reflété sur la neige qui se déversait par les fenêtres. De là où elle se tenait, elle voyait la maison au nord, une bâtisse blanche d'un étage avec un toit rouge très pentu. Aussi loin que portait son regard, les rives du grand lac étaient construites, une maison après l'autre. Beaucoup de jardins avaient des bateaux pneumatiques ou des vedettes rapides trop grands pour la rivière, posés sur des chevalets et recouverts de bâches.

— Tu n'as qu'à aller prendre une douche, et ensuite tu pourras te reposer dans la chambre d'amis. Je vais appeler la clinique avant la fermeture.

Luanne toucha de nouveau la joue de Margo. Elle se rappelait que Brian l'avait touchée ainsi, le premier matin, comme si elle était faite d'argile qu'on pût modeler à sa guise.

— Tu ne te maquilles pas ? Même pas un peu de mascara ?

Margo s'était douchée la veille, mais elle avait envie d'utiliser la salle de bains de sa mère. La pièce comptait deux lavabos et embaumait la fraise. Les serviettes roses étaient épaisses et moelleuses. L'eau chaude coulait toujours, même au bout d'une demi-heure. En peignant ses cheveux mouillés, elle entendit la télévision dans l'autre pièce et le ronronnement l'engourdit. Elle s'enveloppa dans la serviette et alla dans la chambre d'amis. Elle s'étendit sur le lit, à même les couvertures. Des serviettes moelleuses, voilà peut-être ce dont elle aurait besoin dans son bateau. Elle aurait pu en chaparder une si elle avait pris son sac à dos.

Quand elle s'éveilla, le ciel était noir à la fenêtre. Elle se redressa, effrayée de se retrouver nue sur un lit inconnu. Ses vêtements ne se trouvaient plus sur la chaise où elle les avait laissés, et ils avaient été remplacés par un jean à la coupe féminine et un chemisier à boutons comme celui que portait sa mère. Son couteau suisse et son portefeuille étaient sur la coiffeuse, une parka verte accrochée au dos de la porte.

— La Belle au bois dormant ! dit Luanne quand elle apparut dans la cuisine. Tu as dormi près de quatre heures.

— Je ne voulais pas dormir aussi longtemps.

La nuit, Margo ne dormait d'ordinaire pas plus de quatre heures sans se réveiller pour alimenter le feu.

— Tu parles à une femme qui passait ses journées à dormir. Tu te souviens ? C'était un signe de dépression, dit mon médecin. Regarde, j'ai commandé une pizza. J'ai demandé toutes les garnitures. Je me souviens que tu l'aimais comme ça.

Margo sourit quand Luanne souleva le couvercle.

— Mes vêtements te vont bien, dit Luanne quand elles furent assises à la table de la cuisine, placée dans le coin, quatre fois plus grande que celle à bord du *Glouton*.

— Où sont mes autres habits ?

— Je les ai fourrés dans le lave-linge, mais je me demande si je ne devrais pas brûler le blouson. On dirait le genre de choses que portaient les Slocum. Oh, tu te souviens des Slocum ?

— C'est le vieux blouson de papa.

— Eh bien, on dirait qu'il n'a pas été lavé depuis… un bout de temps, en tout cas. On verra dans quel état il sortira de la machine. J'ai mis une autre veste pour toi dans la chambre d'amis, une parka bien chaude. Tu peux la prendre si tu veux. Elle me grossit. Tu veux un peu de vin ?

Margo secoua la tête.

— D'habitude, je ne bois pas pendant la semaine, mais aujourd'hui c'est vraiment un jour particulier.

Sa mère but une gorgée de vin blanc.

— Raconte-moi autre chose sur Murrayville. Ce que tu veux.

Margo déglutit :

— Notre ancienne maison est habitée par une dame avec un chien méchant. Elle fume la pipe. Et Junior est parti pour l'Alaska.

— Je suis contente de savoir que quelqu'un d'autre s'est tiré de là.

Margo détestait cette distance qui la séparait de Junior. Elle écarta cette pensée et décida que c'était la meilleure pizza qu'elle eût jamais mangée. Elle dévora la part posée devant elle et en reprit une autre.

— Est-ce que Cal…

Margo n'était même pas sûre de ce qu'elle voulait demander.

— Est-ce que Cal t'a forcée, M'man ? Elle observa le visage de sa mère. C'est pour ça que tu es partie ?

— Cal ? Me forcer ?

Elle éclata de rire et posa la main sur sa bouche. Elle avait les ongles vernis de la même couleur nacrée que le rouge à lèvres de l'infirmière.

— Comment as-tu pu savoir ? Tu étais si petite. Cal et moi… eh bien…

— Quoi ?

— Cal et moi, c'était quelque chose. On était ensemble. Cal était mon grand amour à l'époque, pas ton père, Dieu ait son âme. C'est incroyable que je sois en train de te raconter ça.

— Toi. Avec Cal ? Volontairement ?

— *Volontairement ?* On peut dire ça comme ça.

— Papa le savait ?

La cuisine était plus grande que celle de Joanna. Les surfaces n'étaient pas encombrées de pots, de planches à découper ou de torchons. Joanna avait toute une étagère de livres de recettes sous les placards, mais ici Margo n'en voyait pas un seul.

— Il a su au bout d'un moment. Et Joanna aussi. Elle a juré de me rendre la vie infernale si je ne partais pas. Cette femme est plus forte que tu ne crois. Cal avait dit qu'il m'emmènerait loin de Murrayville, qu'il irait avec moi en Californie, mais j'ai compris qu'il ne quitterait jamais tout ça – sa femme, ses gosses, son usine. Il avait trop de choses à perdre. On s'est beaucoup amusés, Cal et moi, mais il m'aurait jetée sous un camion pour préserver la vie qu'il avait.

— Papa détestait vraiment Cal.

— Le plus dur pour moi a été de te laisser, Margaret, mais il fallait que je m'en aille. Autrement, je serais morte ou je me serais soûlée à mort. Je ne me suis jamais sentie chez moi. L'odeur de la rivière me rendait folle. Le jour de mon départ, j'ai trouvé une couleuvre agile bleue enroulée sur ma foutue corde à linge. Et les moisissures. Toutes les ceintures en cuir devenaient vertes. Toutes les chaussures en cuir. Ça ne t'a jamais gênée, ni ton père, ni ces Murray. Je suis restée aussi longtemps que j'ai pu. J'ai attendu que tu aies cessé de grandir.

Margo hocha la tête pour que Luanne continue à parler, mais son visage avait dû trahir sa perplexité.

— Tu te souviens quand tu as eu quatorze ans et qu'on t'a mesurée à cet arbre ?

— Tu es partie parce que je ne grandissais plus ?

Luanne se leva de table et emporta son verre et la bouteille de vin au salon. Margo la suivit, bien qu'elle eût volontiers repris de la pizza.

— Tu n'avais plus besoin de moi, Margaret. À ta naissance, je ne savais pas élever un enfant. C'est pourquoi je t'ai laissée faire ce que tu voulais. Je me disais que tu saurais mieux que moi ce dont un enfant a besoin.

— Ça m'était égal que tu ne saches pas.

— Ces Murray, ça ne leur était pas égal du tout. Ils disaient que j'allais faire de toi un chat sauvage ou une louve. Mais regarde-toi ! Tu es parfaite.

— Une louve ? Ils ont dit ça ?

— Oh, je ne sais pas ce qu'ils ont dit. Ces gens ne m'intéressent pas. En revanche, j'étais folle de Cal.

Luanne éclata de rire :

— Mais sois sans crainte, tu es la fille de ton père. Il n'y a aucun doute là-dessus.

— Tu as dit dans ta lettre que tu partais pour *te trouver*.

— Eh bien, je n'ai pas tardé à comprendre que ce n'était pas tant moi-même que je voulais trouver, que quelqu'un d'autre, quelqu'un qui s'occuperait de moi.

Margo regarda derrière elle, par la fenêtre du salon, les lumières qui donnaient un contour à l'obscurité du rivage.

— Margaret chérie, regarde-moi. Tu n'es pas assez vieille pour comprendre pourquoi j'ai tout quitté, mais il faut parfois qu'une femme reparte de zéro, qu'elle change de vie pour essayer de trouver le bonheur. Je sais, c'est égoïste.

— Quand tu es partie, j'ai eu peur que tu m'oublies.

— Oh, Margaret, une maman n'oublie jamais son enfant. Tu dois savoir ça. C'est juste que lorsque je vivais avec ton père, je rêvais d'une maison comme celle-ci. Tu te souviens ? Nous partagions à trois une salle d'eau minuscule, sans baignoire, une simple douche. Maintenant j'ai trois salles de bains, quatre si on compte celle de l'atelier de photo de Roger.

— Papa a arrêté de boire. Je veux dire, avant de mourir.

— Je voudrais tellement que tu comprennes qu'il me fallait repartir de zéro. Faire table rase. Roger est vraiment un type bien, il y en a tellement qui sont des porcs.

Elle versa un peu de vin dans son verre.

— Comment pourrais-tu le savoir ? Tu es si jeune.

Margot secoua la tête.

— Je ne suis pas si jeune que ça, M'man.

— J'ai été stupide de faire ça, mentir à Roger dès le début. Tu crois que je devrais lui avouer la vérité ? Pour voir sa réaction ? Risquer de perdre tout ça ?

— Non, c'est pas la peine.

— Mon Dieu, j'avais simplement envie de m'amuser un peu. Je ne voulais pas me retrouver séparée de toi comme ça. Mais les choses ont fait boule de neige.

— Tu dormais beaucoup à Murrayville.

— J'étais alcoolique et déprimée. Tu n'avais pas l'air de le remarquer, mais tout le monde s'en rendait compte.

— Je voulais simplement te voir.

— Tu as parfaitement le droit de me détester pour ce que je t'ai fait subir, Margaret. Tu me détestes ?

— Non.

Margot s'efforça de se rappeler les paroles de Smoke : « Tu dois vivre selon ton choix. »

— Tu sais, on dit qu'abandonner un enfant est la pire des choses. Mais je crois qu'il y a pire encore, rester et détruire sa vie et celle de son enfant. Et regarde comme tu t'en es sortie, comme tu es belle. Oh, j'adore cette émission. Regarde-la avec moi.

Luanne prit la télécommande et monta le son. Elle s'allongea sur le canapé et glissa un coussin sous sa tête. Elle s'était fermée pour la nuit. Le coussin appuyait contre la cuisse de Margo.

Longtemps elles restèrent sur le canapé sans parler. Quand Margo fut certaine que sa mère dormait, elle examina son visage et sa silhouette. Elle était très maigre, songea-t-elle. Au cours de sa vie, elle avait regardé sa mère dormir plus souvent qu'autre chose.

Margo chercha dans toute la maison, trouva le lave-linge et le séchoir dans le sous-sol, et prit ses vêtements. Après quoi elle alla se coucher dans la chambre d'amis où elle avait dormi un peu plus tôt. Elle se demanda si sa mère viendrait la voir, si elles s'installeraient toutes les deux sur le pont pour regarder la rivière. Margo s'endormit très vite, mais s'éveilla au bout de quelques heures, le cœur battant. Elle pensait aux cendres de son père et à la distance qui la séparait d'elles. Elle se leva, souleva la vitre, mais ne put la remonter que de quelques centimètres. Vers quatre heures du matin, elle s'éveilla à nouveau sans pouvoir se rendormir. Elle alla dans le salon et trouva le canapé vide. Elle mangea deux autres parts de pizza dans la boîte placée au réfrigérateur. Puis elle mit la parka, prit des allumettes de cuisine sur le fourneau et les emporta dehors. Elle ramassa toutes les petites branches qu'elle put trouver et les assembla en un petit tas près de l'eau, aussi loin que possible des lumières de sécurité. Elle alluma un petit feu sur le sol gelé et s'accroupit à côté. Le feu brûlait presque sur l'eau et la lumière qui s'y reflétait la réchauffait.

Elle se rappelait la fierté qu'elle éprouvait, parfois, à Pokagon Mound ou lorsqu'elle campait près de la maison de la marijuana, à avoir survécu à un autre jour, à une autre nuit, à avoir trouvé et préparé de la bonne nourriture, à avoir réussi à rester au chaud et en sécurité. C'était un peu ce qu'elle ressentait à présent.

Elle s'étendit sur la neige et contempla les trois étoiles qui formaient la Ceinture d'Orion, presque juste au-dessus de sa tête. Les constellations qu'elle avait observées avec l'Indien – le Cygne et le Dauphin – avaient disparu. Elle avait entendu parler de la constellation du Grand Chien ; elle aurait aimé la trouver. Margo aurait dû demander à Smoke ce qu'il voyait dans les étoiles, mais ils ne restaient pas beaucoup dehors la nuit. Margo regrettait déjà la voix chuchotante et les imprécations de Smoke, la façon dont son visage s'éclairait dès que la silhouette efflanquée de Fishbone apparaissait derrière la maison. Elle se languissait de la rivière impérieuse. Comparé à elle, le lac semblait presque mort.

*

— Je ne suis pas sûre, dit Margo à sa mère le lendemain matin.

— Tu n'as pas besoin d'être sûre. Le premier rendez-vous se limite à un simple examen. Ils te diront quels choix s'offrent à toi.

— J'y suis déjà allée.

— Je leur ai expliqué que tu étais venue hier, mais que tu as eu peur et que tu étais partie. Ils m'ont donné un autre rendez-vous. Cette fois, je viens avec toi.

Sa mère, assise à une petite table dans la salle de bains voisine de sa chambre, se regardait dans la glace. Margo était appuyée contre l'embrasure de la porte, vêtue de son jean usé, son couteau suisse dans une poche et son porte-feuille dans l'autre. Luanne se passa du fond de teint sur la figure, l'estompant jusqu'à ce qu'il devienne invisible.

— Est-ce que les gens vont sur le lac en barque ? demanda-t-elle.

— Les voisins ont un canoë. Nous avons un bateau pneumatique, mais il est en hivernage dans la marina.

Luanne appliqua du rouge à lèvres, mordit dans un mouchoir en papier, en remit une couche et sourit à son reflet.

— Je peux te montrer comment te maquiller. Voilà une chose que je peux faire pour toi.

Margo hocha vaguement la tête puis alla attendre dans la cuisine et, quand sa mère apparut, il lui sembla voir une femme surgie de la télévision. Elle portait une ceinture noire vernie qui accentuait la finesse de sa taille. Son chemisier déboutonné laissait voir son décolleté et elle portait un collier, des boucles d'oreilles et des bagues en turquoise.

Margo la suivit jusqu'à la voiture.

— Que s'est-il passé hier soir ? demanda Luanne en s'engageant sur la route en marche arrière. Je viens d'écouter un message de mon voisin disant qu'un SDF faisait du feu derrière la maison la nuit dernière.

— Je n'arrivais pas à dormir.

— Tu ne peux pas allumer un feu sans autorisation, sauf dans les aires de barbecue. M. Smith a eu peur que tu brûles sa clôture.

— J'étais à six mètres de sa clôture.

— Et pourquoi étais-tu dehors si tard ?

— J'aime bien rester dehors un peu la nuit, pour entendre les bruits.

Elle n'avait entendu aucun oiseau, rien qu'un raton laveur qui grimpait sur la véranda du voisin.

— Je n'ai pas réussi à ouvrir ma fenêtre de plus de trois centimètres.

— Il y a un système de sécurité. Il fait trop froid pour ouvrir les fenêtres.

— Pourquoi n'as-tu pas de chien ?

— Roger n'en veut pas, soupira Luanne en quittant la route du lac pour s'engager sur une autoroute à deux voies. Et moi non plus. Tu sais que je n'ai jamais eu envie d'en avoir.

Margo pressa un bouton qui verrouillait puis déverrouillait la portière. Elle finit par trouver celui qui contrôlait la vitre et la descendit de quelques centimètres. Elle n'avait pas envie de contrarier sa mère, mais tout allait trop vite. Lorsque les maisons qui bordaient la route commencèrent à s'espacer, Margo vit un panneau indiquant SIROP D'ÉRABLE À VENDRE. Attachés devant la véranda, il y avait deux chiens de berger. Margo les regarda disparaître derrière elle.

— Tu es contente de m'avoir eue ? demanda Margo.

Sa mère appuya sur les freins avec une force qui la projeta légèrement en avant. Elle vit l'arrière d'une voiture noire sortir d'une allée devant elles.

— Attache ta ceinture.

— Est-ce que tu regrettes de m'avoir eue ?

Margo tira la ceinture sur son épaule et la fixa à tâtons.

— Bien sûr que je suis heureuse de t'avoir eue. Regarde-toi. Mais à ce moment-là j'avais un mari pour m'aider. Je n'étais pas toute seule, comme toi.

— Je ne suis pas toute seule.

— Tu veux avoir un bébé ?

— Non, je ne pense pas.

— D'accord.

Luanne accéléra. Margo scruta le visage apparemment lisse de sa mère.

— Pourquoi me regardes-tu comme ça ?

— Quoi qu'il arrive, maman, tout ira bien pour moi.

— Bien sûr. Ce n'est pas une intervention compliquée.

— Ça t'est arrivé ?

— Rien de terrible. Vraiment. Tout s'est bien passé. Et quel soulagement. Bon, je dois courir déposer quelque chose à la poste. Tu entres dans la clinique, tu prends le formulaire et tu t'assieds. Je reviens dans dix minutes et je t'aiderai.

— Je suis heureuse de t'avoir retrouvée, dit Margo.

Elle aurait aimé avoir un petit frère ou une petite sœur. Peut-être une sœur de l'âge de Julie Slocum, quelqu'un à qui Margo aurait appris à pêcher et à éviter les ennuis. Peut-être une grande sœur lui eût-elle appris à éviter les ennuis.

— Moi aussi, dit Luanne en tapotant la cuisse de Margo. Je suis heureuse de pouvoir enfin aider ma petite fille.

Luanne s'arrêta devant l'entrée de la clinique et chercha son sac. Quand un manifestant s'approcha en brandissant son panneau, Luanne descendit les deux vitres avant et cria : « Allez au diable, espèces de dingues. Je vais vous écrabouiller. J'ai une bombe lacrymogène. »

Les manifestants échangèrent des regards et reculèrent.

— J'apprécie tout ce que tu fais pour moi, M'man.

Margo était contente de voir sa mère capable d'indignation.

— Ne réfléchis pas trop. Vas-y, c'est tout. Dis-leur que tu as dix-huit ans et que tu n'as aucun revenu. Tu ne connais même pas le nom du type. Aujourd'hui, ils vont simplement t'examiner, mais ils te donneront peut-être du Valium en attendant l'intervention. Dis-leur que tu n'as pas besoin de conduire. Qu'on viendra te chercher.

— Je devrais peut-être attendre une semaine de plus.

Margo se rappelait l'odeur de la clinique, la tablette et ses feuillets à remplir, la petite pièce avec sa haute fenêtre. Elle n'aurait pu l'expliquer à sa mère, mais elle éprouvait un malaise plus grand encore que celui d'hier. Elle avait besoin de temps pour réfléchir.

— Là, au moins, fais confiance à ta mère, dit Luanne en tournant vers elle un visage résigné.

Margo hocha la tête.

— Je reviens très vite et je t'aiderai à remplir le formulaire. Je t'accompagnerai dans la salle d'examen et je parlerai au médecin. Nous ferons tout ça ensemble. Roger ne rentre pas avant trois jours, alors nous verrons s'ils peuvent le faire vendredi matin. Comme ça, après, je pourrais te ramener… à la maison. Là où tu habites.

Margo se pencha et étreignit sa mère. Les bras de Luanne étaient doux et légers, et Margo n'avait pas envie de s'écarter.

— Voilà trois cents dollars si on te les demande tout de suite, dit Luanne en se dégageant. Tu n'auras jamais mieux dépensé une telle somme.

Elle mit six billets de cinquante dollars dans la main de Margo.

— Tu as fait du mieux que tu pouvais avec moi et papa. Ne te sens pas coupable, dit Margo en ouvrant la portière.

— Pourquoi est-ce que tu portes ce vieux blouson sous la parka ?

— Je n'étais pas sûre d'avoir assez chaud.

Margo avait ouvert la parka parce qu'elle étouffait dans la voiture.

— Tu dois être attachée au blouson de ton père. Ça ne veut pas dire que je ne l'aimais pas, Margaret. C'était un homme bien. J'aurais dû te le dire. J'ai voulu partir, mais cela ne signifie pas qu'il n'était pas quelqu'un de bien. Peut-être, s'il m'avait emmenée manger au restaurant de temps en temps, ou danser, ou même au Tap Room, les choses auraient été différentes.

— Je sais.

Margo sortit et leva la main. Elle pénétra dans le bâtiment et resta de l'autre côté de la porte.

Quand sa mère se fut engagée dans la rue, Margo ressortit et écouta le filet d'eau qui coulait derrière le bâtiment, le collecteur qu'elle avait remarqué lors de sa première visite.

Elle se cacha à l'angle une dizaine de minutes, le temps de voir la voiture revenir se garer dans le parking. Un sentiment de soulagement inonda tout son corps quand elle vit sa mère descendre de voiture et marcher en direction de la clinique. Margo n'aurait pas pu jurer que sa mère serait revenue l'aider.

Elle suivit le cours du collecteur sur une pente douce jusqu'à ce qu'il disparaisse dans le sol. Elle fouilla les environs et finit par retrouver le ruisseau qui ressortait à l'air libre une centaine de mètres plus loin. Elle le suivit encore jusqu'à un collecteur de plus grande dimension qui s'engouffrait dans une conduite souterraine de soixante centimètres et se déversait dans un petit torrent qui, au bout de quelques kilomètres, se jetait dans la rivière. Les bords de la Kalamazoo étaient jonchés d'ordures – éclats de verre, canettes rouillées, bouteilles en plastique remplies de liquide verdâtre, vieilles carcasses de bicyclettes, pneus… – Margo ne comprenait pas pourquoi les gens maltraitaient la rivière à ce point. Elle longea des voies de chemin de fer, des décharges, des maisons aux petits jardins encombrés de rebuts. Elle passa devant des vitrines de magasins, des petits immeubles industriels, quelques bars avec leurs néons aux fenêtres, et longea un terrain de golf jusqu'à ce que les maisons commencent à s'espacer. Elle parcourut plusieurs kilomètres le long de friches bordant le sud de la rivière jusqu'à un pont routier qui la conduisit sur la rive nord. Malgré le vent glacé, elle transpirait. L'après-midi, sous les rayons chauds du soleil, elle accrocha sa parka à son bras. Il faisait nuit quand elle atteignit son bateau et elle poursuivit son chemin. Sans frapper, elle ouvrit la porte de la maison de Smoke côté rivière et, à la faible lumière de la cuisine, elle vit sa carabine dans le râtelier. Elle entra, tomba à genoux, épuisée, près du fauteuil de Smoke et passa la main sur les oreilles de Nightmare. Puis, chose qu'elle n'avait jamais faite, elle mit sa joue contre la cuisse maigre de Smoke et pleura. En silence, Smoke posa sa main sur la tête de Margo et lui caressa les cheveux comme une mère.

21.

Le soir de Noël, au crépuscule, Fishbone entra dans la cuisine de Smoke sans frapper. Il ôta son chapeau mou, en secoua la neige et l'accrocha à une patère, au-dessus de la bouche d'aération, où Smoke n'accrochait jamais autre chose. Margo ne comprenait pas comment faisait Fishbone pour ne pas avoir les oreilles gelées. Avec ce temps, elle mettait une cagoule et, depuis qu'elle avait la parka, elle remontait souvent la capuche et la serrait étroitement.

Comme la lampe de la cuisine faisait souffrir Smoke, la pièce n'était éclairée que par deux bougies de Noël. Nightmare gronda un peu puis se calma.

— Joyeux Noël, dit Fishbone en donnant à Margo quatre cadres en bois pour faire sécher les peaux. Tout neufs, sans taches de sang. Je les ai fabriqués avec du bois de tilleul. C'est tellement souple, tu ne risques pas de déchirer les peaux.

Elle le remercia et regretta de n'avoir rien à lui offrir. Il ôta la neige sur les épaules de son blouson en cuir et alla s'asseoir sur la deuxième chaise de cuisine de Smoke, celle qui n'avait plus de dossier. Il vint à l'esprit de Margo que, les mois précédents, elle avait toujours pris la chaise de

Fishbone. Elle montra ce que Smoke lui avait donné, quatre pièges à rats musqués et trois couvertures en laine, dont l'une était une couverture militaire sur laquelle on avait écrit au pochoir le mot MESSER. Il lui avait dit qu'elle lui venait de son père, de l'époque où il était soldat. Fishbone accepta un morceau de gâteau aux noix que Margo avait confectionné en ajoutant des pommes séchées. Il le dégusta lentement en jurant qu'il n'avait rien mangé d'aussi bon de toute l'année. Quand il eut fini, il poussa l'assiette au milieu de la table.

— Le fermier voudrait te parler, Margo.

Margo regarda Smoke.

— J'ai dit à George Harland que tu étais une jeune dame responsable et qui ne causerait pas d'ennuis. Il a dit que tu n'a pas répondu quand il a frappé à la porte de ta cabine alors qu'il t'avait vue à l'intérieur.

— Va lui parler, toi, dit Smoke.

— Elle est capable de le faire toute seule. Elle vit sur sa propriété. Il n'y a aucune raison d'avoir peur de lui.

Fishbone prit le sac en cuir contenant les caractères que Smoke laissait sur la table et se le passa d'une main à l'autre en parlant. Il pesait dans les cinq kilos.

— Je vis sur l'eau, dit-elle. Pas sur sa propriété.

— Et quand tu descends du bateau, tu es sur sa propriété. Et quand le niveau baissera, tu seras sur sa propriété. Quand tu prends de l'eau potable à la pompe dans sa grange, tu es sur sa propriété. Parle-lui et il te donnera ses permis pour l'année prochaine.

— Je pourrais ne pas rester là. Je pourrais aller ailleurs sur la rivière.

Fishbone secoua la tête :

— C'est bizarre tout ça, tu ne trouves pas, Smoky ? Une fille qui vit seule comme ça, c'est pas normal.

Il se retourna vers Margo.

— Si tu étais ma fille, je t'obligerais à terminer l'école. Tu devrais être avec ta riche maman, à Lake Lynne.

— Pourquoi est-ce que tu te préoccupes tant de ce qui est normal ? dit Smoke, d'une voix que Margo trouva étonnamment passionnée. Putain, c'est déjà assez difficile de décider comment vivre… sans s'inquiéter de ce qui est normal. Garde ta foutue normalité pour toi.

Margo eut la gorge serrée. Elle ne voulait pas être à l'origine d'une autre discorde entre eux.

— Elle va avoir un bébé, dit Fishbone en reposant lourdement le sac. Il ne s'agit plus seulement d'elle.

— Regarde-la. Regarde-la bien, Fishbone. Regarde le beau visage de cette fille. Elle a des bras musclés, elle coupe son bois. Tu as une ribambelle d'enfants, Fishbone. Je n'en ai pas. Ma vie ne vaut pas un pet, mais je peux l'aider à vivre selon ses choix.

— Ta vie a une grande valeur, Smoky.

— Une chose est sûre, nom de Dieu, c'est que ce n'est pas l'impression que j'ai eue récemment.

— Pourquoi te sens-tu obligé de jurer tout le temps ? Avec toi, c'est chaque soir un festival d'obscénités.

Margo, soulagée, vit Smoke se calmer aussitôt. Elle renoua un lacet en cuir qui s'était défait. Elle passa la main sur son jean usé et doux, fraîchement lavé dans la machine de Smoke. Elle avait laissé les trois boutons du haut ouverts et portait son pantalon sous la taille parce que son ventre était bombé. Elle se sentait au chaud, propre et en sécurité, malgré la dispute, malgré son incertitude quant au bébé. Elle se sentait à sa place avec ces hommes et Nightmare.

— Il y a une drôle d'odeur, ici, Smoky.

— Les bougies sont à la cannelle, dit Margo, qui avait pourtant elle aussi senti quelque chose de nauséabond.

Fishbone se pencha près de Smoke et renifla autour du col de sa chemise de travail.

— Ça vient de toi ? Ça va ?

— Très bien.

— Tu as besoin de prendre un bain.

Au moment de partir, Fishbone remit son chapeau et tapota l'épaule de Smoke, laissant sa main s'attarder un moment. Smoke la lui prit et la pressa jusqu'à ce qu'il la retire.

— Fais attention à lui, dit Fishbone à Margo. Je le ferais si je pouvais, mais j'ai une smala de famille et d'invités qui m'attend à la maison.

— Tu parles ! dit Smoke quand Fishbone eut refermé la porte derrière lui.

— Comment se fait-il qu'il n'ait pas froid avec seulement ce blouson et ce chapeau ?

Smoke réfléchit un moment.

— C'est un homme qui décide de ce qu'il veut sentir. Que la température aille se faire foutre.

— Vous aussi, vous pouvez faire ça ?

Margo posa l'assiette et la fourchette de Fishbone dans l'évier, et servit une autre tasse de café à Smoke.

— Vous pouvez décider de ce que vous ressentez ?

— Il y a des gens qui le peuvent. Dis-moi quelque chose, petite, il a raison ? Je sens mauvais ?

— Pourquoi ne pas accepter que l'auxiliaire de santé vous aide à vous laver, comme elle est censée faire ?

Une fois par semaine, une auxiliaire envoyée par les services aux personnes âgées venait à la maison, mais Smoke ne l'autorisait qu'à faire le ménage, changer les draps et ranger les provisions qu'elle apportait. Margo se pencha et renifla le col de chemise de Smoke.

— Je ne veux pas que ces mauvaises langues touchent à mon corps. Mais ça fait plusieurs semaines que je ne suis pas capable de faire ma toilette.

— Laissez-moi vous laver, Smoke, avant que vous n'alliez passer Noël chez vos nièces. Elles vont penser que vous n'êtes pas autonome. Je vous l'ai dit, je me suis occupée de mon grand-père quand il était malade.

Smoke hocha la tête. Margo n'avait pas vraiment envie de le laver mais elle était la seule qu'il laissait approcher. Et Fishbone lui avait demandé de s'occuper de lui.

Margo enclencha le thermostat de la chaudière et l'entendit cliqueter. Smoke déboutonna sa chemise de travail, révélant un long tricot de corps sale. Elle le lui ôta et l'odeur devint plus forte. Elle l'aida à aller dans la salle de bains et, dans la douche, posa une caisse à lait et une serviette pliée en guise de siège. À l'aide d'un gant de toilette, elle lui lava les bras et le torse.

Margo trouva une plaie sous son aisselle qui risquait de s'infecter. Elle fit de son mieux dans le peu de lumière que répandaient les deux bougies – il refusa qu'elle allume le plafonnier, comme de retirer ses lunettes. Tandis qu'elle s'activait, il sembla se détendre à son contact. Il y avait des zones rouges et irritées sur son dos qui dégageaient de la chaleur.

— Qu'est-ce que c'est ?

— Des escarres, chuchota Smoke en tressaillant quand elle le toucha. Je suis censé changer de position dans mon fauteuil et je suis censé me tenir droit. J'ai demandé au docteur comment j'étais supposé faire les deux à la fois.

Il avait une autre escarre sur le coccyx.

À force de se concentrer sur chaque partie de son corps, elle oubliait le côté délicat et étrange de ses gestes et elle se surprit à prendre soin de lui avec plaisir. Elle vida et remplit un certain nombre de fois la casserole afin d'avoir toujours de l'eau propre et chaude. Elle le laissa laver ses parties intimes, ce qu'il fit avec soin.

— Je n'avais jamais encore lavé quelqu'un, dit Margo.

— Je préfère le faire seul.

Margo lava les jambes maigres de Smoke parsemées de quelques poils épars. Il lui fallut toucher plus doucement l'arrière de ses genoux, où il avait d'autres plaies. Ses tibias étaient marqués de cicatrices et autres hématomes récents ou décolorés. Elle lava ses pieds calleux. Elle se demanda si elle prendrait soin de sa mère une fois celle-ci devenue très âgée ; peut-être lui faudrait-il attendre jusque-là pour qu'elle ait besoin de Margo.

Elle essuya Smoke en le tapotant avec la serviette et l'aida à enfiler un long caleçon propre et une chemise de travail marquée *Smoke*. Ils le rebranchèrent à son oxygène.

— Mon père avait des chemises marquées *Crane*, dit Margo. Dommage que je n'en aie pas gardé une, mais elles faisaient partie de son uniforme.

— Merci, petite, dit Smoke quand ils regagnèrent la cuisine.

Margo lui resservit du café ; c'était incroyable la quantité de café noir que Smoke ingurgitait à toute heure du jour. Il prétendait que le breuvage maintenait ouverts ses poumons et ses bronches.

— Fishbone a peur de finir comme moi s'il me touche. Cela ne se voit pas, mais nous avons presque le même âge.

— Pourquoi ne vous êtes-vous pas marié, Smoke ?

— Je l'ai été.

— Qu'est-il arrivé à votre femme ?

— Huit années pourries, pour elle comme pour moi, jusqu'à ce qu'elle se décide enfin à partir avec un autre.

— Et pourquoi Fishbone vient-il vous aider et s'occuper de vous ?

— Pourquoi est-ce que tu m'aides, petite ? Pourquoi a-t-on envie d'aider quelqu'un ? Crois-tu qu'on devrait juste rester à la maison et s'occuper de soi ? C'est ainsi que tu as envie de vivre ?

Margo se sentit rougir :

— Vous aimez Fishbone ?

— Tu es une jeune fille observatrice. Et quoi d'autre as-tu réussi à deviner depuis le temps que tu m'étudies ?

— Je veux dire, comme on aime une femme ?

Elle avait posé la question d'une voix incertaine, craignant de le mettre en colère.

— Je ne saurais dire. Je n'ai jamais aimé une femme de la façon dont je l'aime lui.

— Mais il est marié. Il a des enfants et des petits-enfants.

— Exact, grogna Smoke. Et pas moi. C'est pourquoi je n'ai personne pour s'occuper de moi, maintenant que je suis vieux.

Margo hocha la tête.

— Chacun ici-bas, reprit Smoke, est une noix impossible à ouvrir. C'est ce que j'ai appris, petite. Nous ne pouvons pas même nous ouvrir nous-mêmes.

— Eh bien, je m'occuperai de vous, Smoke.

— Tu es une bonne fille. Je suis sûre que même ta cinglée de mère sait que tu es une bonne fille.

*

Un matin clair et froid, entre Noël et le Jour de l'An, Margo se trouvait dans le pâturage, à mi-chemin de la maison de Smoke, quand elle entendit les bruits des tronçonneuses et des gros moteurs diesel. Sur la route, elle aperçut une benne et une énorme pelleteuse. Réfugiée derrière un arbre devant la maison de Smoke, elle vit deux hommes en combinaison de travail isolante se diriger vers le vieux garage que Fishbone appelait sa cabane de pêche. Puis un troisième, aux commandes de la pelleteuse, commença à manœuvrer la pelle mécanique, s'attaquant au mur du garage tel un grand oiseau jaune, perçant les lames de bois.

Lorsque la pelleteuse enfonça le toit, la bâtisse s'effondra dans un grand sifflement. Après quelques autres coups bien ciblés, la démolition était terminée et les hommes commencèrent à remplir la pelle de décombres qu'ils jetaient ensuite dans la benne. C'est alors que Smoke roula son fauteuil dans le patio. Margo entra dans la maison, lui apporta son manteau et son chapeau, puis sortit la caisse à lait et s'assit pour assister au spectacle.

Tandis que les hommes soulevaient des morceaux de bois, des bouts de toiture, des vitres et déposaient le tout dans la benne, Smoke tirait tour à tour sur ses tubes à oxygène et sur ses cigarettes. Les hommes achevèrent le travail en deux heures, avec à peine un regard du côté de Smoke ou de Margo. Ni elle ni lui ne se dirent grand-chose non plus, jusqu'au moment où il ne resta plus qu'une dalle de ciment entre le patio et la clôture. Un homme pansu la nettoya avec un balai, les deux autres attachèrent la benne à un camion. Après quoi tous les trois grimpèrent à l'avant du camion-benne et emportèrent le tout.

— Ils vont m'envoyer la facture, dit Smoke. Tu vas voir. Et je te parie qu'il n'y avait pas un seul foutu rat.

Margo n'en avait pas vu, mais elle savait que là où il y avait des hommes, il y avait des rats, particulièrement au bord de la rivière. Personne ne s'intéressait à leur peau ou à leur viande, Mais Margo n'éprouvait pas ce mépris général. Les rats étaient de simples créatures qui s'efforçaient de tirer leur subsistance de la rivière. Les gens exagéraient la saleté des rats de rivière comme ils exagéraient la férocité des carcajous.

— Tu vois comment on te prive de ton droit..., dit Smoke qui s'interrompit pour reprendre sa respiration dans l'air froid, ... de vivre selon tes choix ? N'oublie pas ça.

Elle ne voulait pas le dire, mais elle n'oublierait pas, non plus, le plaisir d'avoir assisté à la démolition. Elle savait qu'ils devaient rentrer, mais elle avait envie de regarder encore ce paysage étrange et neuf, la dalle, la clôture auparavant invisible depuis le patio.

— On pourrait reconstruire un garage, dit Margo, au même endroit. Fishbone nous aidera. Il dit que vous pouvez tout faire.

— Je ne peux même pas l'imaginer.

— Je nous vois très bien installer des montants en bois et peut-être un toit en tôle pour venir écouter la pluie. Dès que la neige aura fondu.

— Ce vieux garage n'était pas en si mauvais état.

— On aurait dû le réparer.

— Tu sais, Fishbone venait me voir, avant.

— Il vient toujours.

— Maintenant, c'est la rivière qu'il vient voir. Il vient pour sortir de sa maison en ville, s'éloigner des cris de ses petits-enfants. Il vient même pour te voir, me semble-t-il. Tu sais, je n'ai jamais dit à quiconque ce que je viens de te dire.

— Je peux vous confier quelque chose ? dit Margo d'une voix soudain plus mélodieuse. Quelque chose que je ne pensais jamais confier à personne ?

Smoke alluma une autre cigarette et la regarda.

— Vous savez, vous dites toujours en plaisantant que je devrais vous tuer ?

— Je ne plaisante pas.

— Eh bien, j'ai déjà tué un homme. L'année dernière.

— Avec ce .22 ?

Il paraissait sceptique.

— Un fusil de chasse. Je me suis crue obligée de le tuer. Il allait faire du mal à quelqu'un que j'aimais. Pendant un certain temps, j'ai cru que je ne le regretterais pas. Mais je préférerais ne pas l'avoir fait.

— Tu vas te livrer à la police ?

— Ah ça, non !

Smoke s'esclaffa :

— C'était un enfoiré ?

— Oui.

— Alors, où est le problème ?

— Il avait des enfants et une femme. Il doit leur manquer. Et je pense à vous qui allez mourir, à mon père et à mon grand-père qui sont morts. Si je pouvais revenir en arrière et lui redonner la vie, je le ferais.

— Si tu as été capable de tuer une fois, tu peux tuer une deuxième fois, dit Smoke.

Il ôta ses lunettes et se tourna vers elle en plissant les yeux mais, les bras serrés autour d'elle pour se protéger du froid, Margo regardait fixement la dalle de ciment.

*

Les décorations de Noël furent décrochées après le Nouvel An et l'hiver se poursuivit, avec ses journées courtes et ses longues nuits glacées. Margo se rendait en ville pour se procurer et rapporter à Smoke des produits de première nécessité, mais elle se sentait en semi-hibernation, remuant lentement, sans bruit, et ne faisant que ce qui était indispensable. Sa parka bordée de fausse fourrure descendait jusqu'à mi-cuisses et couvrait largement son abdomen légèrement arrondi aux yeux des étrangers qu'elle pouvait rencontrer. Mais lorsque Smoke ou Fishbone la regardaient retirer son manteau dans la cuisine, ils souriaient de voir son ventre comme si elle avait ramené avec elle une fille plus jolie. Pour Margo, son corps avait toujours représenté un allié, qu'elle se servît d'un fusil, coupât du bois, parcourût des kilomètres à la rame ou s'efforçât de garder l'équilibre en dépit de la fatigue physique, mais ce corps à présent lui devenait étranger.

Fishbone disait vrai : Margo n'avait pas voulu se montrer au fermier la première fois qu'il était venu dans son bateau ; elle était restée à l'intérieur, pelotonnée sur ses sacs de couchage. Elle n'était pas prête alors à faire la connaissance d'un homme inconnu, particulièrement d'un homme qui risquait de lui demander de partir. Elle ignorait si elle allait le trouver aussi attirant que son frère Johnny. Quand il revint, au milieu du mois de janvier, elle ne put se cacher. Elle se tenait sur un escabeau, et grattait le toit de sa cabine dont elle retirait la neige – elle n'avait pas songé, jusqu'à ce que Smoke lui en parle, que le poids de toute cette neige sur le toit plat pouvait faire s'effondrer la structure entière. Margo descendit de l'escabeau et emprunta sa passerelle déneigée et poncée pour aller à sa rencontre. Il était très grand et très maigre.

— Vous devez être Margo Crane, dit-il. Je m'appelle George Harland.

Quand il tendit la main, elle fit un pas en avant et la prit.

— Le bateau de Smoke, dit l'homme en hochant la tête. Il me dit qu'il vous l'a vendu. Selon lui, je dois vous laisser vous amarrer ici sur ma propriété pour que ses nièces ne fassent pas d'histoires.

Le fermier regarda d'un côté et de l'autre de la rivière.

— C'est une drôle de proposition, mais vous voilà en personne.

Elle hocha la tête. Elle aimait bien son attitude patiente. Quand elle l'avait vu se disputer avec sa femme, son calme et sa lenteur lui donnaient l'air un peu stupide. Margo se demanda si c'était ainsi qu'elle apparaissait aux yeux des autres. Elle posa son regard sur sa main droite, à qui il manquait presque tout l'index.

— Sa *Joie & Fierté*. Il y a travaillé des années entières. Il nous disait, à mon frère et à moi, que si un homme devait vivre sur l'eau, il lui fallait un bateau à sa mesure.

Margo regarda la cabine derrière elle. Sa carabine était debout sur la crosse dans le coin près du poêle.

— Leon dit que je devrais vous transférer mes permis de chasse pour préjudices aux cultures. Je suis prudent quand je dois laisser quelqu'un chasser sur ma propriété.

Margo comprit avec un léger retard qui était Leon. Elle regarda de nouveau la main de l'homme.

— Sur les conseils de Smoke, je lui donne mes permis depuis des années, mais l'an dernier il n'a pris que deux cerfs. Tous les deux disent que vous êtes une tireuse d'élite.

Le fermier hocha la tête comme pour marquer son accord avec Fishbone ou avec l'univers tout entier.

— Vous êtes plus jeune que je ne croyais.

Elle hocha la tête à son tour. Elle savait qu'elle devait parler, dire quelque chose. Le fermier avait les yeux gris, comme Johnny, mais sans son côté animal, ni cette odeur dangereuse.

— Vous devez avoir dans les dix-neuf ans ? Smoke dit que vous piégez. Vous avez votre licence ?

Elle hocha la tête.

— Le permis va de juin à octobre, il s'agit d'éloigner les cerfs de mon maïs et de mon soja. Les cerfs dévorent le tiers de ma récolte si je n'ai personne. Et j'aimerais quelques peaux tannées. Je peux vous payer si vous les dépecez.

Elle hocha la tête derechef. Elle avait envie de rester ici, du moins pour l'instant, et elle voulait les permis. Cela faisait du bien de savoir ce qu'elle voulait.

— Et je vous demanderais de me signaler si vous voyez une fouine, un vison ou une loutre. La rivière a beau avoir été nettoyée ces dernières années, je parie que les fouines sont revenues. Il faudra que je surveille mes poules.

Margot savait qu'elle pouvait gagner de l'argent. Elle demanderait à Fishbone comment piéger l'hermine et le vison.

— Vous n'avez plus de langue ? demanda-t-il, en inclinant la tête.

— Je ne vais pas coucher avec vous, dit-elle.

Elle sentit sa gorge se serrer un peu, mais elle avait parlé d'une voix assurée.

— Et pas davantage avec votre frère Johnny.

Ce n'était pas la première chose qu'elle avait voulu dire au fermier, mais il lui fallait mettre les choses au clair, elle n'irait pas avec tous les hommes qui se présenteraient.

— Vous connaissez donc Johnny. J'allais justement vous mettre en garde.

Il sourit et, quand il découvrait ses dents, il ressemblait un peu plus à son frère.

— Je me demandais si vous étiez bien là-dedans. Je n'ai pas envie de retrouver une femme congelée au printemps.

— Je ne vais pas geler.

Elle croisa les bras sur son ventre. Il n'y avait aucune raison qu'il la croie enceinte, aucune raison de penser que Fishbone ou Smoke le lui avaient dit, mais elle s'étonna qu'il employât le mot femme plutôt que fille.

— Comment faites-vous pour vous chauffer ?

— Au bois. Smoke a demandé à Fishbone de vérifier que le poêle ne fuyait pas. Et j'ai du gaz en réserve.

Il hocha la tête.

— Vous pouvez prendre tout le bois mort par ici, seulement je vous demanderais de ne pas couper d'arbres dans le brise-vent.

Elle avait déjà pris du bois mort.

— N'hésitez pas à vous servir derrière la grange, si vous pouvez faire des bûches. Je laisse les paysagistes déposer leur bois en surplus, mais ce sont surtout des souches avec des racines. Vous pouvez emprunter ma brouette, mais veillez bien à la remettre à sa place actuelle, en bas.

Il marqua une pause :

— Vous voulez vraiment vivre ici, sur mes terres ?

— Sur la rivière. Je pourrai me déplacer quand j'aurai un moteur plus puissant.

— J'en parlerai aux voisins, je leur dirai de ne pas s'étonner s'ils vous voient. Il y a quelques années de ça, j'ai pris un gars en pitié et je l'ai laissé passer l'hiver dans mon poulailler. Ma femme était furieuse. Il a traficoté un vieux radiateur à pétrole et il a incendié le poulailler.

Margo hocha la tête :

— Je ne brûlerai rien.

— Ma femme ne sera peut-être pas enchantée quand elle sera au courant, mais Smoke dit que vous êtes adulte, que vous savez ce que vous faites. Leon pense que vous êtes une espèce de *survivante*. Il vous admire.

Margo ne savait pas ce que cela voulait dire. Elle se représenta toutes les choses que le fermier et sa femme devaient posséder dans leur cuisine, casseroles, ingrédients, ustensiles, rouleaux à pâtisserie, fourneaux rouges incandescents sous les marmites, les fenêtres qui laissaient entrer le soleil, les grands plafonniers pour compenser l'absence de lumière naturelle en hiver. Toutes les choses auxquelles Margo avait renoncé pour l'instant, en échange de sa vie sur la rivière. Elle était sûre que la femme du fermier avait, comme Joanna, toutes sortes de chiffons de coton pour nettoyer les saletés dans la cuisine et une machine à laver pour faire la lessive, des chaises qui grattaient le parquet quand on les tirait de sous les tables, un congélateur – coffre qui pouvait contenir un cerf entier. Peut-être Margo renonçait-elle à trop de choses pour vivre ici dans un bateau, à trop de choses en échange de la liberté de s'en aller si elle avait des ennuis. Mais pour l'instant, elle savait qu'elle renoncerait à bien davantage si elle essayait de vivre autrement.

— Je ne veux habiter chez personne, dit-elle.

Elle avait quatre casseroles qu'elle adorait, l'une que l'Indien lui avait donnée, et trois qui lui venaient de Smoke. Elles suffisaient à préparer tous les repas qu'elle voulait pour l'instant. Elle avait deux brûleurs à gaz et le haut du poêle. Elle adorait les petits tiroirs de cuisine peints en blanc avec leurs élégantes poignées dans lesquels rentraient quelques ustensiles. Sa table se repliait contre le mur et les sièges se transformaient en lit. Les rideaux à la fenêtre étaient imprimés de motifs de poissons volants de différentes couleurs. Elle les avait lavés et étendus derrière. Elle ne pouvait même pas imaginer le montant des factures de fioul pour une maison aussi grande que celle du fermier, tout ce gaspillage pour chauffer une pièce après l'autre, cet espace intérieur dont quelqu'un comme Margo, qui avait toute la rivière pour elle seule, n'avait pas besoin.

— C'est parfait, dit le fermier. Je ne crois pas que ma femme aimerait qu'une inconnue habite dans sa maison. Mais, en cas de grand froid, soyez sûre que je me sentirai le devoir de vous inviter.

— Merci pour le permis, monsieur, mais s'il vous plaît n'approchez pas de mon bateau. Les hommes ne sont pas les bienvenus ici.

22.

— Moins de deux semaines, dit Smoke, un matin au début du mois de février.

Sa voix était devenue plus rauque et il fallait parfois que Margo s'approche de lui pour le comprendre. Ses paroles étaient souvent entrecoupées de longues respirations sifflantes. Un juge des affaires familiales avait été saisi et il savait qu'on ne le laisserait pas rester dans sa maison. Margo avait d'autres craintes : qu'il tombe, ou qu'il soit pris d'une toux si violente qu'il cesserait purement et simplement de respirer. Elle tendit la main pour ôter une miette de pain sur sa joue mal rasée.

Fishbone, dont les visites à présent dépassaient rarement les dix minutes, avant ou après avoir pris son bateau, répétait que les nièces s'étaient adressées au juge parce qu'elles aimaient leur oncle et ne supportaient pas l'idée qu'il veuille se supprimer.

— Elles sont dures, mais c'est ta seule famille et elles t'aiment.

— Que Dieu me protège de leur putain d'amour, chuchota Smoke à l'attention de Margo dès qu'il put le faire sans être entendu de Fishbone.

Mais Margo voyait bien pourquoi ses nièces estimaient qu'il avait perdu son autonomie. Elle-même assistait, impuissante, à la détérioration de Smoke, s'inquiétant sans discontinuer, où qu'elle fût, avec lui ou loin de lui. Elle était sans force devant sa souffrance et ses difficultés. Nightmare, lui aussi, paraissait tourmenté : le chien passait parfois des heures les yeux fixés sur son maître, et il lui arrivait de ne pas manger de la journée.

— Smoke, je peux rester avec vous, dit Margo en lui reservant du café, et vos nièces verront bien que je m'occupe de vous.

Elle s'assit à côté de lui à la table de la cuisine, de sorte qu'ils regardaient tous les deux la rivière. Une période de dégel avait fait fondre la neige dont la couche s'était tassée. Quelques jours auparavant, elle avait déblayé le patio et il était encore propre.

— On ne peut pas revenir sur sa parole, chuchota Smoke.

— Je ne le ferai pas, dit Margo plus fort qu'elle ne le souhaitait.

L'oreille de Smoke faiblissait au même rythme que sa voix.

— Ça fait mal de respirer, petite.

Le chien devint nerveux, il se leva et alla à la porte.

— Je ne pourrai même pas avoir de vrai café, là-bas. Ils ne servent que du déca en poudre.

— S'ils vous obligent à partir, ne pouvez-vous pas aller habiter avec l'une de vos nièces ?

Il secoua la tête. Margo aussi détestait cette idée. Elle fit sortir Nightmare et retourna s'asseoir. Elle étala sur son toast un peu de la confiture de fraises que la sœur de Smoke avait faite. Celle-ci avait eu une tumeur au cerveau et était morte quelques mois après son arrivée dans la maison de retraite. Smoke disait que sa sœur « était allée dans ce trou de merde comme à une foutue réception ». Selon lui, elle avait apprécié les soins prodigués par les infirmières qui la traitaient « comme un foutu bébé ».

— Mon cou me fait mal, dit Smoke, à force de supporter ma tête.

— Il vaut mieux vivre, Smoke.

Margo mordit dans le toast et mâcha, bien que l'appétit lui manquât.

— Il faut penser à ce que cela entraîne.

— Et que fais-tu de ce que cela entraîne de rester en vie ?

Smoke fouilla dans sa poche et en sortit quelque chose qu'il fourra dans la main de Margo.

— Qu'est-ce que c'est ? dit-elle, en dépliant cinq billets de vingt dollars.

— Pour le bateau. C'est l'argent que tu m'as donné. Et prends mon fusil de chasse. Il est à toi. Fishbone a raison. J'en ai autant besoin qu'un trou dans la tête.

— Vous m'avez déjà trop donné, Smoke.

Margo ne savait pas comment le lui expliquer : elle avait déjà tué quelqu'un, il était d'autant plus crucial pour elle de ne pas recommencer.

— Qu'est-ce que je vais bien pouvoir foutre d'un fusil de chasse ? dit-il. Tu vas en prendre soin, n'est-ce pas ?

Margo plaça sur sa fourchette un morceau de toast à la confiture, un peu d'œuf brouillé et une bouchée de saucisse.

— Merde, j'ai bien le droit de mourir. Il faut respecter ça !

— Mais je ne sais toujours pas comment je veux vivre.

— Tu le sais aussi bien que moi.

— Si vous partez, je n'ai plus d'amis.

Margo entendit Nightmare gratter à la porte, et elle se leva pour le faire entrer, ce qu'il fit, accompagné d'un grand courant d'air froid. Un léger réchauffement était pourtant attendu, à l'approche d'une tempête prévue pour cette nuit.

Nightmare se coucha sur un bout de moquette entre Margo et Smoke.

— Dans ce cas, il est temps de commencer à te faire des amis. Il n'y a aucun mal à vivre en ermite, tant qu'on a des amis quand on en a besoin.

— Je n'ai besoin que de vous.

— Je ne sais pas comment j'aurais fait sans toi ces derniers mois, petite. Ta présence a presque réussi à donner un sens à ma vie.

Maintenant que l'état de Smoke s'aggravait, il était plus difficile pour Margo de rentrer chez elle et de le laisser seul. À son arrivée, ce matin à dix heures, elle l'avait trouvé dans son lit. Margo l'avait aidé à se lever et à mettre ses vêtements et ses chaussures.

— Fishbone sera là, dit Smoke. Quand je serai parti, il prendra Nightmare. Pour protéger sa femme.

— Fishbone s'adresse à moi en disant *vous autres*. Il pense que je devrais aller vivre avec ma mère. Il me parle de ce fichu bébé à tout bout de champ.

Margo eut le cœur serré à l'idée que Fishbone emmènerait le chien.

— Ne perds pas confiance en ta mère, chuchota Smoke. Elle pourrait bien changer d'avis. Et il ne me semble pas que tu mettes de la distance entre toi et ce bébé.

Margo hocha la tête. Cet après-midi-là, elle rentra chez elle, inspecta ses pièges et les trouva vides. Incapable de penser à son bébé, bien à l'abri en elle, elle ne pensait plus qu'à Smoke, si faible à présent. Il lui paraissait aussi plus grave qu'auparavant, comme s'il remuait davantage ses idées noires. Si la tempête apportait beaucoup de neige cette nuit, Margo redoutait de ne pas pouvoir traverser le champ pour venir l'aider le matin venu. Elle voulait aussi dire à Smoke qu'elle ne perdait pas espoir avec sa mère, pas comme il le pensait. À la nuit tombée, quand le vent commença à souffler, Margo laissa son bois brûler entièrement puis, avec des journaux et du petit bois, elle prépara un autre feu sans l'allumer.

Elle verrouilla le *Glouton* et repartit dans la neige à travers le pâturage enneigé. La rivière faisait un bruit étrange, comme si des plaques de verre se brisaient le long des rives. La porte donnant sur le patio n'était pas fermée à clef. Elle entra, retira ses bottes et sa parka, et pénétra en silence dans la chambre de Smoke. Un fatras d'objets encombrait tout le reste de la maison, mais la chambre était dépouillée, presque vide. Vêtue de son caleçon long, elle grimpa dans le lit double et s'étendit à côté de Smoke. L'aide ménagère avait changé les draps la veille, ils sentaient le propre. Margo retardait le moment de laver les siens, car il lui fallait les apporter chez Smoke ou les lessiver dans son pot émaillé et les laisser sécher dehors dans l'air glacé.

— Je ne veux pas vous perdre, dit-elle en chuchotant fort. Ne me quittez pas.

— Je ne suis pas ta mère.

— Je sais.

— Je suis un vieil homme fatigué.

Tendu au début, Smoke se détendait au contact de Margo, comme son grand-père se détendait au soleil à côté d'elle sur la terrasse. À la fin, son grand-père était affaibli et aussi maigre que Smoke, malgré les grosseurs qu'il avait aux aisselles, au cou et à l'aine, telles des excroissances sur un tronc d'arbre. Les grosseurs de Smoke se trouvaient dans ses poumons. Margo passa la main sur ses omoplates. Il frissonna, puis soupira. Légère, elle lui caressa les épaules, les côtes, le bas du dos. Au travers de sa longue chemise, elle sentit la chaleur qui émanait de ses escarres.

Smoke et elle restèrent ainsi quelques heures, sans tomber vraiment dans le sommeil à cause de l'étrange douceur qu'ils ressentaient à être ainsi à côté de quelqu'un d'autre, jusqu'au moment où Smoke recommença à tousser. Il s'assit au bord du lit, secoué plus de quarante-cinq minutes durant, à en croire la pendule. L'aiguille des minutes sur le cadran éclairé avançait lentement, mais Margo n'osait ni bouger, ni toucher Smoke, de peur d'aggraver les choses. Elle savait qu'il lui suffirait de passer le bras autour de son cou pour lui fermer la gorge, pour mettre un terme à cette toux en bloquant sa respiration. Margo avait le pouvoir de soulager Smoke ; si elle enfonçait les pouces dans sa trachée, il ne lutterait pas. Elle pouvait mettre fin à ses souffrances sur-le-champ, mais elle ne voulait pas être son ange de la mort. Nightmare était couché, silencieux bien qu'en éveil, sur le sol. Posés sur son maître, ses yeux bruns luisaient dans le noir.

Smoke versa dans sa bouche les dernières gouttes d'un flacon de codéine. Il réajusta ses canules et se replia de telle façon que son corps ne fut plus qu'une coquille tendue de cuir entourant sa cage thoracique. Quand la toux se calma, sa bouche pincée exhala un long soupir. Il ferma l'oxygène, et alluma une cigarette. Il alluma une seconde cigarette à la première et enfin une troisième. Margo comprit que c'étaient elles, les anges de la mort lente, les mains qui, graduellement, douloureusement, étranglaient Smoke. Ayant éteint la troisième cigarette dans le cendrier posé par terre, il se rallongea et Margo mit sa main sur son épaule. Elle se redressa et déposa un baiser sur sa joue.

— Smoke, vous vous êtes rasé. Vous avez la peau toute douce.

Elle prit sa main dans la sienne et ils s'endormirent.

Margo s'éveilla, seule, au bruit grinçant du fauteuil roulant de Smoke dans l'autre pièce. Elle entendit s'ouvrir la porte du patio, le vent rugir et Nightmare geindre. La porte se referma et elle entendit les vitres trembler sous l'effet de la tempête. Ces derniers jours, elle avait du mal à quitter le sommeil, et même à rallumer le poêle, parce que la créature dans son ventre voulait toujours la ramener à ses rêves, grignotant sa conscience jusqu'à ce qu'elle dorme huit, neuf, parfois dix heures. Elle secoua sa fatigue, s'habilla et rassembla ses affaires afin de ne laisser aucune trace au cas où les nièces de Smoke passeraient le voir. Il y avait longtemps de cela, à Murrayville, il lui arrivait de se réveiller ainsi d'un long sommeil avec le désir de chasser. À cette époque, elle se réveillait tout à fait et d'un seul coup, comme on appuie sur le bouton d'un interrupteur. Elle s'habillait en silence, allait chercher le fusil de son père à l'arrière de son camion ou dans son placard et partait dans les bois. Maintenant, quand cette sensation revenait – et elle en éprouvait ce matin la présence fantôme –, il lui suffisait de s'imaginer en train d'abattre un cerf pour que la sensation s'éloigne, ou bien elle sortait et allait inspecter ses pièges à rats musqués ou ratons laveurs.

Margo alla dans la cuisine. Smoke n'était pas là, mais elle trouva Nightmare en train de renifler la porte. La pendule éclairée indiquait six heures vingt. Margo alla voir dans la salle de bains, mais Smoke n'y était pas non plus. Elle avait rêvé qu'il grommelait quelque chose au téléphone, ou peut-être n'avait-elle pas rêvé. Le ciel précédant l'aube était éclairé par les bourrasques de neige, mais Margo n'alluma pas les lumières de la maison, pour ne pas affaiblir sa vision de nuit. Elle enfila la parka bordée de fausse fourrure, prit sa carabine au râtelier de la cuisine et l'accrocha à son épaule. Smoke lui avait donné son fusil de chasse, mais elle l'avait laissé là, redoutant qu'il se sente diminué. Elle ne laissa pas Nightmare sortir, car il risquait de courir jusqu'à la rivière et de hurler dans le vent, et parce qu'il lui faudrait attendre son retour avant de retourner dormir. Si Smoke était dehors, ce serait l'affaire de quelques secondes.

Une fois derrière la porte, assaillie par les tourbillons de neige, elle le trouva assis dans son fauteuil au bord du patio, le regard fixé sur la pente raide qui descendait vers la rivière. Il ne portait que ses lunettes, son caleçon long et une chemise de travail déboutonnée brodée à son nom. La neige s'amoncelait sur ses épaules et sa tête nue, et le vent devait lui mordre la peau du visage, mais il n'avait pas l'air d'avoir froid. Margo prit une de ses mains recroquevillée et la réchauffa dans les siennes.

— Il ne faut pas rester dehors sous la neige, surtout sans manteau. Et sans oxygène. Rentrez vous coucher.

Nightmare aboya.

— Le soleil se lève dans une minute, chuchota Smoke en soufflant des nuages de respiration, d'une voix plus décidée que le jour précédent. Je crois que les voisins ne sont pas là.

— Vous voulez voir le soleil se lever en pleine tempête de neige ? Le ciel rose du matin ?

Smoke soupira et Margo sentit son regard se poser sur la rivière, puis sur elle, puis de nouveau sur la rivière.

— Rentrez dormir encore un peu. Le soleil se lève tous les jours.

— Mon manteau. Mes cigarettes, dit-il enfin, en respirant par à-coups. Ne laisse pas le chien sortir.

Margo rentra pour calmer Nightmare.

— Smoke va revenir et nous retournerons tous nous coucher, souffla-t-elle.

Elle prit les cigarettes dans la chambre, le manteau sur le dossier d'une chaise. Là, sur la table, elle vit une lettre. Elle alluma la lampe et lut l'écriture épaisse et régulière : *À mes nièces fouille-merde. Je ne peux pas aller à All Saints. Je n'irai pas.* Elle cessa de lire, laissa tomber cigarettes et manteau et, ayant brièvement lutté pour garder Nightmare à l'intérieur, elle ressortit dans la tourmente. Smoke avait disparu.

Margo n'avait pas noté à quel point il était proche du bord du patio. Il avait dû pousser sur ses roues avec une force décuplée afin de s'en éloigner et de rouler jusqu'au haut de la pente. Une fois dans la descente, nul besoin de force pour rouler sur le flanc de colline enneigé et parvenir près des marches de ciment et du ponton. Elle suivit les traces des roues. Dans la pâle lumière que reflétait la neige, elle crut voir Smoke pousser encore sur ses roues. Au bord de la rivière, l'une d'elles se prit dans l'interstice entre l'herbe et le parapet, imprimant un brusque arrêt au fauteuil. Mais Smoke, fendant la neige, continua sa descente vers la rivière, dans la boue glacée qui couvrait le ponton. Margo courut à son secours mais ses bottes glissèrent. Elle fit faire un bond en avant au fauteuil, qui, accompagné de sa bouteille d'oxygène, bascula du haut du parapet et dans l'eau sur les jambes de Smoke. La bouteille coula et disparut. Le courant entraîna le corps de Smoke et son fauteuil dans les branchages pris sous le ponton. Il se retrouva enchevêtré dans les débris.

Avec des gestes qui lui parurent lents et maladroits, Margo s'accroupit et se pencha au-dessus du parapet pour tenter de repêcher le fauteuil, mais elle se tenait tout de travers et fut incapable d'en soulever le poids. Elle se débarrassa de la carabine en plantant la crosse dans la neige. Elle aurait dû la laisser à la maison. Arc-boutée contre le ponton et le muret, elle tira de nouveau sur le fauteuil, mais elle n'avait pas la force de soulever les jambes de Smoke. Quand elle écarta les branches, la tête de Smoke s'enfonça dans l'eau. Nightmare aboyait.

Margo sauta par-dessus le muret et entra dans l'eau à hauteur des genoux. Ses mollets se contractèrent au contact du froid. Elle s'avança plus loin, jusqu'à mi-cuisses, et ce fut comme si ses jambes brûlaient. Elle hissa la tête et le torse de Smoke hors de l'eau.

— Je viendrai vous voir si vous allez là-bas. Je vous tiendrai compagnie, Smoke. Je vous apporterai du café et des cigarettes en cachette. Laissez-moi vous sortir de l'eau.

Ses lunettes noires avaient été emportées et il fermait les yeux. Elle eut beau tirer de toutes ses forces, ses jambes, bloquées sous le fauteuil, restaient prisonnières. Pendant ce temps, le bas de sa parka flottait autour d'elle et absorbait l'eau glacée.

En plongeant son regard dans celui de Smoke, Margo se sentit stupide. Elle n'avait pas eu conscience de l'aimer à ce point. Ce qu'elle ressentait n'était pas moins puissant que ce qu'elle avait ressenti pour son grand-père, et même pour son père.

— Laisse-moi couler.

La tête renversée en arrière, Smoke ouvrit ses yeux rougis. Le ciel se colorait en rose et Margo voyait les flocons tomber sur ses cils, mais il ne remuait pas les paupières. Le courant, entraînant le tissu imbibé de la parka, alourdissait le corps de Margo. Elle aurait dû la laisser sur le rivage avec son fusil, elle l'aurait retrouvée sèche au moment de la remettre. Elle ne comprenait pas pourquoi Smoke pesait aussi lourd.

— Je dois aller chercher du secours.

Margo posa la joue contre celle du vieil homme, lui parlant de si près que leurs bouches étaient presque au contact l'une de l'autre.

— Je vais aller vous chercher l'autre bouteille d'oxygène.

— Ne pars pas, je t'en supplie, chuchota Smoke d'une voix à présent à peine audible. Je ne veux pas mourir seul.

— Il le faut, dit Margo, mais elle ne bougea pas.

Elle savait que le courant allait entraîner Smoke et qu'il serait noyé avant son retour. Elle le maintenait à la surface. Sa chemise était gorgée d'eau, mais cela n'expliquait pas pourquoi il était si lourd. Margo arracha ses pieds à la boue dans laquelle ils s'enfonçaient, l'un puis l'autre. Le froid de la rivière s'emparait d'elle et lui glaçait le ventre. Nightmare, dans la maison, aboyait toujours.

— Laisse-moi couler.

— Smoke, je ne veux pas vous tuer.

Il chuchota contre sa joue :

— Ce n'est pas tuer, ça. Tu peux le faire.

Margo sentit remuer les lèvres de Smoke sur son visage, elle entendait les mots qui s'échappaient, mais elle ignorait s'il les disait à voix haute. Son visage devenait violacé.

— Laisse-moi couler, chuchota Smoke de nouveau en lui agrippant la main férocement.

Des perles d'eau glissaient de son épaisse chevelure blanche que la lumière teintait de rose. Ses lèvres étaient livides. Elle remarqua alors une sangle de cuir entourant son épaule et passant sous un bras. Elle chercha à tâtons avec la main qui le tenait et trouva, attaché à la sangle, le sac de caractères en plomb qu'il gardait sur la table de la cuisine. Elle essaya de l'arracher, mais n'y arrivait pas d'une seule main, et il ne lui lâchait pas l'autre.

Margo donna un coup de pied dans le fauteuil, qui se dégagea des branchages et glissa sous le ponton avec le courant. Margo vit que Smoke avait un pied coincé dedans et elle se dit que, si elle le lâchait et réussissait à s'arracher à sa poigne, elle pourrait peut-être libérer son pied avant qu'il se noie. S'il était encore vivant après ça, elle parviendrait peut-être à le hisser sur le muret. Peut-être à le remonter sur la colline. Et s'il était encore en vie à l'arrivée des secours, il survivrait peut-être une heure, un jour ou une semaine à l'hôpital ou dans la maison de retraite, probablement avec une pneumonie. Son front se plissait de douleur.

Elle le regarda encore, longuement, une dernière fois. Elle lui baisa la joue et lâcha. Il glissa sous la surface. Sa toux cessa et les spasmes de sa poitrine ralentirent et s'arrêtèrent.

Margo sentit sa tension et sa douleur s'apaiser, et son étreinte, peu à peu, se desserra.

Elle voulait maintenant hisser le corps de Smoke hors de la rivière et le poser à terre, mais il lui fallait d'abord sortir de l'eau glacée. Elle grimpa sur le parapet et resta là, ruisselante, claquant des dents. La neige avait déjà recouvert ses traces et les sillons du fauteuil à roulettes. Son pantalon et sa parka mouillés gelaient rapidement et la neige y restait collée. L'eau perlait sur ses bottes huilées, mais elle avait pénétré par les lacets et imbibait ses chaussettes, de sorte que ses pieds étaient comme des blocs de glace. Elle regarda vers la maison et vit à travers la neige un homme maigre, coiffé d'un chapeau mou, traverser le patio. Et tout à coup il était là, et il la regardait de là-haut, les bras croisés sur la poitrine. Elle inspira. Elle eut mal.

Margo arracha sa carabine à la neige, l'accrocha à son épaule sans nettoyer la crosse et remonta les marches. Arrivée en haut, elle s'immobilisa devant Fishbone et tenta de dire quelque chose, mais son regard la pétrifia et elle se sentit écrasée par les aboiements furieux de Nightmare. Elle gagna la véranda, secoua la neige de ses bottes et pénétra dans la maison. Nightmare la suivit dans la cuisine, nerveux mais silencieux. Elle prit son sac en toile, puis son flacon de shampooing dans la salle de bains, deux paires de chaussettes neuves dans la commode de Smoke, une chemise brodée *Smoke* dans le placard et ce qui restait de confiture de fraises dans le réfrigérateur. Elle saisit la Remington dans le râtelier et glissa deux boîtes de cartouches de calibre .12 dans ses poches mouillées, où elles s'enfoncèrent telles des ancres. Avant de ressortir, elle s'accroupit et étreignit le grand chien, lui gratta les oreilles et le cou. « Adieu, Nightmare, j'aurais tant voulu t'emmener avec moi. J'aurais tant voulu m'occuper de toi. »

Elle sortit. Dans les bourrasques de neige, elle vit la silhouette de Fishbone se dessiner au bord de l'eau. Elle serra le fusil de chasse dans sa main nue – ses gants étaient dans sa poche, imbibés d'eau, sous les cartouches. Les jambes raidies, elle remonta le sentier en direction du *Glouton*. Longtemps Margo entendit le chien aboyer derrière elle. Elle se demanda si la police allait remarquer ses traces. Ou Smoke disait-il vrai en affirmant que personne ne s'intéresserait assez à la mort d'un vieillard malade pour ouvrir une enquête ?

Margo parvint à se glisser sous les barbelés sans déchirer sa parka. Elle ralentit l'allure de ses pieds engourdis sur le pâturage où n'apparaissait aucune tête de bétail. Arrivée presque de l'autre côté, elle buta contre quelque chose, peut-être une bouse de vache gelée enfouie sous la neige, et elle tomba à genoux. Elle avança un peu à quatre pattes, mais elle dut s'arrêter un moment avant de continuer. Elle regarda la rivière, et ne put distinguer que des tourbillons gris et blancs. La rivière était trop glacée pour sentir mauvais et, à en croire les prévisions de la nuit dernière, il gèlerait à nouveau après la tempête. Sa Marlin était toujours accrochée à son épaule, mais elle avait perdu le fusil de chasse dans la neige. Elle chercha à tâtons, sans le trouver. Elle décida de se reposer une courte minute.

Elle était épuisée au-delà de toute fatigue. Elle croyait avoir surmonté la perte de son père, mais elle n'avait surmonté ni celle-là, ni aucune autre. Elle posa sa joue contre la neige, sentit la neige s'écraser et fondre légèrement. La neige commença à s'amonceler sur son autre joue. Elle voulait rester là un moment, jusqu'à ce que sa fatigue diminue, jusqu'à ce qu'elle comprenne ce qui s'était passé ce matin, ce qui s'était passé dans sa vie. Elle avait fait son devoir, et elle se sentait libre, plus libre que jamais. En quelques minutes à peine, elle cessa de sentir le froid. Si elle regagnait son bateau, elle allumerait un feu pour se réchauffer, sinon elle resterait là, au repos.

Elle fut réveillée par une violente secousse, comme si quelqu'un lui avait donné un coup de pied au derrière, mais en ouvrant les yeux et en regardant autour d'elle, elle vit qu'elle était seule. La secousse avait été aussi douloureuse qu'une décharge électrique.

Une fois la douleur passée, Margo ferma les yeux, reposa sa joue dans la neige, et reçut aussitôt une autre décharge électrique, si violente que ses yeux s'écarquillèrent. Elle se mit à genoux et vit qu'elle se trouvait à côté d'un poteau de clôture au bord de l'eau, plus près qu'elle ne l'avait cru. Elle s'obligea à se mettre debout. Elle avait dû s'accrocher à la clôture électrique à main nue et s'électrocuter, mais elle ne pouvait s'empêcher de penser que la secousse provenait de l'intérieur de son propre corps. Elle marcha en direction de la rivière, se glissant de l'autre côté de la clôture sans tomber à l'eau. Elle avança lentement jusqu'à son bateau à travers une neige maintenant teintée de rose pur par le soleil levant. Elle portait son sac à une épaule et sa carabine à l'autre, alourdie par le poids de sa parka.

Une fois à l'intérieur de son bateau, elle posa l'arme sur la table. Elle cassa d'abord deux allumettes, réussit à en allumer une troisième et l'approcha des journaux roulés en boule qu'elle avait placés la veille sous la pyramide de petit bois sec. Deux bûches sèches étaient posées sur le poêle. Elle se dévêtit entièrement et s'enveloppa dans la couverture militaire de laine rêche, bien chaude quoique jaunie par l'âge.

Elle se demanda si Nightmare aboyait toujours et enviait au chien sa manière de pleurer Smoke, sans complication. Elle pouvait exprimer son chagrin en larguant ses amarres et en descendant la rivière, mais elle savait que remonter serait impossible avec son seul petit moteur guère fiable.

Peu à peu, à en croire le thermomètre accroché derrière la porte, la température à l'intérieur de la cabine grimpa de moins quatre à treize degrés, et Margo enfila un pantalon, une chemise et des chaussettes secs. Elle remit dans le feu une bûche plus grosse et garda l'oreille tendue vers les sirènes, mais il n'y avait pas de sirène. Il n'y avait que le souvenir de la colère et de la tristesse imprimées sur le visage de Fishbone et, en elle, le soulagement grandissant de savoir que c'était fait, qu'elle avait payé sa dette à l'égard de Smoke et qu'il ne souffrait plus. Le ciel, à présent, était totalement clair et le vent était retombé.

Au cours des derniers mois, depuis qu'elle avait cessé d'avoir la nausée le matin, la chose à l'intérieur de son ventre avait suivi ses mouvements, dérivé en elle tel un poisson, nagé en elle comme dans une rivière, mais maintenant que le feu réchauffait l'espace de vie du bateau, le bébé faisait des bonds comme un poisson-chat furieux à l'intérieur d'un seau. Quand le feu eut fait monter la température à quinze degrés, une chaleur dans laquelle Margo pouvait retrouver un peu de bien-être, le bébé se tordit, tangua, poussa et lutta tel un poisson au bout d'une ligne. Ce bébé était en colère, pensa Margo, en colère parce qu'elle avait essayé de le tuer, en colère contre Smoke qui avait voulu les emporter et les noyer avec lui dans l'eau glacée. Margo s'imprégna de la colère de cet être vivant et sut qu'elle ne désirait plus qu'il disparaisse. Il avait, tous ces mois, été son compagnon fidèle ; elle avait coupé du bois, nettoyé le toit, piégé des rats musqués dans l'eau glacée, et il ne s'était pas rebellé. Il s'était accroché à elle à travers toutes ces épreuves et ce matin, il lui avait peut-être sauvé la vie. Elle lui avait laissé ouvertes toutes les portes de sortie, mais il était resté, et elle ne le laisserait pas mourir.

Elle posa les mains sur son ventre pour calmer la révolte. Elle était allée tant de fois s'adresser aux autres, elle avait tant de fois mendié à la table des autres, et maintenant elle devait prendre soin de quelqu'un. Elle ferait au moins aussi bien que ces louves qui élevaient des petits humains. Elle ferait au moins aussi bien que sa mère – mais elle n'abandonnerait pas son enfant dans l'espoir égoïste de se trouver. Et le jour viendrait peut-être où Luanne accepterait d'être, sinon une mère, une grand-mère.

Elle tenta d'adresser une prière à Dieu, mais elle trouva un plus grand secours en posant les mains sur les cendres de Crane. Elle demanda aussi leur aide à Smoke, et à Grand-Père Murray, et lorsque la neige diminua enfin, elle eut l'impression qu'ils lui avaient redonné des forces.

Sa parka ruisselait encore sur une chaise près du poêle. Margo enfila donc le blouson Carhartt sur ses épaules frissonnantes, s'enveloppa dans la couverture de laine, et retourna dans le pâturage. D'abord incapable de reconnaître l'endroit où elle s'était arrêtée, elle donna des coups de pied le long de la clôture et finit par retrouver le fusil de chasse. Elle en retira la neige et le glissa sous son bras.

À l'autre bout du champ, elle vit une silhouette se glisser entre les barbelés, puis lui adresser des signes de la main. C'était un homme de haute taille, la tête couverte d'une cagoule. Il lui fit signe de nouveau, avec empressement. Elle crut reconnaître le fermier. Elle n'avait pas envie de parler avec lui, ni avec personne. Elle commença à s'éloigner.

— Attendez !

C'était la voix de Johnny. Elle se retourna pour le regarder s'approcher, presque au pas de gymnastique, et elle eut conscience que ses réflexes de fuite s'émoussaient au point qu'elle ne pouvait plus courir. Elle resta là, immobile, telle une vache en chaleur. Elle desserra son étau autour du fusil de chasse. Elle savait que Smoke le gardait chargé, qu'il contenait quatre cartouches.

— C'est Fishbone qui m'envoie, lança Johnny. Il m'a dit de vous dire que Smoke s'est noyé dans la rivière. Il semble qu'il s'est suicidé, comme il avait juré de le faire. Je suis sûr qu'il va me manquer, ce vieux fou.

Il parlait d'une voix feutrée en hochant la tête lourdement, mais Margo sentait les vagues d'excitation qui irradiaient de son corps. Il était incapable de se laisser dominer par la tristesse. Elle fut tentée de partager sa bonne compagnie, de se perdre en lui un moment afin d'adoucir son chagrin. Mais ensuite, où en serait-elle ?

— Noyé, dit-elle en déglutissant avec peine.

Ses yeux s'inondèrent de larmes.

— Pourquoi êtes-vous habillée comme un Indien dans cette couverture ? Je vous raccompagne jusqu'au bateau de Smoke, Margie. Nous pourrons nous réchauffer l'un l'autre.

Margo se rappela la secousse dans son ventre, l'appela de tous ses vœux afin qu'elle lui donne de la force.

— Je ne vous conseille pas de me toucher, dit-elle.

Johnny écarquilla les yeux :

— C'est Fishbone qui m'envoie. Vous ne vous rappelez pas ? Je suis Johnny. On s'est rencontrés chez Smoke.

— Ce n'est plus le bateau de Smoke. C'est le mien.

Elle leva le fusil de chasse à hauteur de hanche, et recula de quelques pas.

— Et si vous mettez le pied sur le pont de mon bateau, je vous abats et je vous jette dans la rivière.

— C'est pas le fusil de Smoke ?

Johnny tendit la main comme pour toucher l'arme.

Margo recula :

— Smoke me l'a donné.

Elle imagina ce qu'elle ressentirait si Johnny la prenait dans ses bras, si ses mains lui caressaient les seins, si ses propres mains lui caressaient les cheveux et la nuque, si sa joue s'écrasait contre son torse. Son cou aurait un doux parfum de sueur.

— Je vous ai prévenu.

Elle actionna la pompe, qui fit un *ka-chong*.

— Un pied dans mon bateau et on repêchera votre corps dans le lac Michigan.

Elle était hors d'haleine après avoir simplement prononcé ces quelques mots. Le jour viendrait peut-être où elle aurait envie de ce que Johnny lui offrait. Mais pas maintenant.

— Je ne sais pas ce qu'on a pu vous raconter, mais je suis un type bien.

Johnny recula, sans cesser de la regarder de ses beaux yeux gris. Il parvint à sourire.

Margo se détourna, prit la direction de la rive et retraversa la clôture, les jambes frissonnantes, épuisée d'avoir successivement froid et chaud, épuisée par toute une vie passée à résister. Elle regagna son bateau, consacra la soirée à nettoyer ses armes à la lumière de la lampe à pétrole, et dans son ventre la rébellion se calma. Elle frotta à l'huile de lin la crosse de la carabine et l'écureuil gravé. Elle polit le chrome jusqu'à ce qu'il fût étincelant. Elle mangea une boîte de corned-beef qu'elle avait trouvée dans le fond du placard, que Smoke avait laissée là. Elle décida d'abattre un écureuil le lendemain et de le faire cuire sur le fourneau dans son pot émaillé. Ou peut-être un lapin, et avec la peau de ce lapin elle commencerait à confectionner une couverture. Il n'en faudrait pas beaucoup pour couvrir un petit bébé.

23.

Après la mort de Smoke, la neige et les blizzards reprirent et le soleil ne réapparut pas pendant trois semaines. Le matin où le ciel s'éclaircit enfin, Margo fit cuire une grosse carpe. Cet après-midi-là, elle était occupée à retirer les arêtes et à préparer le poisson sur le pont du *Glouton* lorsqu'elle vit un homme descendre le sentier de la vieille grange. La silhouette maigre approcha et Margo reconnut Fishbone à son chapeau. Elle découpait la carpe en lanières dans l'espoir de la fumer, la sécher et la conserver pour plus tard. Mais la chair se déchirait, et quand Fishbone eut atteint le rivage, elle commençait à douter de l'intérêt de son projet. Elle portait le blouson Carhartt de son père car elle ne voulait pas empuantir la parka de sa mère qu'elle mettait pour aller en ville relever son courrier et acheter des pommes de terre, des oignons et du corned-beef, dont elle avait une envie irrésistible depuis quelque temps.

Margo s'essuya les mains au torchon accroché à la table et prit les six peaux de rats musqués qu'elle avait cousues ensemble avec de la ficelle. Elle franchit la passerelle. Elle tendit ses peaux, propres et sèches, toutes intactes autour des yeux. Fishbone sortit de sa poche un sac poubelle plié, y glissa les peaux et posa le sac à ses pieds. Margo croyait sentir la neige fondre autour d'eux. Fishbone enfonça un de ses petits cigares dans son fume-cigare en plastique et l'alluma.

— Je trouvais ta carabine intéressante, alors j'ai fait mon enquête, dit-il. Marlin 39A. Cinq cents exemplaires fabriqués en 1960 avec cet écureuil et ce chrome. Carabine d'anniversaire pour les quatre-vingt-dix ans de Marlin. Tu dois probablement être la seule personne à tirer avec. Tout le monde la conserve précieusement dans un étui.

Margo tira sur son blouson pour recouvrir son ventre. Fishbone aspira une bouffée de son cigare. Des juncos se posèrent près du brasero. La voisine lui avait donné un sachet de graines en lui disant d'observer les oiseaux qu'elle parvenait à attirer au bord de l'eau.

— Tu sais, dit-il, Smoky m'a appelé ce matin-là. Il a réveillé ma pauvre femme, lui a fait peur avec sa voix sifflante. Maintenant, je me dis qu'il appelait pour dire adieu.

— Il a dit qu'il ne voulait pas mourir seul.

Margo enfonça ses mains dans les poches de son blouson.

— Quand tu es partie, j'ai appelé les flics et ils ont trouvé la lettre dans la cuisine. Aucun doute sur le sens de son message. Les flics m'ont parlé de suicide et je leur ai dit que Smoky l'évoquait tout le temps. Son sujet préféré.

Fishbone portait son habituel blouson en cuir étroit sur un pull en laine fine et, bien qu'il eût trois fois l'âge de Margo, il ne frissonnait pas comme elle. Ce matin, elle était allée réinstaller ses pièges submergés et elle ne s'en était pas encore remise. Elle n'aurait vraiment chaud que ce soir, lorsqu'elle pourrait alimenter son poêle à l'intérieur de la cabine. Elle se sentait parfois extraordinairement émue en pensant au confort qu'elle parvenait à créer dans sa petite maison sur l'eau, assise en train de travailler ou lisant, couchée dans son lit, tandis que l'incendie faisait rage dans le poêle.

— Tu n'es pas venue aux obsèques, dit Fishbone.

— Je suis allée en ville. Je suis même entrée dans le bâtiment. Mais je ne voulais pas rester avec tout ce monde. Et puis, je ne voulais pas le voir mort.

Les oiseaux gris et blanc s'envolèrent brusquement et remontèrent le courant. Une demi-douzaine de cardinaux vint se poser sur les graines.

— Harland est venu avec sa femme. Les anciens clients de l'imprimerie aussi, des gens que je connaissais. Si tu l'avais connu avant son emphysème. Il savait ferrer un cheval, prendre soin des bêtes malades, construire un bateau, assembler les caractères d'imprimerie. Il savait presque tout faire.

Elle hocha la tête.

— Il aidait les gens de différentes façons. Je lui dois encore de l'argent. Il m'a dit que c'était à toi que je le devais à présent.

— Vous ne me devez rien.

— Si. J'aurais dû faire davantage pour lui. Il s'est toujours occupé de moi quand j'ai eu besoin de lui. Mais ce n'était pas possible.

— Smoke disait que vous étiez une noix dure à casser.

Fishbone tira longuement sur son cigare, d'une façon inhabituelle pour lui. Il exhala un nuage de fumée parfumée et tiède dans l'air hivernal.

— Quel monde magnifique, n'est-ce pas, jeune dame ?

— Vous aimiez Smoke ?

Il ne parla pas tout de suite, comme s'il s'apprêtait à dire quelque chose de compliqué.

— « C'était un grand ami », fut tout ce qu'il répondit.

Tous deux gardèrent le silence un moment.

— J'aimais venir m'asseoir et parler avec vous et Smoke, dit Margo. Pour moi, c'était le paradis.

— Drôle de paradis.

— J'aimais bien vous entendre vous disputer, vous deux.

Elle pourrait peut-être, pensa-t-elle, lui dire qu'elle avait essayé de sauver Smoke, et qu'à la fin elle avait senti, comme un devoir, la nécessité de le laisser partir, qu'elle en avait éprouvé un immense soulagement. Elle avait envie de raconter à Fishbone qu'elle avait, cette nuit-là, rêvé que Smoke était dans son lit, que son fantôme s'était introduit en elle avec son bébé, mais elle ne voyait pas par quel bout commencer une histoire aussi folle.

— Smoky avait rédigé un nouveau testament. Tu savais ça ?

Elle plissa les yeux :

— Pourquoi ?

— Pour te faire don de la maison. Il l'a modifié quand tu es revenue de chez ta mère. Il m'a demandé de l'emmener chez le notaire. La maison n'a guère de valeur.

Margo ne pensait pas que Fishbone plaisanterait là-dessus, mais elle scruta son visage à la recherche d'un indice. Sa présence lui avait manqué.

— J'ai un service à te demander. Est-ce que je peux laisser mon bateau chez toi ? Tu peux t'en servir quand tu veux.

— Smoke disait que vous ne veniez plus le voir. Que vous veniez voir la rivière.

— Si, c'est lui que je venais voir.

— Pourquoi ce besoin d'être sur la rivière ?

Fishbone grommela :

— J'ai grandi au bord de la rivière dans l'Ohio. Nous aurions crevé de faim sans la possibilité de chasser, de pêcher et de piéger.

— Pourquoi êtes-vous parti ?

— Je suis monté dans le nord pour trouver du travail, mais je me suis rendu compte que je ne pouvais pas travailler dans cette usine automobile. J'en serais mort. Smoky m'a sauvé en me donnant un travail et en me permettant de laisser mon bateau chez lui.

Margo hocha la tête. Avec le bateau de Fishbone, elle pourrait monter et descendre la rivière, et trouver la héronnière la plus proche – il y en avait sur toutes les rivières, à n'en pas douter. Et il y aurait bien un bras où elle trouverait des tortues serpentines et du cresson d'eau. Elle s'entraînerait à manier les rames sans faire de bruit.

— Mes propres enfants n'ont jamais eu envie de pêcher dans la rivière, ni mes petits-enfants, mais peut-être mes arrière-petits-enfants en auront-ils envie.

Fishbone regarda son cigare à demi consumé.

— Je peux leur apprendre à pêcher si vous voulez. Vous êtes sûr, pour la maison de Smoke ? Je n'en avais pas la moindre idée.

— C'est un meilleur endroit pour un enfant que ce bateau. Tu es heureuse de garder le bébé ?

Elle n'allait pas essayer d'expliquer pourquoi elle gardait son bébé. Non que ce fût une question de principe – c'était personnel, entre elle et l'enfant.

Lors de sa prochaine visite, elle préparerait quelque chose à manger pour Fishbone. Elle avait acheté de la farine et du sucre. En juin, elle aurait des framboises et, quand elle disposerait d'un bateau pour traverser la rivière, elle pourrait ramasser des mûres, des groseilles sauvages et peut-être même des fraises sauvages. Avec le fermier, elle pourrait s'arranger pour échanger toute l'année des peaux et de la viande de cerf contre des œufs. Elle hocha la tête, bien qu'elle eût déjà oublié la question de Fishbone.

— Alors cesse de couper du bois, dit-il. Sers-toi du gaz. C'est pour cette raison que Smoke a installé un tuyau de ventilation. Je t'apporterai une autre bouteille quand tu en auras besoin. J'ai promis à Smoky de t'aider. Et ta mère le fera. Es-tu retournée la voir ?

— Pas encore.

— Je ne sais pas si Smoky a eu une bonne influence sur toi, à dire tout le temps que tu devais vivre selon tes choix. Il y a beaucoup d'avantages à vivre une vie normale.

— Vous avez de l'expérience avec les enfants en bas âge, n'est-ce pas ?

— Oh, j'ai plus d'enfants et de petits-enfants que je ne peux les compter. Et des arrière-petits-enfants à présent. J'aurais préféré que vous autres, les jeunes filles, vous attendiez d'avoir un mari.

— J'ai fait la connaissance de la voisine qui habite derrière la grange. Je l'ai trouvée dans son jardin, des graines à la main, essayant de nourrir une mésange.

— Mme Rathbone ?

— Rathburn, je crois. Elle dit qu'elle me donnera des vêtements pour le bébé et qu'elle pourra me le garder en cas de besoin. Elle dit qu'elle adore les bébés.

Fishbone hocha la tête.

— Sa benjamine a un lapin géant qu'elle promène comme un chien. Il a des oreilles longues comme ça.

Margo ouvrit les mains et en fit des oreilles de lapin.

— Je suppose que tu ne lui as pas dit ce que tu fais des lapins en général.

— Non. Mais avec une bête comme celle-là, je pourrais me nourrir correctement pendant deux semaines, s'esclaffa Margo.

Elle avait remarqué que Fishbone était mal rasé ce matin, quelque chose qui ne lui était pas habituel.

— Que faisais-tu là-bas, avec cette carpe ?

Fishbone indiqua de la pointe du menton la table installée sur le pont du bateau. Son morceau de barque en teck lui servait de planche à découper. Les courbes asymétriques faisaient couler les liquides sur les mots *River Rose* et dans le trou percé par la balle.

— Du poisson séché. J'ai mis trop de sel, je crois. La texture n'est pas la même. Peut-être devrais-je les mettre en bocaux, comme des tomates ?

— La viande de daim se conserve mieux.

Il tira de sa poche de devant un rouleau de billets et paya les peaux. Retirant le cigare de sa bouche, il l'examina de nouveau.

— Je ne sais pas si tu essaies vraiment de vivre comme dans le temps, mais ma mère faisait des conserves de poisson et de viande. Je peux demander à ma sœur aînée au téléphone, voir si elle se rappelle comment elle s'y prenait. Je crois qu'il faut faire bouillir les bocaux sous pression. Et ma femme a des bocaux d'un demi-litre dont elle ne se sert pas. Smoky a une cocotte-minute quelque part, j'en suis sûr. Il va te falloir mettre de l'ordre dans tout son bric-à-brac.

Margo acquiesca. Elle avait envie d'apprendre tout ce qu'elle pouvait auprès des gens prêts à partager leur savoir-faire. Les outils qu'on lui donnerait lui serviraient à se construire la vie qu'elle voulait. Dans l'un des volumes de *Firefox*, elle avait appris à fabriquer des lacets avec des peaux de marmotte.

— Mes enfants sont nés à la maison, dit Fishbone, mais ça ne se fait plus. Tu vas devoir aller à l'hôpital.

— Je ne veux pas aller à l'hôpital.

Elle ne pouvait pas imaginer les personnages de *Firefox* aller accoucher à l'hôpital. Son grand-père Murray n'était pas né à l'hôpital et Annie Oakley, elle aussi, était née à la maison.

— Il ne s'agit pas de ce que tu veux, jeune dame. Il faut que tu fasses vacciner ton enfant pour qu'il n'attrape pas de maladies. Et si tu négliges ton enfant, j'appellerai les services sociaux et ils te l'enlèveront. Si tu mets ton enfant en danger, je le prendrai moi-même. C'est exactement ce que j'ai dit à ma petite-fille.

Margo le regarda avec surprise.

— Et à l'hôpital, on te fournira le certificat de naissance. Tu vois un autre endroit pour l'obtenir ?

— Vous n'êtes pas obligé de m'aider, vous savez.

— J'ai besoin d'un endroit sur la rivière, dit Fishbone en plissant les yeux pour les protéger de la fumée du cigare. Et j'ai peut-être un faible pour les bébés.

— Et Nightmare ?

— Je voulais t'en parler. Il est dans le camion.

— Je peux le voir ?

Elle leva les mains comme pour montrer qu'il n'y avait rien dedans.

— Ma femme voulait le prendre pour garder la maison, mais il reste couché là, à gronder, jour et nuit. J'avais donné ma parole à Smoky, mais il a perdu huit kilos et il a les yeux rouges comme s'il buvait.

— C'est un chien de rivière, dit Margo. Les chiens de rivière doivent rester au bord de la rivière.

— Admettons qu'il reste avec toi. Comment vas-tu le nourrir ?

— Il mangera de la viande, comme moi. Je lui ferai cuire les rats musqués. J'enlèverai les glandes. Et je lui achèterai de la nourriture pour chien aussi, si c'est ce qu'il aime. J'ai vu des gros sacs à l'épicerie, ils coûtent cinq dollars.

— Je te conseille de faire cuire les rats musqués dehors. Et tu ne pourras plus utiliser les pièges à lacet. Il va occuper tout l'espace de la cabine tant que tu habiteras là. Tu vas l'avoir dans les jambes toute la journée.

— Je me sers des pièges submergés et, quand j'attrape les ratons laveurs vivants, je jette la cage dans l'eau et je les noie.

En fait, elle n'avait jamais utilisé les pièges à lacet que Smoke lui avait donnés, de crainte de piéger des chiens errants.

— Et il va aboyer et gronder dès qu'un homme voudra s'approcher. Je ne peux pas affirmer qu'il ne le mordra pas, s'il ne lui revient pas.

— Il sera heureux avec moi.

— Tu es sûre ? C'est bien ce que tu veux ?

Margo était certaine pour le chien ; moins pour la maison, qui lui paraissait surgir d'un conte de fées. Peut-être ressentait-elle à propos de Nightmare la même certitude que Luanne quand elle avait fait ses valises et quitté Murrayville pour recommencer une nouvelle vie. Peut-être était-ce ce que Joanna avait ressenti quand elle avait juré, le jour de son mariage, d'honorer son mari et de lui obéir, d'oublier tous les autres. Peut-être, en descendant la colline en direction de la rivière, Smoke était-il aussi certain qu'elle à propos du chien.

Margo enfonça la carpe dans le seau au couvercle étanche, prit un autre seau, versa de l'eau de source sur sa planche à découper. Elle prit sa carabine, l'accrocha à son épaule et suivit Fishbone sur le sentier qui conduisait à la grange. Nightmare était assis dans la camionnette, sur le siège du conducteur. Dès qu'il vit Margo, le chien posa les pattes sur la vitre. Quand Fishbone ouvrit la portière, il sauta par terre, s'inclina devant Margo, remua son énorme queue et aboya une fois. Puis il se tourna vers Fishbone et gronda.

— Pour l'amour du ciel, grosse bête, dit-il en secouant la tête. Je ne suis pas ton ennemi.

Margo étreignit le chien et le caressa. Ses côtes se voyaient à travers la peau.

— Gentil, Nighty. On va t'engraisser.

— Je crois que tu es décidée, dit Fishbone. Avec cette queue, il renversait tout ce qu'il y avait sur la table basse de ma femme.

Margo hocha la tête. Elle craignait que Johnny ne revienne, ne réapparaisse au bord de la rivière. Elle redoutait que son odeur fût la clef pour libérer son corps et c'était dans la nature de cet homme de tenter sa chance avec elle. Mais pas avec ce chien à ses côtés, pour lui rappeler, en aboyant et grondant, qu'elle désirait davantage, qu'elle possédait quelque chose qui méritait protection.

— Vous connaissez l'étoile du chien ? demanda Margo.

— C'est sans doute Sirius. La plus lumineuse du ciel.

Il retira son cigare consumé et mit le porte-cigare dans sa poche.

24.

Au mois de mai, la première fois qu'il fit chaud, Margo s'éveilla avec la sensation que la rivière gonflait rapidement sous l'effet des pluies de la veille. Elle ne débordait pas, pas exactement, mais elle venait à sa rencontre sur le bateau. Elle s'était réveillée en rêvant de son père. Il n'était cette fois ni en colère ni déçu, il n'avait même pas peur d'elle. Assis sur une souche au bord de la Kalamazoo, il aiguisait son couteau. Son impression, dans le rêve, était qu'il veillait sur elle, comme il l'avait fait avant le départ de Luanne, avant tous les problèmes avec les Murray, et elle se sentit réconciliée. Couchée dans son lit, elle écouta les susurrements aigus et les sifflements qui environnaient son bateau : un vol de jaseurs de cèdres s'était posé pendant sa migration vers le nord. Elle susurra et siffla en réponse dans leur langue secrète. Pour ce qu'elle en savait, tous les langages étaient secrets ; secrets, manipulateurs et optimistes, à commencer par les comptines qu'elle répétait depuis quelque temps à cause des livres que lui prêtait Mme Rathburn. Souvent, Margo ne trouvait pas de langage en mesure de la satisfaire, mais elle était sûre à présent d'en avoir trouvé au moins un.

Par la fenêtre ouverte, Margo entendit le miaulement d'un oiseau jardinier revenu de l'endroit où les oiseaux jardiniers allaient passer l'hiver, et puis l'oiseau changea de tonalité et se mit à siffler à l'imitation des jaseurs. Le grand chien par terre respirait dans son sommeil en lançant des soufflements rauques.

Un vent tiède pénétrait par les moustiquaires, et pour le moment, Margo se sentait bien dans sa peau. Maintenant, il lui arrivait de passer des nuits à se tourner d'un côté et de l'autre, l'oreille tendue vers les cris des animaux, en s'efforçant de localiser son moi en expansion. La nuit dernière, sans feu dans le poêle, elle avait eu si chaud qu'elle s'était débarrassée de ses vêtements et même des draps qui lui couvraient le ventre, et elle avait dormi nue. La symphonie du printemps orchestrée par les rainettes, les grenouilles, les crapauds et les criquets devenait parfois insupportable, mais hier, en martelant son toit en tôle, la pluie avait noyé tout le reste et elle avait dormi si profondément qu'elle s'était réveillée les yeux gonflés.

Elle pouvait s'installer dans la maison de Smoke quand elle voulait, mais elle ne se sentait pas prête à quitter ce bateau, pas encore. Fishbone viendrait dans quelques jours et, ensemble, ils le remonteraient en s'aidant de son bateau en aluminium et de tout ce qui se révélerait utile. Il disait qu'il regrettait de ne pas avoir ces mules dont on se servait autrefois pour haler les péniches dans l'Ohio quand il était petit garçon. Pour le bébé, elle déménagerait dans la maison – Mme Rathburn lui rappelait l'existence des lave-linge et de l'eau courante, qui lui éviteraient d'avoir à transporter l'eau – mais Margo vivait heureuse sur le *Glouton*, aussi heureuse qu'elle avait jamais été. Grâce à cet endroit confortable et sûr devenu le sien sur la rivière, elle avait eu le loisir de s'observer, comme elle observait autrefois les grands hérons et les martins-pêcheurs, les chiens et les hommes qu'elle avait connus. Maintenant, elle était capable de percer l'énigme de ses problèmes, non pas de leur apporter une solution, mais de réfléchir en profondeur pour déchiffrer leur message. Elle espérait que Smoke se trompait quand il disait que les gens étaient inconnaissables. Elle espérait parvenir un jour à faire craquer sa coquille de noix et à se connaître. Alors pourrait-elle enfin commencer à comprendre les autres.

Elle posa les pieds sur le tapis de Nightmare à côté de son lit, caressa le chien et salua sa carabine placée dans le râtelier près de la porte. Elle s'enveloppa dans un drap, versa une portion de croquettes pour chien dans une gamelle qu'elle emporta sur le pont en métal recouvert de caoutchouc qui chauffait au soleil. Elle examina les tourbillons à la surface de la rivière dont le niveau montait, mais pas aussi dangereusement que dans son rêve. Un jour peut-être, maintenant que son esprit était auprès d'elle, Crane lui dirait s'il voulait que ses cendres soient répandues dans la rivière. Elle n'était pas encore prête à s'en séparer.

Les jaseurs et quelques fauvettes tapageuses se rassemblaient dans les arbres qui composaient le brise-vent du fermier, descendaient du ciel et se perchaient dans les branches avant de s'envoler et de se poser à nouveau. Une fois installés, ils devenaient des points noirs en contraste sur le ciel du matin, bleu pur comme les volubilis que Joanna plantait au printemps au bord de la rivière. L'un après l'autre, tel un petit bandit masqué, un jaseur descendait de son perchoir et plongeait le bec dans l'eau fraîche. Les oiseaux migrateurs emporteraient avec eux un peu de la Kalamazoo, peut-être jusqu'à la Stark, où ils s'arrêteraient pour boire encore avant de poursuivre leur voyage vers le nord, où ils bâtiraient leurs nids, se reproduiraient et, qui sait, verraient des carcajous qui ne détruisaient pas les pièges et ne dévastaient pas les campements, mais se contentaient de chercher de la nourriture, un abri, et des compagnons.

Elle entendit des bruits de machines dans un champ lointain. Le fermier avait survécu à l'hiver et se préparait à une nouvelle saison de travail. Tous ces mois ils avaient vécu sans se préoccuper l'un de l'autre, mais, quelques jours auparavant, il était venu dans son bateau lui apporter les papiers ayant trait à son permis de chasser en réparation des préjudices aux cultures. Dès que le fermier aurait semé, Margo aurait, légalement, le droit d'abattre tous les cerfs qu'elle voudrait. Elle avait fini par faire la connaissance de sa femme en allant rendre visite à Mme Rathburn, et toutes les trois avaient pris le café dans la cuisine de celle-ci. Margo n'avait presque pas desserré les dents, mais peu importait, car les deux femmes avaient beaucoup à dire et elle avait eu plaisir à écouter leurs voix mélodieuses.

L'oiseau jardinier se posa à trois mètres d'elle, sur l'une des cordes tendues qui attachait son bateau à la terre ferme. Il remua la queue pour garder l'équilibre, lança quelques plaintes et recommença son imitation sifflante des jaseurs. Margo se demanda si c'était là un simple jeu ou si l'oiseau jardinier apprenait quelque chose avec chaque nouvelle note empruntée.

Elle traversa la passerelle et marcha pieds nus le long de la rivière et jusqu'au bord de l'eau. C'était la première fois qu'elle ne chaussait pas ses bottes avant de s'aventurer dehors. Pour la première fois cette année, pour la première fois tout court, elle sentit la boue de la Kalamazoo gicler entre ses orteils. La fraîcheur était électrique. Elle marcha jusqu'à la source où les animaux venaient boire et laissa l'empreinte de ses pieds à côté des signatures à quatre doigts des oiseaux.

Margo ôta son drap, le roula en boule et le lança sur le pont du bateau. Alors seulement elle songea à regarder autour d'elle pour s'assurer que personne ne pouvait la voir. Elle s'enfonça dans l'eau à hauteur des genoux, puis des cuisses, sentit la caresse des herbes aquatiques telle une longue chevelure maternelle. À Murrayville, son père lui demandait toujours d'attendre pour nager que le thermomètre de la véranda indique plus de vingt degrés, mais quand il était au travail, Luanne la laissait se baigner dès qu'elle se sentait assez forte pour braver le froid.

— Voilà, mon bébé, bienvenue dans la rivière, dit Margo.

Elle s'éloigna de la rive pour que l'eau monte jusqu'à ses hanches et, avant que ses pieds ne s'enfoncent dans la vase, elle donna une petite poussée. Le fond de la rivière céda et elle se trouva immergée jusqu'au cou. Comme son ventre glissait dans l'eau, elle douta un moment de sa capacité à nager. Ses membres n'exécutaient pas les bons mouvements, ils ne semblaient plus posséder les proportions nécessaires pour la soutenir dans l'eau et sa tête s'enfonçait. Le courant était en train de l'emporter. Elle lutta jusqu'au moment où elle se rappela qu'elle devait au contraire se laisser aller et laisser la rivière courir autour d'elle. Elle se redressa et commença à remonter en nageant à l'indienne. L'eau la rendait plus légère – la rivière était un paradis pour une femme gonflée comme elle l'était. Elle se retourna et nagea sur le dos, le ventre en l'air. Elle saisit une barre de fer fixée à l'avant de son bateau et laissa flotter ses jambes. Son ventre nu s'enfonçait et ressortait comme la plus belle vesse-de-loup de la vallée.

Elle avait senti le bébé tressaillir à son contact avec la rivière, elle l'avait senti se rebeller quand elle avait commencé à nager, et puis il s'était détendu. Elle flottait et le bébé flottait avec elle. Le chien noir abandonna son écuelle et, sautant du bord de la passerelle, courut dans la rivière en soulevant des gerbes d'eau. Une fois les pattes à mi-hauteur dans le courant, il se mit à laper. Smoke se retournerait dans sa tombe s'il voyait son chien boire dans la rivière. En riant, Margo s'accrocha pour ne pas se laisser emporter.

REMERCIEMENTS

Merci Heidi Bell et Carla Vissers, Andy Mozina et Lisa Lenzo, mes lecteurs perspicaces et généreux, mes amis qui êtes aussi de merveilleux écrivains. Merci Bill Clegg, pour être allé au-dessus et au-delà de ce livre. Merci Bill Bialosky, pour le ciselage, pour l'harmonie et ton simple bon sens. Les âmes généreuses dont les noms suivent m'ont aidée en lisant l'une ou l'autre version de ce roman : Gina Betcher, Jamie Blake ; Glenn Deutsch, Godfrey Grant, Sheryl Johnston, Lindsey Kamyn, Mimi Lipson, Susan Ramsey, Diane Seuss, Melvin Visser, Shawn Wagner. Merci Gary Peake, maître tireur d'élite, pour ton expertise et ta philosophie et pour la délicate attention que tu as portée à tous les coups tirés par Margo. Je suis reconnaissant à mon grand-père Frank Herlihy, de Red House Island, qui a vécu assez longtemps pour en savoir plus qu'aucun autre sur la rivière, et à Grand-Mère Betty Herlihy, qui savait une foule de choses que son mari ignorait. Et mon cher Onc' Terry Herlihy, qui a toujours un orteil dans l'eau.

Ils sont nombreux à m'avoir aidée quand j'écrivais ce livre. Une liste de remerciements plus complète se trouve sur mon site web : www.bonniejocampbell.com.

Toutes les personnes et tous les endroits que Margo rencontre dans cette histoire sont purement fictionnels. Même certains aspects de la Kalamazoo ont été retravaillés par l'imagination. *Il était une rivière* emprunte à deux nouvelles. *Réunion de famille*, lue pour la première fois dans le programme « Nouvelles sur Scène » de la station WBEZ, et d'abord publiée dans *Mid-American Review*, puis dans *American Salvage* (Wayne State University Press, 2009) ; *Le chien pêcheur*, d'abord publiée dans la revue *North Dakota Quaterly* et ensuite dans *Women & Other Animals* (University of Massachusetts Press, 2000).

Merci Susanna, d'avoir toujours été là et d'être la mère dont tout écrivain a besoin.

Merci Christopher chéri, pour tout, toujours.

Hari Kunzru, *Dieu sans les hommes*, traduit de l'anglais par Claude et Jean Demanuelli.

Naguib Mahfouz, *Impasse des deux palais*, traduit de l'arabe (Égypte) par Philippe Vigreu.

Naguib Mahfouz, *Le Palais du désir*, traduit de l'arabe (Égypte) par Philippe Vigreu.

Naguib Mahfouz, *Le Jardin du passé*, traduit de l'arabe (Égypte) par Philippe Vigreu.

Adam Mars-Jones, *Pied-de-mouche*, traduit de l'anglais par Richard Cunningham.

Sue Miller, *Perdue dans la forêt*, traduit de l'anglais par Béatrice Roudet.

Neel Mukherjee, *Le Passé continu*, traduit de l'anglais par Valérie Rosier.

William Ospina, *Ursúa*, traduit de l'espagnol (Colombie) par Claude Bleton.

William Ospina, *Le Pays de la cannelle*, traduit de l'espagnol (Colombie) par Claude Bleton.

Miguel Sandin, *Le Goût du mezcal*, traduit de l'espagnol par Claude Bleton.

Paul Torday, *Partie de pêche au Yemen*, traduit de l'anglais (États-Unis) par Katia Holmes.

Paul Torday, *Descente aux grands crus*, traduit de l'anglais (États-Unis) par Katia Holmes.

Giuseppina Torregrossa, *Les Tétins de sainte Agathe*, traduit de l'italien par Anaïs Bokobza.

Rose Tremain, *Les Silences*, traduit de l'anglais par Claude et Jean Demanuelli.

Hélène Uri, *Trouble*, traduit du norvégien par Alex Fouillet.

Clara Usón, *Cœur de Napalm*, traduit de l'espagnol par Anne Plantagenet.

Zoé Valdes, *Le Paradis du néant*, traduit de l'espagnol (Cuba) par Albert Bensoussan.

Zoé Valdes, *Le Roman de Yocandra*, traduit de l'espagnol (Cuba) par Carmen Val Juliœn et Albert Bensoussan.

Alexi Zentner, *Les Bois de Sawgamet*, traduit de l'anglais (États-Unis) par Marie-Hélène Dumas.

CET OUVRAGE A ÉTÉ COMPOSÉ
PAR FACOMPO À LISIEUX
ET ACHEVÉ D'IMPRIMER SUR ROTO-PAGE
PAR L'IMPRIMERIE FLOCH À MAYENNE
POUR LE COMPTE DES
ÉDITIONS J.-C. LATTÈS
17, RUE JACOB – 75006 PARIS
EN DÉCEMBRE 2012

Imprimé en France
FROC021444231120
25769FR00004B/14